Les Plaisirs d'Hiver

Evie Hunter

Traduit de l'anglais
par Benoîte Dauvergne

City
Roman

UN

Abbie Marshall coinça le combiné du téléphone de la cabine sous son menton et balaya du regard le tableau d'affichage de l'aéroport de Toncontín. Il faisait une telle chaleur au Honduras que, malgré la climatisation, son tee-shirt était déjà humide.

— Il faut que tu me sortes de là, dit-elle.

Tous les vols vers les États-Unis étaient complets et elle avait un gros problème. Elle en avait même deux, en réalité. Deux hommes qui l'avaient prise en filature depuis qu'elle avait quitté l'hôtel. Abbie ne connaissait que trop bien celui aux yeux foncés avec une balafre sur la joue.

La jeune femme faillit ne pas entendre la réponse de son rédacteur en chef.

— Je m'en occupe. Donne-moi une heure et je...

Soudain, le Balafré se leva et le cœur d'Abbie cessa de battre. Elle se trouvait dans un aéroport international. Ils ne pouvaient quand même pas la kidnapper ! Son instinct lui disait pourtant le contraire. Elle en avait vu assez au cours des deux dernières semaines pour savoir que ces hommes faisaient ce qu'ils voulaient et que personne ne les arrêterait.

— Je ne pense pas pouvoir tenir une heure, Josh.

— À quelle distance sont-ils ?

Abbie serra plus fort le combiné.

— Serais-tu contrarié si je te disais dix mètres ? Je suis une cible facile ici. Mon portable ne fonctionne pas. Je trouverai une autre cabine téléphonique si je dois quitter celle-ci.

S'ensuivit une volée de jurons.

— Je veux que tu restes au bout du fil. Parle-moi, princesse.

— Je vais bien, c'est juste... Je vais bien. Dis à Sara que je tiens un scoop et que je lui rendrai mon article dès mon retour.

Abbie laissa glisser son sac à dos miteux de son épaule. Il l'avait accompagnée tout au long de ses missions les plus effrayantes : l'Afrique du Nord, la Birmanie, Haïti.

C'était peut-être leur dernier voyage à tous les deux. Elle s'était déjà retrouvée dans le pétrin auparavant, mais jamais la situation n'avait été aussi grave.

On annonça le départ du vol pour New York, et Abbie regarda les passagers se diriger vers la porte d'embarquement. Le Balafré revint du bar et leva son verre dans sa direction. Elle n'était pas plus en sécurité ici qu'à l'hôtel. D'ici quelques heures, le dernier avion aurait décollé, et les deux hommes passeraient à l'action.

— Abbie, tu es toujours là ? *Abbie !*

Le ton brusque de son rédacteur en chef la ramena soudain à la réalité.

— Écoute, tu vas aller au comptoir des vols charters dans le hall principal. Un jet privé à destination de Miami décolle dans une demi-heure. C'est celui de Jack Winter. Tu pourras l'interviewer pendant le voyage.

— Mais qu'est-ce que tu racontes ? Interviewer Jack Winter ?

Abbie entendit un soupir exaspéré au bout du fil.

— Tu veux que je te sorte de là, oui ou non ? Les studios Standard essaient d'organiser une rencontre entre Jack Winter et nous depuis des mois. Il a donné son accord, mais on n'a jamais réussi à lui mettre la main dessus. C'est ton jour de chance, parce que, parmi tous les endroits paumés où il aurait pu se trouver, il a fallu que ce soit le Honduras. Il reprend l'avion ce soir. Son attachée de presse fait de son mieux pour que tu puisses monter dans ce jet, mais elle n'arrive pas à joindre Winter, ni ses collaborateurs. Il faudra juste que tu le baratines un peu une fois là-bas. Maintenant, file !

Abbie ferma les yeux. Hormis son matériel de travail, son petit sac à dos ne contenait qu'une trousse de toilette et des sous-vêtements de rechange. Elle n'avait pas eu le temps d'attraper autre chose en s'enfuyant de l'hôtel. Son tee-shirt lui collait à la peau. Et Josh s'attendait à ce qu'elle interviewe une icône d'Hollywood, un homme plus connu pour sa vie de fêtard et ses conquêtes que pour ses talents d'acteur ?

Quand elle rouvrit les yeux, le Balafré la dévisageait.

— J'y vais, dit-elle avant de raccrocher.

Elle souleva son sac à dos et s'enfuit en courant.

Les deux hommes furent surpris par son soudain départ. Elle entendit une chaise racler bruyamment le carrelage et une bouteille se briser sur le sol.

Elle traversa le hall d'entrée à toutes jambes, se faufilant entre les passagers qui attendaient leurs vols, sans prêter attention aux cris des hommes à ses trousses. Abbie ralentit seulement lorsqu'elle aperçut des agents de sécurité armés. Toncontín servait aussi d'aéroport militaire, et elle n'avait aucune envie d'être arrêtée ou abattue par erreur.

Abbie jeta un coup d'œil rapide par-dessus son épaule et vit que le Balafré n'avait pas eu autant de chance qu'elle. Les deux hommes avaient été arrêtés. Peut-être allait-elle finalement s'en sortir ? Elle se dépêcha de rejoindre le hall principal. La plupart des comptoirs étaient fermés, et le responsable des vols charters s'apprêtait à partir.

— Je m'appelle Abbie Marshall. On a essayé de vous contacter. Je dois monter dans le jet des studios Standard.

L'homme jeta un œil à sa montre et lui sourit d'un air désolé.

— Je suis navré, mademoiselle Marshall, mais vous arrivez trop tard. Le jet est prêt à décoller.

Abbie regarda par-dessus son épaule. Le Balafré et son copain avaient été libérés.

— Je vous en prie, il faut que je parte d'ici ce soir.

Tandis que l'homme la jaugeait, Abbie lui adressa un regard à la fois désespéré et chaleureux. Sa vie dépendait du choix de cet homme.

Il prit une décision rapide.

— D'accord, mais nous allons devoir courir.

Il la fit passer derrière le comptoir, puis par une petite porte. Elle le suivit à travers un labyrinthe de couloirs en béton, franchit une porte de secours et sortit dans la nuit. L'air épais et humide était étouffant.

— Dépêchez-vous.

L'homme l'attrapa par le bras et l'obligea à traverser le tarmac à toute vitesse. Abbie crut que ses poumons allaient exploser. Elle voyait au loin la silhouette blanche et brillante d'un jet prêt à décoller. Deux ombres en gilets phosphorescents s'apprêtaient à retirer l'escalier amovible.

— Non ! Attendez ! cria Abbie.

Elle courut vers l'avion en agitant les bras. Les deux techniciens finirent par l'entendre et s'arrêtèrent. L'escalier resta en place quelques précieuses secondes de plus.

Abbie s'élança en haut des marches, franchit la porte et atterrit à quatre pattes dans l'avion. Sans bouger, elle tenta de reprendre son souffle avant d'affronter ses compagnons de voyage.

— Est-ce que ça va ? demanda un homme de grande taille en l'aidant à se relever.

Il lui adressa un sourire rassurant.

Abbie lui rendit son sourire tout en essayant de maîtriser les battements rapides de son cœur et son souffle bruyant.

— Oui, ça va mieux.

Ce type était mignon. Il avait les cheveux châtains, les yeux bleus et un accent irlandais irrésistible.

Un homme plus âgé, déjà attaché à son siège, fronça les sourcils en la regardant.

— Étiez-vous attendue à bord ? demanda-t-il en jetant un œil à sa montre.

Son costume hors de prix ne cachait pas tout à fait sa bedaine naissante, et son air suffisant la fit grincer des dents.

Abbie se leva et s'épousseta.

— Je crois que oui. Abbie Marshall, du *New York Independent*. Je suis venue interviewer Jack Winter.

Elle essaya de faire comme si c'était l'unique raison de sa présence à bord.

— Pas si vite, mademoiselle Marshall. Je suis l'agent de monsieur Winter. La moindre requête doit d'abord m'être adressée.

L'homme sortit son smartphone.

— Je vous présente Zeke Bryan, dit le plus jeune.

Abbie le salua poliment, mais ne se donna pas la peine de lui serrer la main.

— Le *New York Independent*. Je crois savoir qu'une interview a été accordée au journal il y a quelque temps. Cela fait partie du contrat de monsieur Winter avec les studios Standard.

L'agent parut hésiter, mais, avant qu'il ait pu ajouter quoi que ce soit, l'homme le plus jeune lança un sourire à Abbie et dit :

— Oh ! laisse tomber, Zeke. Tu ne trouves pas qu'on manque un peu de compagnie féminine à bord ?

L'air renfrogné, l'agent se réinstalla dans son siège, puis regarda ailleurs. Apparemment, elle était libre de mener sa mission à bien.

Le jeune homme lui tendit la main.

— Je m'appelle Kevin O'Malley.

Abbie lui serra la main. Elle appréciait sa gentillesse et son naturel. La jeune femme comprit aussitôt pourquoi on parlait autant du charme irlandais.

Kevin éleva légèrement la voix.

— Hé ! Jack, viens dire bonjour à notre charmante invitée.

Il n'y eut pas de réponse. Oh ! Super. Jack Winter était l'une de ces stars qui prenaient plaisir à ignorer tout le monde.

Elle suivit Kevin à contrecœur vers le fond de l'appareil, afin d'être présentée à l'infâme vedette.

Lorsque Kevin fit un pas de côté et qu'elle vit enfin Jack Winter de près, Abbie crut recevoir un coup de poing dans le ventre. Elle dut faire un effort surhumain pour continuer à respirer. Pourquoi personne ne l'avait-il prévenue ? Ou bien cela lui avait-il simplement échappé ? Elle inspira avec difficulté et essaya d'examiner l'acteur objectivement, comme la journaliste professionnelle qu'elle était.

Il n'était pas difficile de comprendre pourquoi les femmes se précipitaient en salle dès la sortie de ses films. Jack Winter était un modèle de virilité. Son corps n'avait pas un gramme de graisse, et une sorte de puissance meurtrière à peine maîtrisée émanait de lui.

Les pommettes saillantes et la puissante mâchoire de l'acteur renforçaient son image de dur à cuire. Et pourtant, malgré cette virilité parfaite et éblouissante, il y avait une irrésistible sensualité dans la courbe de sa bouche. Ce n'était pas normal : personne n'avait le droit d'être aussi sexy.

Jack l'était d'autant plus qu'il contemplait le paysage par le hublot en ignorant tout ce qui l'entourait dans la cabine. Kevin lui toucha le bras pour attirer son attention.

Deux yeux incroyablement bleus, surmontés de sourcils foncés et épais, se tournèrent vers elle. Face à tant de beauté virile, Abbie prit conscience de sa propre apparence. Elle était sale, en sueur, et avait grand besoin d'une douche.

Jack se leva, la dominant de toute sa taille, et la journaliste se sentit trop délicate et minuscule. Les photographies dans les magazines ne lui rendaient pas justice : impossible d'imprimer sur le papier la virilité irrésistible de cet homme. D'aussi près, Abbie sentait la chaleur qui irradiait de son corps. Elle surprit le faible parfum d'une eau de Cologne coûteuse. Ce qui était encore plus perceptible, cependant, c'était l'aura subtile mais étourdissante de masculinité qui rayonnait autour de lui. Son visage avait beau lui être très familier, rien n'aurait pu la préparer à cela. Son souffle resta bloqué dans sa gorge...

— Nous sommes sur le point de décoller, dit-il sèchement avant de la pousser avec insistance vers le siège en face du sien.

Jack attacha la ceinture d'Abbie avant qu'elle puisse protester et boucla la sienne. Là-dessus, l'avion roula le long de la piste accidentée.

Les moteurs hurlèrent lorsque le jet quitta le sol et grimpa dans le ciel. Les lumières clignotantes de l'aéroport de Tegucigalpa furent bientôt loin au-dessous d'eux.

L'acteur tendit la main à Abbie. Elle était grande, remarqua-t-elle, avec une poigne ferme.

— Jack Winter, dit-il simplement.

Sa voix était pareille à un grondement, et son accent, encore plus séduisant que celui de Kevin.

Jack Winter finit par sourire. Avec cette malice qui l'avait rendu si célèbre. Ses lèvres sensuelles se retroussèrent, laissant apparaître des dents blanches et une unique fossette sur son visage fin.

Le bleu de ses yeux devint encore plus intense. Abbie retint son souffle. Jack Winter était charmant sur grand écran. Mais, en chair et en os, il était d'une beauté stupéfiante.

L'acteur continua à sourire en attendant qu'elle réponde. *Oh ! calme-toi. Tu n'es pas une stagiaire des pages mode. Cette interview n'est qu'une mission parmi d'autres.* Abbie se pencha en avant et plaça sa main dans la sienne.

— Abbie Marshall. Enchantée, monsieur Winter. Merci d'avoir accepté que je monte à bord.

— Appelez-moi Jack.

Abbie n'était pas d'humeur à réaliser une interview. Elle avait affronté des gens effrayants au cours de la journée, mais aucun ne lui avait fait cet effet.

Elle avait réussi à garder la tête froide même face à des insurgés armés. Cette fois, cependant, les battements de son cœur et ses pensées s'emballaient. Elle allait néanmoins devoir poursuivre. Abbie fouilla dans son sac à la recherche de son enregistreur.

— Je vais essayer de terminer cette interview au plus vite.

Le sourire de Jack Winter disparut.

— Quelle interview ?

— Celle que vous avez accepté de donner au *New York Independent*. C'est pour cette raison que je suis là.

Jack la regarda avec méfiance. Personne n'ignorait son aversion pour les journalistes. Mais Abbie perçut une lueur de compréhension dans son regard bleu acier : le studio avait rusé pour assurer la promotion de son prochain film, et il n'avait aucun moyen d'y échapper. Ce qui ne signifiait pas qu'il était d'accord. Jack la jaugea froidement sans ciller et Abbie frissonna.

— Bien sûr, dit-il. J'ai hâte d'être cuisiné.

Vu ce ton sec et ironique, l'interview n'allait pas être facile. Quelle foutue mission Josh lui avait refilée !

Kevin se dirigea vers l'avant de l'appareil, puis revint avec trois bouteilles de thé glacé. Il en offrit une à Abbie, qui l'accepta avec gratitude.

La journaliste leva son enregistreur.

— Est-ce que ça vous dérange si je vous enregistre ?

Jack haussa les épaules. Il ouvrit sa bouteille et but une longue gorgée.

— Allez-y.

Telle une lumière qui venait de s'éteindre, le charme était rompu.

Abbie sourit d'un air encourageant.

— Je vous promets que ce ne sera pas long, monsieur Winter.

Jack but une nouvelle gorgée.

Abbie mit l'enregistreur en marche.

— Alors, pourquoi étiez-vous au Honduras ? demanda-t-elle.

Jack lui lança un regard vide avant de boire les dernières gouttes de son thé glacé.

— Vous n'avez pas fait vos devoirs.

Il avait l'air contrarié.

Abbie rougit.

— Désolée, j'ai été un peu prise au dépourvu, monsieur Winter, mais si vous voulez bien me mettre au courant...

— Mademoiselle, je n'ai pas dormi depuis trente-six heures. Je suis trop fatigué pour ça.

Si Jack Winter ne voulait pas coopérer, l'interview risquait d'être très courte. Abbie sentit monter sa colère et prit une profonde inspiration avant de répondre.

— J'ai reçu cette mission il y a une demi-heure. Combien de temps croyez-vous que j'ai eu pour faire mes devoirs ?

Jack appuya sur un bouton de son accoudoir et inclina son siège.

— Faisons en sorte que ce soit plus intéressant. À chaque question que vous me posez, j'ai le droit de vous en poser une aussi. Et vous m'appelez Jack. C'est d'accord ?

— Ce n'est pas une façon correcte de réaliser une interview, monsieur... Jack.

— C'est à prendre ou à laisser.

Il ferma les yeux.

Abbie entendit Zeke Bryan glousser plus loin dans l'allée.

La jeune femme soupira de frustration. Jack Winter était peut-être l'une des plus grandes stars d'Hollywood, mais c'était surtout un véritable emmerdeur. Il était hors de question de le laisser gagner.

— Très bien, Jack.

L'acteur ouvrit ses incroyables yeux et lui sourit.

— Je suis à vous, Abbie. Posez-moi vos questions.

— Pourquoi étiez-vous au Honduras ?

Avant qu'il ait eu le temps de répondre, Zeke Bryan intervint.

— Jack est venu inaugurer un établissement médical pour les habitants de Tegucigalpa. Nous avons tourné *Jungle Heat* ici l'an dernier, et Jack avait promis de revenir une fois que le film serait terminé.

Cette réponse surprit Abbie. Beaucoup de studios promettaient d'aider la population locale quand ils tournaient en extérieur, mais ils donnaient rarement suite.

— C'est à mon tour, Abbie. Que faisiez-vous au Honduras ?

Elle ne voyait aucun inconvénient à le lui dire. L'article paraîtrait très bientôt dans le journal.

— J'enquêtais sur le lien entre les cartels de la drogue et les personnalités politiques du gouvernement hondurien.

— Un boulot dangereux pour une femme.

— Pourquoi ?

Abbie essaya de ne pas lui répondre trop brusquement.

— Pensez-vous que les femmes ne devraient pas couvrir les événements sérieux ?

Elle se sentit hésiter face à l'intensité de son regard.

— Ce n'est pas ce que j'ai dit, mais, en effet, j'aurais tendance à penser qu'une enquête sur les trafics de drogue au Honduras est une mission dangereuse.

Abbie aurait eu du mal à le contredire après sa rencontre avec le Balafré et son acolyte. Elle décida de ne pas parler d'eux et s'efforça de se concentrer sur l'interview.

— Mais tout le monde sait que vous aimez flirter avec le danger, pas vrai, monsieur Winter ? Enfin, Jack.

— J'aime repousser mes limites. Vous ne pensez pas qu'on en apprend beaucoup sur soi-même de cette façon ?

— Est-ce une question ?

Cette fois, le sourire de Jack était sincère.

— Non, une simple observation. Voici ma question : puisque vous aimez visiblement enquêter sur des sujets dangereux, comment se fait-il que vous interviewiez un acteur ?

Était-ce une plaisanterie ? Abbie ne parvenait pas à déchiffrer son expression.

— Il est important de repousser ses propres limites, comme vous le dites. Je suppose que je me trouvais au bon endroit au bon moment. C'était l'occasion de m'éloigner de mon terrain de prédilection pour endosser un nouveau genre de rôle, n'est-ce pas ? Ne l'avez-vous jamais fait ?

— Oh ! Abbie, vous seriez surprise par l'étendue de mes capacités.

Abbie avait la désagréable impression de ne pas tout comprendre.

— Vous êtes manifestement dévouée à votre carrière. Qu'en est-il du reste de votre vie ? Dites-moi, êtes-vous mariée ? Célibataire ? Toujours à la recherche de la bonne personne ?

— Célibataire, répondit-elle. Mais j'ai un fiancé à New York.

Abbie réprima une pointe de culpabilité en se souvenant de William. Elle n'avait pas pensé à lui depuis des jours. Il faudrait qu'elle l'appelle, une fois arrivée à Miami.

— Pas de relation sérieuse, donc.

Kevin, qui les écoutait de l'autre côté de l'allée, s'esclaffa. Abbie le fusilla du regard.

— Nous sommes fiancés depuis quatre ans, précisa-t-elle.

Jack siffla.

— Quatre ans, et il ne vous a toujours pas passé la bague au doigt. C'est un drôle de fiancé, si vous voulez mon avis.

Abbie serra les dents.

— Vous avez eu votre question, Jack. Parlons de votre vie sentimentale. Êtes-vous marié ou bien toujours à la recherche de la bonne personne ?

Abbie savait qu'il n'était pas marié. Jack était un célèbre coureur de jupons. Elle pouvait maintenant ajouter les mots « agaçant » et « macho » à la liste de ses qualificatifs.

Jack réfléchit à la question.

— Je n'ai jamais été marié et n'ai pas l'intention de l'être un jour. Quant à la bonne personne, je ne crois pas qu'elle existe. La femme avec qui je sors est celle qu'il me faut sur le moment.

— Et il y en a eu des paquets, dit Kevin en quittant son siège avant de repartir vers l'avant de la cabine.

— Combien ?

Abbie se demanda ce qui l'avait pris de lui poser cette question.

Un sourcil se courba de surprise.

— À mon tour de vous interroger, et, puisque nous abordons des sujets très intimes...

Jack se pencha vers elle.

Abbie ne put s'empêcher d'avaler sa salive en regardant sa bouche.

— Quand avez-vous fait l'amour pour la dernière fois ?

Abbie devint écarlate. Cela faisait des semaines, des mois peut-être ; elle ne s'en souvenait même plus, mais elle ne le lui avouerait certainement pas.

— C'est une question très personnelle.

— Ce n'est pas une réponse.

Kevin leur rapporta du thé glacé. Jack lui prit une bouteille des mains sans quitter Abbie du regard. Elle ne parvenait pas à se rappeler la dernière fois où elle s'était sentie aussi nue, mais il fallait bien admettre que jamais un homme ne l'avait regardée aussi intensément que Jack Winter. Il fit sauter la capsule de sa bouteille, tandis qu'elle jouait avec les boutons de l'enregistreur en essayant d'ignorer sa question. Mais, apparemment, il n'allait pas la laisser s'en tirer comme ça.

— Eh bien ? insista-t-il.

— Ce ne sont pas vos affaires, dit-elle, les dents serrées.

— Dans ce cas, l'interview est terminée.

Jack coinça sa bouteille dans le porte-gobelet, redressa son siège, s'installa et ferma les yeux.

*

Jack avait regardé Abbie rougir comme une vierge avec un mélange d'amusement et de fascination, et s'était demandé jusqu'où il pourrait la pousser.

Il ignora son indignation et s'installa dans son siège. Il voulait savoir combien de temps il lui faudrait pour craquer et lui révéler ce qu'il voulait savoir.

L'acteur fut surpris de découvrir qu'il avait vraiment envie d'entendre sa réponse. Abbie Marshall n'était pas son genre de femme, mais il y avait quelque chose chez elle...

Même les yeux fermés, Jack n'avait aucun mal à se représenter la forme de ce visage à la peau de bébé parsemée de taches de rousseur.

Les femmes avec qui il sortait habituellement auraient préféré mourir plutôt que d'être vues avec des taches de rousseur. Elles s'en seraient débarrassées à grand renfort de peelings et de gommages.

La bouche d'Abbie était large et attirante, et ses dents parfaitement régulières indiquaient qu'elle avait dû porter un appareil pendant quelques années.

Une coupe courte encadrait son visage et mettait ses yeux en valeur. Jack s'autorisa un bref fantasme : il s'imagina passant ses doigts à travers cette chevelure noire et brillante, sûr de ne pas y découvrir un demi-kilo d'extensions et de produits capillaires. « Pas touche aux cheveux. » C'était le précepte commun à tous ses rendez-vous amoureux.

Et ces yeux : grands, verts, étincelants de curiosité et d'intelligence. Oh oui, c'était une femme capable de lui tenir tête si nécessaire. Il savoura cette soudaine animosité entre eux et, si les choses avaient été différentes, il aurait aimé aller plus loin avec elle.

Mais c'était une journaliste. Leur histoire était déjà mal partie, même en omettant son accent distingué, si typique des personnes issues de familles aisées.

Il n'aurait plus jamais d'aventure avec ce genre de femmes. Jack avait bien retenu la leçon.

Il l'entendit prendre une profonde inspiration.

— Monsieur...

Jack ouvrit un œil pour la regarder, secoua la tête, puis le referma. Cette Mlle Marshall allait apprendre que, si elle voulait l'interviewer, elle devrait jouer selon ses règles et répondre à ses questions. Et l'intérêt de Jack pour sa réponse n'avait rien à voir avec cela.

Abbie laissa échapper un grognement agacé, et Jack ne put s'empêcher de sourire. Ce qu'elle dut voir, car elle grogna plus fort, mais refusa de parler.

Peu à peu, ses trente-six heures sans sommeil le rattrapèrent et il s'assoupit malgré le bourdonnement des réacteurs.

*

Jack fut réveillé par les ratés du moteur. Il ouvrit les yeux et balaya la cabine du regard. Rien ne semblait anormal. Kev et Zeke étaient penchés sur un iPad, et Abbie, roulée en boule sur son siège, les jambes ramenées sous elle d'une façon qu'il lui aurait été impossible d'imiter.

Quand Jack regarda par le hublot, les réacteurs lui parurent normaux. Mais il ne s'était pas attendu à ce que l'avion vole aussi près des nuages.

Le moteur toussa à nouveau, et ses poils se dressèrent sur sa nuque. Il se leva, puis se dirigea vers le cockpit après avoir refermé la ceinture autour du corps d'Abbie sur un coup de tête.

Elle se réveilla et lui lança un regard noir.

— Qu'est-ce que vous faites ?

Elle avait l'air grognon, et Jack aurait souri s'il n'avait eu un mauvais pressentiment.

— Restez ici et ne détachez pas cette ceinture.

— Je n'ai aucun ordre à recevoir de vous.

— Vous feriez mieux d'obéir à celui-là.

Il n'avait pas le temps de lui expliquer les raisons de son inquiétude.

— Comme si j'allais m'échapper de cet avion, répondit-elle.

Mais Abbie se réinstalla, la ceinture toujours fermée.

Jack avança et remarqua que le sol de la cabine était incliné. Il y avait un problème.

Le cockpit était minuscule. C'était moins une pièce qu'un siège entouré de gadgets informatiques derrière un paravent, et il n'y avait de place que pour un seul pilote. Jack poussa la cloison mobile et demanda :

— Est-ce qu'il y a un problème ?

Le pilote, un homme rougeaud aux cheveux gris, était plus pâle que dans ses souvenirs. Un film de sueur recouvrait son visage, et ses lèvres avaient une couleur bleutée.

— Je ne me sens pas très bien, bredouilla-t-il.

L'homme était agrippé au manche, mais semblait ignorer les lumières rouges qui clignotaient devant lui.

Sous le regard horrifié de Jack, les mains du pilote se déplacèrent, et le nez de l'avion plongea encore de quelques degrés.

— Vous avez de l'aspirine ? J'ai un peu mal à cet endroit.

Le pilote se frotta la poitrine en appuyant fortement dessus avant d'agripper à nouveau le manche. Il gardait les yeux fixés sur le ciel, mais ignorait ses instruments de navigation. Il était de plus en plus pâle, et des gouttes de sueur coulaient sur son visage.

— Où sont vos médicaments ? demanda Jack.

Il fallait à tout prix le remettre sur pied.

Le pilote marmonna :

— Quels médicaments ?

DEUX

Jack n'y connaissait rien, mais le pilote semblait faire une crise cardiaque. L'acteur retourna immédiatement dans la cabine.

— Où est la trousse de premiers secours ? lança-t-il.

Il y trouverait certainement de l'aspirine.

Kev s'arracha à son iPad.

— La quoi ?

— La trousse de premiers secours. J'ai besoin d'aspirine.

— J'ai du paracétamol, dit Abbie.

Elle entreprit de défaire sa ceinture.

— Restez où vous êtes, dit Jack en lui tendant son sac à dos.

Il ignorait totalement si le paracétamol servirait à quelque chose, mais c'était mieux que rien. Abbie fouilla dans ses vêtements, qui comprenaient quelques petites culottes en dentelle fort intéressantes, et lui tendit une plaquette sur laquelle manquaient deux comprimés.

— Merci.

Jack attrapa sa bouteille de thé glacé pour aider le pilote à avaler les médicaments. La boisson était tiède, mais c'était sans importance.

— Que se passe-t-il ? demanda Abbie tandis qu'il repartait vers le cockpit.

— Rien, répondit-il d'un ton bourru.

Les autres ne semblant rien remarquer d'anormal, Jack n'allait certainement pas provoquer un mouvement de panique en leur expliquant la situation.

De retour dans le cockpit, il vit que le visage du pilote était gris et qu'il avait du mal à respirer. Ses mains sur le manche se mirent à trembler et l'homme s'effondra.

Sa tête heurta quelque chose et l'avion vibra bruyamment. Jack le redressa pour le forcer à avaler les médicaments, mais il était trop tard. Le pilote avait cessé de respirer et l'avion plongeait vers le sol à travers les nuages.

L'heure était grave. Jack essaya désespérément de se rappeler les cours de pilotage qu'il avait suivis pour le tournage de *Fly Hard 3*. La première chose à faire était de prendre les commandes de l'appareil. Il devait le redresser et reprendre de l'altitude. Jack poussa le pilote. L'homme s'affaissa sur le côté, libérant ainsi le siège, mais il bloquait toujours les pédales et les instruments les plus éloignés. Jack essaya de le sortir du cockpit, mais son corps était coincé. Il allait en baver pour les sauver du crash.

Jack s'installa aux commandes, saisit le manche et tira dessus, forçant le nez du petit avion à remonter et à s'éloigner du sol.

Quelle était la fréquence d'urgence ? 121,5 ? Dès que l'appareil aurait retrouvé une altitude plus sûre, il appellerait à l'aide.

Jack s'efforçait de maintenir le manche en place, mais le pilote devait appuyer sur quelque chose, car l'avion continuait à descendre et à virer à gauche. Comme il traversait les nuages, Jack se retrouva soudain face à une mer blanche.

Les nuages étouffaient même le bruit des moteurs. Si les chiffres de l'altimètre n'avaient pas dégringolé à une vitesse folle, tout lui aurait semblé étrangement paisible.

Jack lâcha tous les jurons qu'il connaissait, puis cessa de lutter contre la force de gravité. Il avait les larmes aux yeux à force de fixer cette couverture blanche dans l'espoir d'apercevoir ce qui se trouvait en bas.

Ils allaient s'écraser, cela ne faisait plus aucun doute. Restait à savoir si ce serait un crash dont ils pourraient se sortir vivants.

Soudain, le blanc céda la place au vert. L'avion était sorti des nuages en un clin d'œil et survolait la canopée d'une forêt tropicale. Jack se battait contre les commandes, essayant de maintenir l'avion à l'horizontale jusqu'à ce qu'il repère un endroit où atterrir.

L'avion volait juste au-dessus des arbres. Leurs cimes étaient si proches que Jack croyait les entendre érafler le fond de l'appareil. Il était impossible d'atterrir. Jack vérifia sa vitesse. Trois cents kilomètres-heure. Bientôt, ils seraient tous réduits en bouillie.

Sur la droite, quelque chose attira son regard. Une brèche au milieu du vert. Il vira sur l'aile, espérant qu'il s'agissait d'un fleuve. Si ce pilote pouvait faire atterrir un avion sur l'Hudson, il devait bien en être capable aussi.

Bon sang, c'était encore mieux qu'un fleuve : une petite piste d'atterrissage, certainement aménagée par des trafiquants de drogue. Jack inspira profondément ; il allait peut-être pouvoir faire atterrir l'avion.

Il vira davantage sur l'aile, se donnant un peu d'espace avant d'entamer la descente.

— Attachez vos ceintures et préparez-vous à l'atterrissage ! cria-t-il vers la cabine. Nous descendons et ça risque d'être violent.

Jack ignora les cris de panique des autres. Le pilote pesait comme un poids mort sur son bras, tandis qu'il redressait sa trajectoire pour atterrir. Jack pressa son épaule contre l'homme pour essayer d'atteindre les commandes. Il réduisit les gaz afin que l'appareil ralentisse et tenta de se positionner dans l'axe de la piste d'atterrissage. Elle était si petite que c'était comme vouloir faire entrer un fil dans le chas d'une aiguille.

Le sol apparut devant lui plus vite qu'il ne s'y attendait. Jack jura tout en s'efforçant de redresser le nez de l'avion. *Les roues sont prêtes, sors le train d'atterrissage. Sors les volets, réduis la vitesse, et puis quoi d'autre ?* Jack s'aperçut trop tard que la piste d'atterrissage avait été sabotée. Une énorme tranchée avait été creusée en travers, afin de garantir le crash de tout avion qui essaierait d'atterrir. Jack tira comme un fou sur le manche, forçant l'appareil à s'éloigner du piège et à repartir vers la forêt.

Il était toujours trop rapide. Jack ne put empêcher l'avion de s'enfoncer dans la végétation. Tout ce qu'il pouvait faire, c'était diriger l'appareil de façon à ne pas heurter de front l'un des arbres géants qui s'élevaient jusqu'aux nuages.

Une aile entra en collision avec un petit arbre, et le choc faillit le faire tomber de son siège, sans compter qu'il y en eut très vite un deuxième. *Nous n'irons donc pas plus loin.* Jack était presque aveuglé par la végétation qui fouettait la vitre du cockpit.

Par chance, l'appareil n'avait pas heurté d'obstacles assez solides pour le pulvériser. Leur vitesse chutait, et Jack se prit à espérer qu'ils s'en sortiraient vivants.

Lorsque l'avion bascula vers l'avant, Jack fut éjecté de son siège et se cogna la tête contre le tableau de bord. S'il parvint à éviter de tomber directement par la fenêtre (désormais le point le plus bas du cockpit), ce fut uniquement grâce à ses longues années d'entraînement physique. Il entendit des cris et un hurlement de douleur dans la cabine. Au moment où Jack se releva, il vit que l'avion avait basculé dans une sorte de ravin. Le sommet se trouvait à quelques mètres au-dessus d'eux, et seule une aile cassée accrochée dans un arbre empêchait l'avion d'aller s'écraser au fond.

Couvert de sueur, l'acteur s'efforça de remonter vers la cabine sans prêter attention au sang qui lui coulait dans le cou. Le sol était dangereusement incliné, mais il parvint à y accéder en s'agrippant aux dossiers des sièges.

Abbie et Kev étaient encore attachés, tous deux pâles et haletants, mais hors de danger. Zeke Bryan était sur le sol et s'agrippait le bras en gémissant. La ceinture de son siège était détachée. Ce connard ne l'avait pas écouté.

— Zeke ? Tu es grièvement blessé ? demanda Jack tout en essayant d'évaluer son propre état.

L'homme lui lança un regard noir.

— Je me suis cassé le bras, espèce d'abruti.

L'un de ses bras tenait délicatement l'autre.

— Mais qu'est-ce que tu foutais là-dedans ? C'est toi qui nous as fait entrer dans le décor ?

— Le pilote a eu une crise cardiaque, résuma Jack.

Il n'avait pas le temps de tout leur expliquer.

— Il faut que nous sortions de l'avion tout de suite.

— Je ne bougerai pas d'ici. Tu ne vois pas que je suis blessé ?

Zeke ressemblait plus à un enfant grognon qu'à l'agent le plus influent d'Hollywood.

La vue de Jack était floue sur les côtés, et sa tête lui faisait un mal de chien.

— Très bien. Alors, reste ici et, quand l'avion tombera, tu tomberas avec.

— Tomber ? Mais de quoi tu parles ?

— Nous sommes au sommet d'un ravin et il y a une jolie pente au-dessous de nous. Si cette aile craque, nous tombe-rons au fond. J'imagine que c'est un canal d'évacuation. La prochaine fois qu'il pleuvra, nous serons vite réduits à l'état de déchets flottants. Il est temps de sortir d'ici.

Jack se dirigea vers la porte. En appuyant un pied sur le sol et l'autre contre la paroi, il parvint à l'ouvrir, puis évalua leur situation.

Chacun devrait se hisser jusqu'à la porte, se laisser tomber sur le sol, puis escalader la paroi du ravin pour atteindre le terrain relativement stable au sommet. Oh oui, ils allaient bien s'amuser.

— Est-ce que tout le monde tient le coup ? demanda-t-il.

La dernière chose dont il avait besoin, c'était bien d'une femme au bord de la crise de nerfs. Mais, en réalité, c'était Zeke qui faisait de l'hyperventilation et changeait de couleur.

— Le plus dur est fait. Nous n'avons plus qu'à sortir d'ici. Après, nous serons en sécurité, mentit-il, certain que le plus dur serait de rester en vie.

Avant que Jack puisse ajouter quelque chose, Zeke l'interrompit.

— Non, je ne tiens pas le coup. Je suis blessé. Je me suis cassé le bras. J'ai besoin d'aller à l'hôpital.

— Nous t'y emmènerons dès que possible. D'abord, nous devons sortir d'ici.

Jack fit un geste en direction d'Abbie.

— Les femmes d'abord.

— Hors de question, lui dit Zeke. Je suis blessé. Pas elle. Il faut que je descende de là et que je trouve un médecin au plus vite.

Abbie haussa les épaules.

— Pas de problème.

*

Abbie regarda Jack descendre prudemment de l'avion et se laisser glisser sur quelques mètres. Il s'arrêta un peu trop bas sur la paroi boueuse du petit ravin et dut remonter. Il s'accrocha à quelques racines proéminentes qui sortaient de la boue, puis cria :

— C'est bon, Zeke, tu peux y aller, je te rattraperai !

Même si Kev l'aidait à descendre tandis que Jack lui guidait les pieds, l'opération fut un vrai cauchemar. L'agent glapissait, se plaignait sans cesse et poussait un cri de douleur de temps à autre. Jack l'attrapa par la taille et le remit sur pied avant de l'aider à remonter les quelques mètres vers le sommet du ravin. Une fois en haut, Zeke s'effondra en gémissant pathétiquement.

Jack décida alors de modifier l'ordre des sorties.

— Kev, tu pourrais descendre maintenant et m'apporter la trousse de premiers secours ?

Que faisait-il des femmes et des enfants d'abord ? Si l'avion bougeait à nouveau, Abbie disparaîtrait avec lui. *Drame dans la jungle : une journaliste survit à un accident d'avion, mais se noie dans un fleuve.*

— Ça marche.

Kev envoya un petit sac à Jack, qui le lança sur le bord du ravin. Ensuite, l'acteur guida Kev dans sa descente.

— À votre tour, Abbie.

La jeune femme parcourut la cabine du regard une dernière fois et palpa son sac à dos. Son ordinateur portable se trouvait bien à l'intérieur, mais où était son enregistreur ?

— Une minute, je dois aller chercher quelques affaires.

Lorsqu'elle s'avança dans la cabine, l'appareil trembla.

— Tout de suite, Abbie ! hurla Jack.

— Une minute ! cria-t-elle.

Abbie s'agenouilla devant le siège où elle était assise pendant le vol. Il était forcément là. Un cri au-dessus de sa tête la fit sursauter.

— Mais qu'est-ce que vous foutez ? Sortez d'ici tout de suite.

Jack était remonté dans l'avion et regardait son sac ouvert avec fureur.

— J'essaie de retrouver mon enregistreur, répondit-elle d'un ton sec. Il y a des choses dessus dont j'ai vraiment besoin.

Abbie regarda les muscles de sa mâchoire se contracter et se relâcher.

— Nous nous sommes posés en catastrophe dans cette jungle. C'est un miracle que nous n'ayons pas été réduits en bouillie, et vous vous inquiétez pour un morceau de plastique ? Oubliez ce putain d'enregistreur. Oubliez votre ordinateur et laissez le reste de vos affaires ici. Nous ne pouvons pas les porter.

Abbie grimaça. Jack Winter était assez terrifiant quand il se mettait en colère, mais elle avait besoin de ses notes. Elle ouvrit la bouche pour répondre, mais il la coupa :

— Vous allez sortir de cet avion immédiatement. Dites-moi ce qu'il vous faut et je le chercherai pour vous.

— Mon enregistreur.

L'avion vacilla à nouveau, et Abbie poussa un cri perçant.

— Vous avez trente secondes. Je vais chercher des

provisions. Ensuite, vous avez intérêt à sortir par cette porte en vitesse.

Quelques instants plus tard, des parachutes de secours et des couvertures volèrent au-dessus de sa tête. Jack les lançait dehors par la porte ouverte. Abbie le vit se remplir les poches de paquets de noix et de minibouteilles d'alcool, puis remplir un sac de bouteilles d'eau et de repas préemballés.

La journaliste finit par retrouver l'enregistreur numérique coincé sous son siège, le sortit et le fourra dans sa poche. Elle entendit Jack se déplacer à l'intérieur du cockpit. Elle devait bien pouvoir faire quelque chose pour l'aider.

Abbie fut horrifiée lorsqu'elle vit le corps déformé du pilote et l'avant de l'appareil aussi abîmé. Pour la première fois depuis leur atterrissage, elle se sentit au bord de la nausée. Elle se demanda comment Jack Winter avait réussi à faire atterrir l'avion. Son agacement se transforma rapidement en admiration. Dans le cockpit méconnaissable, le corps du pilote était déformé par sa position inconfortable.

Jack prit appui sur le tableau de bord et essaya de le sortir. L'homme était coincé. Jack grimaça lorsqu'un morceau de plastique lui entra dans le flanc.

Ne sois pas aussi trouillarde, Marshall. Aide-le. Abbie empoigna le morceau de plastique et dégagea le passage pour Jack, étouffant un cri lorsqu'elle s'ouvrit la paume sur le bord coupant.

— Je ne crois pas que nous pourrons le déplacer, dit Jack.

Abbie contempla l'homme coincé sous le tableau de bord. N'importe lequel d'entre eux aurait pu se retrouver à sa place.

— Nous ne pouvons pas le laisser là. Il faut l'enterrer.

— Abbie.

Le ton de Jack était brusque.

— Vous allez le tenir pendant que j'essaie la radio.

Le corps du pilote était encore chaud. Abbie tenta de ne pas regarder son visage pendant que Jack essayait de faire fonctionner la radio. Mais l'appareil était aussi mort que le pilote. Aucune aide ne viendrait. Ils étaient coincés.

L'avion bougea à nouveau.

— Nous devons partir d'ici tout de suite, dit-il.

Abbie ne pouvait pas bouger. Figée sur place, elle sentait l'avion vibrer sous ses pieds. Jack l'attrapa par les épaules et l'obligea à retourner dans la cabine.

Il s'y arrêta un instant pour vider le casier du pilote, où se trouvaient un paquet de cigarettes et un briquet, avant de la pousser vers la porte.

Jack cria à Kev de se tenir prêt. Il jeta en bas le sac de provisions, puis fit descendre Abbie. Malgré la situation, la jeune femme ne put s'empêcher de noter l'odeur caractéristique de Jack, musquée et virile, quelque chose qui n'appartenait qu'à lui. Ses seins effleurèrent son torse, et ce contact intime la fit rougir.

Lorsque Jack la rejoignit d'un bond sur la saillie du ravin, l'avion bougea à nouveau. Avec un grincement métallique, l'aile qui le maintenait en place se tordit et l'appareil bascula. Jack s'agrippa de toutes ses forces à une racine, afin de leur éviter d'être emportés par la carcasse.

— C'est bon. Je vous tiens, dit-il.

L'avion s'écrasa au fond du ravin dans un bruit assourdissant. La cacophonie s'amplifia lorsque tous les animaux et oiseaux alentour lui répondirent en hurlant. Toute personne se trouvant dans les environs l'entendrait forcément.

Abbie s'accrocha à Jack un long moment. Entre ses bras, elle avait l'impression d'être dans l'œil d'un cyclone. Elle ne s'était jamais sentie aussi en sécurité.

— Abbie dit Jack sur un ton taquin, j'apprécie beaucoup cette situation, mais on ferait mieux de sortir de là.

Les yeux d'Abbie s'ouvrirent brusquement. Qu'est-ce qui lui prenait ? Elle s'agrippait à Jack Winter comme un bébé singe. La journaliste s'éloigna de lui rapidement et se mit à lisser ses vêtements froissés afin de couvrir son embarras. *Je ne suis pas attirée par lui. Je ne suis pas attirée par lui. Je me suis simplement cogné la tête.* Une fois qu'elle eut retrouvé son calme, elle leva les yeux vers lui.

L'expression sardonique de Jack avait disparu. Dans son regard brillaient une lueur d'amusement et quelque chose qu'elle ne parvenait pas à nommer.

— Qu'est-ce qu'on fait maintenant ? J'imagine qu'on doit rester près de l'avion en attendant les secours ?

Jack ferma les yeux.

— Abbie, dit-il d'une voix sourde, comme s'il essayait de la maîtriser. Quels secours ? Nous sommes au beau milieu de la jungle. À des kilomètres de toute civilisation. La seule priorité, c'est notre survie.

Leur survie ? Non. Pas question. Ils n'allaient certainement pas se mettre à imiter ces émissions de télé stupides où chacun passe ses journées à chercher quelque chose de sec pour alimenter le feu et à manger des rats.

— Ils nous retrouveront bientôt, dit-elle avec plus d'assurance qu'elle n'en avait vraiment. Le pilote a lancé un appel au secours et ils...

— Il n'y a eu aucun appel au secours. Il n'en a pas eu le temps.

L'estomac d'Abbie se noua.

— Et le transpondeur ? demanda-t-elle, pleine d'espoir.

Jack se passa les doigts dans les cheveux.

— Je n'en sais rien. Vous avez vu l'avant de l'appareil. Il était sacrément abîmé.

Abbie inspira profondément. Personne ne savait qu'ils étaient là. *Pas de panique. Surtout, pas de panique.*

— Venez, Kev a une trousse de soins. Vous allez pouvoir vous bander la main.

TROIS

Assise au sommet du ravin, Abbie essayait encore de se remettre de son choc pendant que Kevin examinait sa main. Garder la tête froide au milieu d'une crise faisait partie de son boulot (une journaliste facilement effrayée n'était bonne à rien), mais elle venait de vivre un accident d'avion.

À présent, elle se retrouvait au milieu de la jungle hondurienne en compagnie de trois hommes qu'elle ne connaissait pas, et la seule chose qui l'obsédait, c'était l'article sensationnel que cette aventure lui fournirait. *Oubliez l'interview de la star et jetez plutôt un œil à l'article que je vous rapporte.*

Abbie savourait ce bref moment de calme lorsque Jack se retourna et les regarda tous deux avec sévérité.

— Vous auriez pu me dire que c'était un club de rencontres, ici.

— Vous croyez...

Abbie bafouilla, incapable de trouver ses mots. C'était absolument grotesque. Dans l'avion, elle avait été tellement bouleversée par la présence de Jack Winter qu'elle l'avait laissé déraper. Mais maintenant, ils étaient coincés dans la jungle et ne savaient même pas quand ils en sortiraient. Abbie frissonna.

Il ne fallait pas y penser. Elle allait simplement devoir s'endurcir pour résister à cet homme. Le fait qu'il soit aussi sexy ne signifiait aucunement que ce n'était pas un connard. Et Abbie savait très bien comment remettre les connards à leur place.

Kevin finit de lui nettoyer la main. Il adressa un large sourire à son ami et passa un bras autour d'elle.

— Ne faites pas attention à Jack. Il aime bien malmener les gens. Alors que moi, je préfère les caresser.

Kevin lui frotta le dos, et cela ressemblait étrangement à une caresse. Non, elle se faisait des idées.

Jack leur jeta un regard mauvais.

— Kev, tu crois que c'est le moment de penser à te faire une chatte ?

Piquée au vif, Abbie bondit loin de Kevin.

— Comment osez-vous ? Dans quel monde vivez-vous ? Comment pouvez-vous dire une chose aussi grossière, répugnante et machiste ?

Abbie était prête à poursuivre, mais Jack la coupa.

— Nous n'avons pas non plus le temps d'écouter une leçon de féminisme. Nous devons nous concentrer sur notre survie ici.

— Exactement.

Zeke Bryan était assis par terre, un bras soutenu par l'autre.

— Je dois aller à l'hôpital immédiatement. J'ai le bras cassé. J'ai besoin d'un traitement médical, non d'écouter des chamailleries de gamins.

Abbie lut un certain agacement sur le visage de Jack, mais ses traits redevinrent aussitôt neutres.

— Notre priorité est de survivre, répéta-t-il. J'ignore totalement si l'avion émet le moindre signal de détresse. Quelqu'un s'y connaît en informatique ?

Chacun secoua la tête.

— J'ai perdu mon téléphone portable. Quelqu'un a du réseau sur le sien ?

Les autres vérifièrent, puis secouèrent à nouveau la tête. Manifestement, ils étaient trop éloignés de toute antenne-relais.

— Nous allons camper ici cette nuit, et Kev et moi descendrons dans le ravin pour enterrer le pilote demain dans la matinée. Si quelqu'un nous cherche, il doit pouvoir nous retrouver.

Si personne ne vient, nous devrons trouver nous-mêmes un chemin vers la civilisation.

Malgré sa colère, Abbie ne put s'empêcher d'admirer la façon dont Jack prenait les choses en main. C'était une grande star d'Hollywood, mais, à l'évidence, les premiers rôles qu'il incarnait à l'écran étaient assez proches de la réalité. Il était solide et pragmatique en cas de crise.

— Non, je suis blessé. Je ne peux pas me déplacer, dit Zeke.

— Je comprends, Zeke, dit Jack. Mais si aucune aide ne vient, nous n'aurons pas le choix. Maintenant...

— Qu'est-ce que tu veux dire : si aucune aide ne vient ? demanda Zeke. Qu'est-ce qui te permet d'en juger ?

Abbie vit l'effort que faisait Jack pour contenir sa colère.

— Je ne suis pas un spécialiste. Mais quand nous tournions *Jungle Heat*, j'ai passé beaucoup de temps avec des gens très expérimentés et j'ai essayé d'en apprendre le plus possible. Je sais, par exemple, qu'il va bientôt pleuvoir et que la nuit ne va pas tarder à tomber.

L'humidité se déposait déjà sur eux comme une couverture, et respirer devenait pénible. La chaleur faisait transpirer tout le monde, mais c'était l'air lourd qu'ils avaient le plus de mal à supporter.

— Nous allons donc commencer par fabriquer des hamacs et un abri qu'on accrochera au-dessus d'eux.

— Pourquoi des hamacs ? Je ne pourrai pas dormir là-dedans, dit Zeke.

— Tu as regardé le sol ? demanda Jack.

Chacun contempla ses pieds qui s'enfonçaient dans le sol humide. Ce n'était que de la boue couverte de feuilles.

— Et ce sera encore pire quand il se mettra à pleuvoir. Nous devons dormir au-dessus du sol, sinon nous nous réveillerons au milieu d'une boue liquide.

— Qu'est-ce qui te fait croire qu'il va pleuvoir ? demanda Zeke.

— C'est une forêt pluviale. Tout est dans le nom. Il pleut

tous les jours ici. La voûte des arbres cache les nuages, mais ça ne signifie pas qu'il n'y en a pas. Vous voyez ce brouillard ? Jack désigna du doigt la vapeur argentée qui atténuait le contour des arbres. Les autres hochèrent la tête.

— Il annonce l'arrivée de la pluie. Nous devons nous mettre au travail.

*

Jack saisit les deux parachutes qu'il avait jetés de l'avion et indiqua à Kev et Abbie comment utiliser son couteau suisse pour les découper, puis fabriquer des hamacs et un abri avec les morceaux. Le tissu rouge vif était fin mais résistant ; il devrait faire l'affaire.

Il suffisait de couper les ficelles à la bonne longueur pour les utiliser comme liens. C'était une chance qu'il ne sorte jamais sans son couteau ; ils auraient eu du mal à fabriquer des hamacs sans lui. C'était un modèle haut de gamme que Jack avait acheté après le tournage de son premier film.

L'outil pour nettoyer les sabots des chevaux ne leur servirait pas à grand-chose, mais la loupe, la scie, les ciseaux et la lime pourraient se révéler utiles.

Jack était content d'avoir l'occasion de se dépenser physiquement. Il ne pouvait pas croire qu'au milieu de cette crise, il était aussi affecté par Abbie Marshall. La vue de sa main dans celle de Kev l'avait rendu furieux.

Dès cet instant, Jack avait su qu'il l'avait vraiment dans la peau. C'était dément ; il n'avait aucune raison de s'intéresser à elle. Pas même pour tirer un coup rapide.

En tout cas, s'il baisait Abbie Marshall, ça n'aurait rien de rapide. Il ferait durer les choses jusqu'à ce qu'elle le supplie de la libérer. Et voilà qu'il recommençait. Il devait absolument cesser de penser à ça. Elle avait tout de la fille à papa new-yorkaise, d'une version américaine de Sarah O'Brien-Willis, la fille qui avait détruit sa vie, mais c'était avant tout une journaliste. Privilégiée, habilitée et curieuse. Un mélange mortel.

Jack voyait bien que rien n'échappait à son regard affûté et qu'il ne pourrait pas s'en sortir avec ses mensonges habituels.

Des mensonges ? Simple instinct de conservation, voyons.

Jack était content de l'avoir mise en colère. Puisqu'il ne pouvait pas mettre Abbie dans son lit, il la maintiendrait loin de lui. Il avait travaillé dur pour se forger un sang-froid inébranlable, mais quelque chose lui disait que cette femme était justement capable de l'ébranler.

De toute évidence, Kev s'intéressait à elle. Le mieux pour tous aurait été que Kev et Abbie se rapprochent, mais quand Jack voyait Kev flirter avec elle, il trouvait cela insupportable.

Jack ne savait pas très bien si les autres comprenaient à quel point leur situation était critique. Zeke ne l'imaginait pas un instant. De toute façon, ce salaud ne se préoccupait que de lui-même. Il avait voulu passer devant tout le monde et laissé Abbie dans l'avion.

Enfin, Jack ne regrettait pas le moment où sa poitrine étonnamment généreuse s'était pressée contre lui. Cet idiot avait-il vraiment cru qu'on l'emmènerait directement à l'hôpital ?

Si Jack savait si bien dissimuler ses pensées, c'était surtout grâce à son expérience d'acteur. Il décida de laisser de côté ses sentiments pour le moment : tôt ou tard, il lui rendrait la monnaie de sa pièce.

Kev, Abbie et lui travaillaient en silence. Ils avaient hâte que le campement soit prêt. Jack tria le reste des affaires qu'il avait trouvées dans l'avion. Les plats cuisinés et l'eau suffiraient pour ce soir et peut-être même pour le petit-déjeuner du lendemain matin.

Il tendit à Zeke quelques analgésiques et lui fit avaler une gorgée d'eau. L'agent jouait peut-être les cons pleurnichards, mais il était tout blanc autour de la bouche.

Les bouteilles d'eau serviraient de gourdes une fois vides. L'acteur attacha un morceau de ficelle autour des goulots pour les rendre plus faciles à porter. Jack bénit cet instructeur qui lui avait appris les bases de la survie dans la jungle et lui avait fait acheter un pack de survie personnel, contenant des pastilles de purification d'eau, des gants, des allumettes, une boussole, une carte, un couteau, une moustiquaire et du répulsif à insectes.

Jack fouilla un peu plus loin dans ses poches et y trouva un préservatif solitaire.

Il ne put s'empêcher de rire. Tous les regards se tournèrent vers lui et ce qu'il tenait dans la main.

— Tu ne songes quand même pas à..., dit Zeke, atterré. Ce n'est ni l'endroit ni le moment.

Abbie rougit.

— Même si vous étiez le dernier homme vivant sur terre, ce serait hors de question, dit-elle.

Jack ne put résister à l'envie de se moquer d'elle.

— Je ne vous ai rien demandé. Peut-être que je le garde pour Kev.

— Excellente idée, dit le jeune homme en riant. Je le prends, dit-il avant de l'arracher des mains de Jack. Après tout, j'ai plus de chance que toi d'y arriver.

Abbie les regarda avec mépris.

— Vous semblez oublier que j'ai un fiancé. Personne n'aura de chance. À moins que vous soyez tous deux beaucoup plus proches que je le pensais.

Là-dessus, elle leur tourna le dos.

Jack et Kev échangèrent un regard et rirent.

— Dommage que cette hôtesse soit tombée malade à la dernière minute. C'est vrai qu'on pouvait se passer d'équipage, mais ce n'était pas le genre de fille à refuser une petite partie de jambes l'air dans la jungle, dit Kev en adressant un clin d'œil à Jack.

Le dos d'Abbie se raidit, mais elle refusa de se retourner.

Lorsque la fabrication des hamacs fut achevée, chacun s'effondra, assoiffé, affamé et fatigué.

Dès l'instant où la lumière changea, Jack comprit que la nuit n'était plus très loin. Il répartit entre eux la nourriture en gardant les paquets de noix pour le lendemain.

Jack s'assit sur le tronc d'un arbre couché. Ses racines étaient déployées en l'air, comme un parapluie abandonné au cours d'une tempête. Le bois était mou et humide, et Jack était presque sûr que des milliers d'insectes y avaient élu domicile.

Il posa sa veste sur l'écorce rugueuse et invita Abbie à s'asseoir à côté de lui.

Jack tenait simplement à lui éviter une crise de nerfs, dans le cas où elle s'assiérait sur une araignée, bien sûr. Rien à voir avec son désir de la rapprocher de lui.

De sentir son parfum beaucoup trop attirant, ce parfum totalement féminin qui ne sortait pas d'un flacon. Bon sang, il adorait son odeur. Le corps de Jack réagit malgré lui.

Afin de penser à autre chose et d'éviter toute tentation, l'acteur tendit à Abbie un petit flacon de répulsif à insectes.

— Tenez, mettez-en beaucoup. Il vaut mieux éviter de se faire piquer.

Dans le silence mystérieux de la forêt tropicale, on n'entendait que les bruits sourds ou aigus des insectes, et le bourdonnement plus fort et menaçant des moustiques.

Abbie lui lança un regard mauvais, mais étala le produit sur sa peau.

L'odeur suffit à calmer l'excitation de Jack, mais son obéissance pleine de réticence obligea l'homme à prononcer des mots qu'il n'aurait pas dû.

— Bonne petite, lui dit-il.

Le dos d'Abbie se raidit et son regard s'enflamma.

— Je ne sais pas à quelle époque vous vivez en Irlande, mais ici, on n'appelle pas une femme « petite », surtout si on tient à ses parties intimes.

Kev et Zeke ricanèrent, mais Jack se contenta de sourire.

— Oh ! mais j'y tiens. Et si vous êtes particulièrement sage, vous pourrez y toucher vous-même. Vous comprendrez alors pourquoi tout le monde en parle.

*

Abbie hésita entre lui hurler des insultes et faire comme si elle n'avait pas entendu. Elle devinait très bien à son sourire ce qu'il pensait. Jack lui tapait sur les nerfs et il le savait.

Quand il leur distribua les repas préemballés de l'avion, Abbie accueillit avec joie cette distraction. Chacun d'eux reçut un plateau en plastique avec de petits compartiments remplis de gressins, d'olives, de crème de fromage, de charcuterie difficile à identifier et d'une petite portion de moutarde.

Il s'agissait d'en-cas plutôt que de repas complets, mais c'était comestible et cela leur permettrait de tenir. Abbie détestait penser à ce qu'ils mangeraient après.

Elle avait suivi une formation de survie, mais n'avait jamais eu besoin de la mettre en pratique.

— Je ne peux pas manger ça : je fais une intolérance au gluten. Mon homéopathe m'a dit d'éviter toute nourriture à base de blé, dit Zeke Bryan.

— Alors, partage tes en-cas et nous les mangerons, dit Jack.

Abbie remarqua que Jack mâchait rapidement tout en surveillant prudemment le ciel. Il ferait nuit dans quelques minutes.

— Trouvez un buisson, faites vos besoins et nous irons dormir, dit-il.

Il y eut un silence horrifié.

— Nos besoins ? demanda finalement Abbie.

— Pisser. Se soulager. Uriner. Appelez ça comme vous voulez. Mais faites-le en évitant si possible de vous faire piquer, et revenez ici avant que la nuit soit tombée.

Kevin rit.

— C'est impossible, dit Zeke. Je n'utilise jamais les toilettes publiques. Je ne peux vraiment pas..., euh..., faire ça dans ces conditions.

Abbie avait presque pitié de ce sale type. L'agent savait très bien qu'il devrait faire ce que Jack appelait ses « besoins » dans la nature, mais il semblait penser que, s'il protestait haut et fort, tout rentrerait dans l'ordre comme par magie. C'était ça, le showbiz. À l'époque où la jeune femme était journaliste stagiaire, elle avait passé trois mois à la section divertissement du journal et en était partie dès qu'elle l'avait pu.

La planète showbiz était peuplée d'ego surdimensionnés. Ils vivaient dans un autre monde, où il y avait toujours du « personnel » pour faire les choses à leur place.

C'est pour cette raison qu'elle ne pouvait s'empêcher d'admirer Jack Winter, même si c'était un emmerdeur. Il n'hésitait pas à mettre les mains dans le cambouis. Zeke, lui, se comportait comme un enfant gâté, et, visiblement, Jack commençait à perdre patience.

— Très bien, retiens-toi toute la nuit. Pour ce que j'en ai à faire.

Kevin sourit à Abbie :

— Vous voulez que je vienne guetter les environs pendant que vous faites vos besoins ? demanda-t-il.

Abbie aurait préféré y aller seule, mais elle savait qu'il était plus sûr d'être accompagnée.

— Oui, s'il vous plaît. Mais seulement si vous promettez de ne pas regarder. Vous garderez un œil sur les araignées.

— Croix de bois, croix de fer, si je mens, je vais en enfer, dit Kevin en traçant une croix sur sa poitrine, tel un enfant.

Le jeune homme marcha devant elle. Une fois loin des deux autres, Abbie et Kevin cherchèrent un endroit dégagé.

Quand ils eurent tous deux terminé et furent prêts à repartir, Abbie respira profondément.

Kevin lui sourit.

— Inquiète ? Écoutez, c'est vraiment une sale situation, mais je me suis retrouvé dans des tas de galères avec Jack et on s'en est toujours sortis.

Abbie lui rendit faiblement son sourire. Les vingt-quatre dernières heures avaient été mouvementées et elle arrivait au bout de ses ressources.

— En tout cas, il y a un excellent moyen de vous changer les idées, dit-il en lui caressant le bras. Et ce serait dommage de laisser ce préservatif s'abîmer dans ma poche.

Oh ! pour l'amour du... *Les hommes !*

Abbie le fusilla du regard et retourna au campement en piétinant rageusement la végétation. Elle entendit Kevin glousser derrière elle. Jack avait installé deux hamacs. Encore une fois, Zeke se plaignait.

— Je ne partagerai mon hamac avec personne. Vous n'aviez qu'à en fabriquer plus. On a assez de tissu pour en faire d'autres.

— Mais seulement assez de moustiquaire pour en couvrir deux. Si tu veux dormir dans un hamac sans moustiquaire, je n'y vois aucun inconvénient, cependant.

Jack regarda Kevin et Abbie, puis plissa les yeux en voyant leur expression.

— C'est moi qui dors avec la jolie fille, dit Kevin.

Jack secoua la tête.

— Tu es plus léger que moi. Ensemble, Zeke et toi pesez probablement le même poids qu'Abbie et moi. Alors, c'est de cette façon qu'on doit s'associer.

Maintenant, ma nuit est bel et bien foutue.

Abbie n'était pas sûre de pouvoir affronter une nuit dans un hamac avec l'un de ces deux types. Mais la dernière personne avec qui elle avait envie de dormir, c'était bien Jack Winter. À cet instant, toutes les cellules de son corps se réveillèrent. Elle avait passé les dernières heures à tenter d'ignorer ce que provoquait en elle sa virilité nerveuse et sa présence écrasante. La jeune femme avait réussi à ne plus y penser en trouvant de nouvelles raisons de lui en vouloir.

Mais tous ses efforts étaient réduits à néant maintenant. Cela ne servait à rien. Dès l'instant où elle l'avait vu, Jack l'avait émue. À présent, c'était pire. Sa beauté n'était plus simplement abstraite, tels une œuvre d'art ou un panorama stupéfiant qu'elle pouvait admirer de façon intellectuelle.

À présent, c'était personnel. Lorsqu'elle imagina leurs deux corps allongés côte à côte, son cœur se mit à battre plus vite et elle sentit une chaleur inopportune entre ses cuisses. Elle craignait de faire de l'hyperventilation.

— Ne vous en faites pas, insista-t-elle. Je ne crois pas que je pourrai dormir de toute façon. Je vais simplement m'asseoir ici et...

— Ne bougez pas, Abbie. Restez parfaitement immobile.

La journaliste remarqua l'expression choquée de Kevin et comprit que Jack ne plaisantait pas. Quelque chose bougea dans ses cheveux, et elle se mordit les lèvres très fort pour ne pas hurler. Une chose rampait sur elle.

— Abbie, quoi qu'il arrive, ne bougez pas.

Jack ramassa un morceau de bois et avança lentement vers elle.

Le bâton à la main, il fit un brusque mouvement en avant. Le bâton effleura le dessus de sa tête, et une chose foncée tomba à ses pieds dans les broussailles, puis s'en alla rapidement. Le cœur d'Abbie battait la chamade.

— Mon Dieu ! Mon Dieu ! Qu'est-ce que c'était ?

Jack secoua la tête.

— Il vaut mieux que vous ne le sachiez pas.

Abbie examina la petite clairière. Si elle avait eu vaguement envie de rester debout toute la nuit au lieu de partager le hamac de Jack, c'était terminé. Quand les autres iraient se coucher, elle se retrouverait toute seule. Avec ces bestioles. *Accident d'avion : une rescapée dévorée vivante par des créatures de la jungle.* Ce n'était pas la une qu'elle avait prévue, mais *Ma nuit dans un hamac avec Jack Winter* ne lui plaisait pas beaucoup non plus. Que dirait William s'il l'apprenait ?

Jack n'avait pas conscience de son dilemme.

— Je pense qu'il nous reste dix minutes avant la tombée de la nuit. Alors, vous venez vous coucher, mademoiselle Marshall ?

Abbie n'avait pas le choix.

— Je vous suis, monsieur Winter.

QUATRE

Abbie regarda Jack soulever la moustiquaire, se glisser dans le hamac et tapoter le minuscule espace à côté de lui. Elle allait dormir si près de lui ? Ils seraient presque allongés l'un sur l'autre. En tout cas, Abbie parvenait un peu mieux à se dominer maintenant. Cette araignée lui avait rendu service. Elle était bouleversée à l'idée de passer la nuit à côté de Jack Winter, mais l'effroi l'avait ramenée sur terre. Pourtant, son estomac se nouait encore à la perspective de devoir dormir avec lui. La jeune femme croisa les bras en frissonnant. La soirée était devenue fraîche. Ainsi, elle allait passer la nuit avec une véritable icône d'Hollywood. Elle voyait déjà Kit hurler quand elle le lui dirait. Enfin, s'ils parvenaient à se sortir de là un jour. Sa meilleure amie et son appartement confortable à New York lui semblaient tellement loin…

— Abbie, arrêtez d'hésiter et venez vous coucher. Je promets de ne pas vous mordre.

Abbie grimpa dans le hamac et roula contre lui.

— Je ne vous promets rien, en revanche, monsieur Winter. Alors, gardez vos mains loin de moi.

Jack répondit par un grognement amusé. Il se pencha au-dessus d'elle pour ajuster la moustiquaire.

— Voilà, déclara-t-il. Comme deux coqs en pâte.

— Cessez d'être aussi content de vous, et attention aux mains baladeuses, dit-elle.

Abbie roula sur son flanc et glissa au milieu du hamac. Jack étendit son corps le long du sien et passa un bras autour de sa taille.

— Où me suggérez-vous de les mettre ?

Sa main, lente et sensuelle, glissa vers la hanche d'Abbie.

— Ici ?

Abbie avala sa salive. La main de Jack était chaude. En fait, chaque parcelle de son corps était bouillante. La position de sa main sur sa hanche était dangereuse et la rendait très consciente de sa féminité. L'espace d'un instant, elle se demanda ce qu'elle ressentirait s'il la touchait à ce fameux endroit. Non. Surtout pas. Méchante Abbie. Elle souleva la main de Jack et la reposa sur sa taille.

— Si vous insistez, dit-il.

Mais il laissa sa main là où elle était.

Tous deux restèrent allongés en silence, écoutant les bruits de la jungle, et la nuit tomba presque en un clin d'œil.

Jack remua contre elle.

— Est-ce que ça vous dérange si je bouge mon autre bras ? Je commence à avoir des crampes.

Abbie souleva la tête et la reposa. Cet homme avait de sacrés biceps. William était..., eh bien, William était mince. Il n'y avait pas d'autres termes. C'était un universitaire, qui préférait exercer son esprit plutôt que son corps. William n'avait pas besoin de muscles.

— Beaucoup mieux.

Abbie sentit le souffle chaud de Jack dans son cou, ce qui la fit légèrement frissonner.

— Est-ce que vous avez froid ?

— Non. Tout va bien, monsieur Winter.

Elle sentit un rire lui secouer la poitrine.

— Abbie, pourquoi m'appelez-vous encore monsieur Winter ? Nous allons passer la nuit ensemble. Je crois que nous pouvons nous passer de formalités.

Dit de cette façon, cela semblait ridicule. Ils étaient coincés dans la jungle. Elle partageait un minuscule hamac avec lui. Le fait de l'appeler M. Winter était un stratagème visant à créer une distance entre eux. Mais Abbie s'aperçut que cela la faisait passer pour une vieille fille prude.

— Très bien, Jack.

Son bras se resserra autour de sa taille.

— Bonne petite, marmonna-t-il dans son cou.

Abbie s'apprêtait à le réprimander quand elle entendit un léger ronflement. Jack Winter s'était endormi.

Elle soupira. La tension quittait lentement son corps. Elle ne savait pas très bien à quoi elle s'était attendue. À ce qu'il la pelote sans arrêt ? À devoir repousser ses avances toute la nuit ? Mais voilà qu'il s'était endormi comme un bébé.

Le plus étrange, c'est qu'après tous les bouleversements qu'avait connus sa vie au cours des dernières heures, elle se sentait en sécurité. Jack s'était montré odieux au début, mais maintenant il était tendre. Le bras lourd qui entourait sa taille était protecteur, le souffle dans son cou, réconfortant. Abbie se détendit contre lui. Elle avait l'impression qu'une masse pesait sur ses paupières. Quelques battements de cils et ses yeux se fermèrent. Un grognement au loin la réveilla en sursaut.

Jack leva la tête.

— C'est à des kilomètres d'ici, rendormez-vous. Je ne laisserai personne vous faire du mal.

Abbie se réinstalla entre ses bras. Elle le croyait sans vraiment savoir pourquoi.

Abbie changea de position. Elle ne voulait pas ouvrir les yeux, car elle se sentait merveilleusement bien. William n'était pas aussi tendre d'habitude, mais, tout à coup, c'était comme la fois où il avait vraiment réussi à décompresser pendant leurs vacances et à cesser de s'inquiéter au sujet de ses recherches et des petites intrigues au sein de son département à l'université. Sa main était posée sur son sein et jouait avec son téton à travers le fin tissu de son chemisier. Des étincelles de plaisir jaillissaient dans son corps comme de petits feux d'artifice. L'autre main de William était installée sur sa hanche et maintenait son corps en place, tandis que son bassin se balançait légèrement contre le sien. Une bosse assez considérable se pressait contre les fesses d'Abbie.

— Hmm, gémit-elle en se frottant contre lui afin d'augmenter cette délicieuse pression.

La bouche de William se promenait dans son cou. Sur sa peau, il traça de tendres cercles avec sa langue, puis la mordilla malicieusement. Abbie poussa un profond soupir, et la main de William serra son sein plus fort.

C'était extraordinaire. D'habitude, William ignorait sa poitrine, mais il se surpassait ce matin...

Les yeux d'Abbie s'ouvrirent brusquement et une série d'images perturbantes lui apparurent dans l'obscurité. Elle n'était pas à New York. Cet endroit n'avait rien à voir avec son appartement, et ces mains qui lui donnaient autant de plaisir n'étaient absolument pas celles de William. Les premières lueurs de l'aube déclenchèrent une cacophonie à travers la forêt, mais son cri retentit encore plus bruyamment. Elle donna une tape sur la main de Jack pour s'en débarrasser, roula loin de lui, puis dégringola du hamac sur le sol de la forêt.

La tête de Jack apparut au bord. En voyant ses paupières tombantes, elle ne douta pas un instant qu'il avait apprécié autant qu'elle leur petite rencontre matinale.

— Vous..., vous m'avez tripotée.

Sa voix résonna dans la clairière.

— Détendez-vous, Abbie. Je ne l'ai pas fait exprès. Je ne savais pas que c'était vous.

— Oh ! Super. Je me sens beaucoup mieux maintenant.

— Je ne vous ai pas entendue vous plaindre.

Jack lui lança un sourire amusé.

— Me plaindre ? Espèce de...

— Mais qu'est-ce que c'est que ce bordel ?

La tête de Zeke émergea de son hamac.

— Je viens seulement de m'assoupir. Vous savez combien il est difficile de dormir quand on est blessé ? Les médicaments ne font plus d'effet et mon chiropracteur va me tuer quand il apprendra ce que j'ai fait endurer à mon dos.

Génial. Il ne manquait plus que ça. Une nouvelle journée en compagnie de l'hypocondriaque d'Hollywood. Abbie lança un regard mauvais à Jack, puis se dirigea vers les buissons pour aller faire ses besoins.

*

Jack distribua les paquets de noix et regarda Zeke faire la grimace en marmonnant quelque chose au sujet de son into-lérance aux fruits à coque, mais il les mangea quand même. Comme il ne restait qu'une bouteille d'eau, ils la partagèrent, puis Jack remplit leurs bouteilles vides dans un petit ruisseau et y plongea des pastilles de purification d'eau.

Il prit soin de ne pas toucher Abbie en lui tendant sa bouteille. Cette nuit ensemble dans le hamac, avec son déli-cieux derrière pressé contre lui, s'était révélée pire que prévu. *Une « dure » nuit dans tous les sens du terme.* Envolé, son fameux sang-froid. Il avait dû faire semblant de dormir pour qu'Abbie se détende et avait lutté contre son érection pendant des heures. Dommage qu'il ait perdu le contrôle pendant son sommeil. Il s'était réveillé à côté d'elle et l'avait sentie pelo-tonnée dans ses bras, ses fesses pressées contre lui.

C'était trop lui demander que de supporter ça sans réagir. Jack savait quelle était sa réputation, mais il était humain après tout, et le cul d'Abbie Marshall aurait tenté n'importe quel saint. Même mort. Il devait à tout prix rester loin d'elle. Ou s'assurer qu'elle restait loin de lui.

Jack vit le regard de Kev glisser d'Abbie à lui, puis de lui à Abbie. Il se demandait clairement ce qui s'était passé pendant la nuit. Tous deux se connaissaient suffisamment pour que Kev devine qu'une fille l'intéressait.

Pas une fille, se répéta-t-il. Une journaliste. Une femme faite du même bois que Sarah O'Brien-Willis. Sarah avait failli détruire sa vie. Il n'allait pas laisser Abbie Marshall faire pareil. Car elle en était capable. Il n'avait aucun doute là-dessus.

Jack sourit. Oh ! il savait exactement quoi faire pour qu'elle reste en rogne contre lui.

— Quelqu'un a encore faim ? demanda-t-il avec désinvolture.

Zeke et Abbie acquiescèrent.

— Enfin, je n'en veux pas si c'est à base de blé. Ça me donne des mucosités, dit Zeke.

— Je crois pouvoir te garantir qu'il n'y a pas une trace de blé là-dedans, répondit Jack.

Il vit que Kev avait deviné la suite et gardait la bouche bien fermée. Ses yeux brillaient d'espièglerie.

Jack se dirigea vers l'orée de la petite clairière et colla son oreille à la branche d'un arbre tombé. La seconde lui sembla parfaite. Il brisa un morceau d'écorce et en sortit quelques grosses larves qui se tortillaient entre ses doigts.

— Le petit-déjeuner est servi. Garanti sans blé.

Jack en offrit une à Zeke et une autre à Abbie.

Zeke recula si vite qu'il serait tombé de son rondin si Abbie n'avait pas tendu la main pour le rattraper. Kev, qui avait vu venir le coup, avait sorti son téléphone et filmait l'expression horrifiée de l'agent, projetant certainement de poster la vidéo sur YouTube dès qu'ils seraient rentrés chez eux. Zeke était si préoccupé par la larve qu'il ne le remarqua même pas. *Bien joué, Kev. Une petite punition pour avoir abandonné Abbie dans l'avion.*

La jeune femme le surprit. Sans crier, ni reculer, elle observa longuement la larve qui remuait entre ses doigts et dit :

— Dix dollars que vous n'en mangerez pas une seule.

— Tope là.

Jack en fourra une dans sa bouche et mâcha. La créature se tortilla encore une demi-seconde, puis le jus gicla sur sa langue. C'était ignoble.

Il lui fallut recourir à toutes ses compétences d'acteur pour garder un visage neutre et continuer à mâcher. *La prochaine fois, je la ferai cuire avant.* Mais cette folie valait le coup : Jack jubila en voyant l'expression révoltée et incrédule des autres. Il fournit un dernier effort et avala.

— Ah ! Un aliment naturel on ne peut plus frais. Plus de protéines par kilo que dans du bœuf nourri à l'herbe. Vous êtes sûre de ne pas en vouloir une ?

Il tendit l'autre larve frétillante à Abbie. Elle frissonna.

— Jamais de la vie.

Jack lui adressa un sourire entendu.

— Vous en mangerez le moment venu.

— Je vous donnerai dix dollars chaque fois que vous en mangerez une pour moi, lui dit-elle.

Il tendit la main et attendit. Abbie le dévisagea avec incrédulité avant de sortir un billet de sa poche et de le plaquer dans sa main. Eh bien, il venait de trouver un moyen de la garder à distance. Jack avait remis à plus tard la tâche qu'il redoutait, mais, à présent, il fallait y aller.

— Viens, Kev. Descendons dans le ravin pour enterrer le pilote.

*

Une fois que Jack et Kevin furent partis, Zeke Bryan s'allongea contre un arbre et s'assoupit. L'occasion pour Abbie de faire le point sur ces vingt-quatre dernières heures tumultueuses. Cela n'avait rien de nouveau pour elle : Abbie avait l'habitude d'agir au coup par coup et de ne prendre du recul que lorsque la situation devenait plus calme. Elle était après tout une journaliste expérimentée : elle aurait dû prendre part aux décisions au lieu qu'on les lui impose.

Mais, quand elle essayait de se concentrer, un méli-mélo d'images et de sentiments surgissait dans son esprit. Pire encore, elle ne cessait de repenser à son réveil du matin : les mains de Jack Winter qui remontaient délicieusement le long de son corps, ses doigts qui lui pinçaient le téton, ce renflement contre ses fesses. Abbie sentit à nouveau de petites étincelles de plaisir l'envahir.

Non ! Elle ne pouvait passer une minute de plus dans cet état. Elle sortit son Kindle de son sac à dos et reprit la lecture du thriller qu'elle avait commencé quelques jours plus tôt. En quelques minutes, elle se retrouva immergée dans l'univers de policiers et de criminels norvégiens. À sa grande surprise, elle entendit bientôt les voix des hommes et s'aperçut qu'une heure s'était écoulée.

Ils lui racontèrent qu'une fois au fond du ravin, ils avaient découvert que la nature avait fait le travail pour eux. Ils avaient retrouvé les restes de l'avion, éventré et enseveli sous une coulée de boue fraîche. Abbie frissonna en se rappelant les dangers de la forêt tropicale.

D'après Jack, il allait bientôt pleuvoir. Il leur fit donc lever le camp aussi vite que possible. L'acteur tendit à Zeke un petit poncho imperméable. L'homme était blanc autour de la bouche et avait du mal à bouger.

Jack lui donna deux analgésiques et une gorgée de tequila. Pas vraiment le mélange idéal, pensa Abbie. Mais il fallait tout tenter pour aider l'homme blessé à tenir le coup.

Il restait un morceau de parachute. Jack se tailla un capuchon dans le tissu et leur dit de faire la même chose.

— Ça évitera que des insectes tombent dans vos cheveux, dit-il.

Sa remarque les fit tous sursauter, et Jack sourit.

Après sa rencontre avec une araignée la nuit passée, Abbie était bien décidée à ne pas réitérer l'expérience. Elle passa derrière Jack pour voir comment il avait noué le tissu. Elle fut choquée par la tache sombre qui s'étalait sur son tee-shirt. Comment se faisait-il qu'elle ne l'eût pas remarquée avant ?

— Vous avez du sang dans le dos, dit-elle.

Jack regarda par-dessus son épaule et fit la grimace.

— J'avais oublié. Je me suis cogné la tête dans le cockpit pendant la descente de l'avion. Je ne m'étais pas aperçu que ça saignait autant. Vous n'avez quand même pas peur du sang ?

Abbie ignora son ton railleur. Elle n'était pas aussi faible qu'il semblait le penser.

— Asseyez-vous, je vais y jeter un œil, dit-elle d'une voix calme et franche (ce dont elle se félicita). Vous auriez dû m'en parler hier soir. Votre formation de survie ne vous a pas appris que les risques d'infection étaient élevés ici ?

Jack sourit, mais il finit par s'asseoir en se laissant réprimander. Abbie écarta ses cheveux afin de vérifier sa coupure. Elle était longue, mais commençait à guérir.

— La blessure a l'air plutôt propre. Heureusement que vous avez une bonne épaisseur de cheveux.

La jeune femme fouilla dans leur petite trousse de secours et y trouva une lingette imbibée d'alcool. Alors qu'elle lui écartait à nouveau les cheveux, Abbie prit soudain conscience de l'intimité de son geste. Ses doigts s'attardaient, mettaient plus de temps que nécessaire à localiser la coupure, et semblaient agir par eux-mêmes. Elle essuya la blessure avec la lingette. Le picotement le fit tressaillir.

— Gros bébé, se moqua-t-elle en vaporisant sa coupure de désinfectant.

Jack leva les yeux vers elle.

— Oh ! mais je ne suis pas un bébé.

Abbie rougit et se mit à ranger le matériel dans la trousse. Lorsqu'elle releva la tête, Jack examinait sa boussole.

— Il est temps de lever le camp, dit-il. D'après ce que j'ai vu depuis le cockpit, il y a un lagon et une sorte de hameau un peu plus vers le nord. C'est notre meilleure option.

Abbie était soulagée que quelqu'un ait un plan. Mais, avant qu'ils aient pu se mettre en route, le ciel s'ouvrit et déversa des litres d'eau sur leurs têtes. Tous quatre s'abritèrent sous un arbre à feuillage épais, mais il ne les protégeait pas plus qu'un mouchoir sous une chute d'eau.

— Moi qui rêvais de voir les chutes du Niagara ! dit Abbie.

Ils se blottirent tous les uns contre les autres. Une fois encore, Abbie se retrouvait serrée contre le torse de Jack Winter. Une journée entière s'était écoulée depuis que chacun avait pris une douche. Abbie huma l'odeur virile de Winter, laquelle eut un effet enivrant sur elle.

L'averse cessa presque aussi vite qu'elle avait commencé. Quelques dernières grosses gouttes indiquèrent la fin de la pluie. Mais elle ne tarderait pas à revenir. Jack vérifia à nouveau la boussole et les mena au cœur de l'épaisse végétation.

En le regardant lacérer les broussailles, Abbie se dit que les photos de magazine ne traduisaient rien de la réalité de la jungle. Chaque pas exigeait plusieurs coups de couteau. Dommage qu'il n'ait pas eu une véritable machette. Chacune de leurs foulées réveillait un peu plus la faune tropicale. Kevin tentait de bavarder avec Abbie, mais elle ne prêtait pas vraiment attention à ses paroles ; elle était trop occupée à surveiller les insectes. De temps en temps, Kevin en balayait quelques-uns de sa tête, ce dont elle lui était très reconnaissante.

Kevin et Jack échangèrent les rôles, et l'acteur se retrouva à côté d'elle. Tous quatre marchaient en silence, soucieux de préserver leurs forces et de progresser en toute sécurité. Abbie suggéra d'organiser un roulement, mais Jack et Kevin la firent taire d'un regard. La jeune femme n'insista pas : elle n'était pas très sûre de pouvoir se frayer un chemin à coups de couteau à travers la verdure.

Lorsqu'arriva l'heure du déjeuner, Abbie ressentait un réel besoin de s'asseoir. Jack alluma un petit feu, ramassa différents vers et larves, puis les enfila sur des brochettes de fortune. Abbie regarda cuire ces kebabs d'insectes en se demandant comment elle allait bien pouvoir les manger. Mais elle comprit vite qu'elle n'aurait pas le choix.

— Rien à voir avec de la grande cuisine, mais c'est mangeable, dit Jack.

Abbie n'en était pas si sûre. *Une journaliste new-yorkaise affamée obligée de manger des insectes : mon enfer dans la jungle*, pensa-t-elle en détachant une larve d'une brochette avant de la mettre dans sa bouche. Ces gros titres imaginaires étaient le seul moyen pour elle de digérer tout cela.

Mon Dieu, mon Dieu ! Elle allait être malade. Abbie regarda Jack du coin de l'œil. Il la dévisageait. Impatient de voir si elle allait tout recracher. Hors de question. Si Mister Hollywood et son acolyte pouvaient avaler l'une de ces petites bêtes, alors, elle aussi. En fait, c'était comme des sushis.

Mais, bon sang, qui essayait-elle de faire marcher ? Il s'agissait d'un insecte. Un insecte au goût absolument infect. Abbie avala et adressa son sourire le plus éclatant à Jack.

— En voulez-vous une autre, Abbie ? Il y a du rab.

— Non, merci, ça ira.

Son estomac se serra lorsqu'elle entendit un vomissement. Zeke était penché au-dessus d'un rondin et vomissait son déjeuner. Abbie serra les dents afin de ne pas l'imiter. Kevin lui lança un clin d'œil avant d'aller chercher de l'eau pour Zeke. Jack s'étira et, lorsque son tee-shirt se souleva, Abbie aperçut des tablettes de chocolat bien dessinées. Eh bien, elle en avait la preuve absolue : cet homme était vraiment musclé. Pas besoin de doublure. Soudain, elle eut un flash : ces abdos en béton se pressaient contre son dos, ses mains se promenaient sur son... *Arrête, Abbie. Tiens-toi tranquille.* Jack lui lança un clin d'œil quand il surprit son regard, et la jeune femme se détourna rapidement avant qu'il la voie rougir.

— Ça va, Zeke ? cria-t-il.

L'agent se leva, le visage pâle et le front dégoulinant de sueur.

— Bien sûr que non. Mon gastroentérologue va devenir fou quand il apprendra ce que j'ai mangé. J'ai un système digestif très délicat.

Jack ignora sa réponse.

— Super. Je prends la tête de la file. Nous allons avancer encore deux-trois heures avant d'établir un campement pour la nuit. Abbie, vous pouvez marcher à côté de Zeke, et Kevin surveillera nos arrières.

— Aucun doute là-dessus, plaisanta-t-elle avant de s'apercevoir qu'elle allait devoir écouter Zeke pendant deux heures maintenant qu'il l'avait pour lui tout seul.

— Est-ce que je peux marcher en tête ? demanda-t-elle à nouveau.

— Non, répondirent en chœur les deux hommes.

CINQ

Jack donna un premier coup de couteau dans le rideau vert, et ils s'enfoncèrent dans l'inconnu. Abbie choisit de ne pas penser à la distance qu'il leur restait à parcourir.

Zeke se tourna vers elle.

— Alors, qu'est-ce qu'une charmante fille comme vous fait dans un endroit pareil ?

Cet homme lui faisait du gringue. Avec une réplique aussi bébête en plus ? Abbie résista à l'envie de lui casser l'autre bras. Il était assez âgé pour être son père. Elle lui sourit gentiment.

— Je recherchais un lien entre un cartel de drogue international et Antonio Tabora.

— Antonio qui ?

— Tabora, dit Jack devant eux. Il se présente aux élections du congrès hondurien. Un homme charmant, riche et malhonnête comme pas deux.

Abbie était surprise que Jack ait entendu parler de lui. Les États-Unis considéraient Tabora comme le nouvel espoir du Honduras.

— Et vous l'avez trouvé ? demanda Zeke avec un vague intérêt.

— J'en ai suffisamment appris sur le sujet, répondit-elle. Les agents de la DEA[1] travaillent aux côtés des forces de sécurité honduriennes pour mettre fin au trafic de drogue. Le

---

1. Drug Enforcement Administration : service de police fédéral américain chargé de lutter contre les trafics de stupéfiants. (NDT)

ministère des Affaires étrangères a mis des hélicoptères à leur disposition afin de les aider à localiser les pistes d'atterrissage illégales créées par les gangs Barrio18 et MS13. Mais j'ai rassemblé les preuves d'une fuite au ministère des Affaires étrangères.

Les avocats de son journal étaient probablement occupés à passer ses documents au peigne fin au même instant. Soudain, Abbie se mit à regretter la salle de rédaction. Les autres journalistes, le café infect et les railleries occasionnelles, lorsqu'on l'appelait « princesse ». Que feraient-ils lorsqu'elle ne réapparaîtrait pas le jour convenu au bureau ? Penseraient-ils que les hommes de Tabora l'avaient attrapée ?

Et sa famille ? Son père risquait de devenir fou, et sa sœur, Miffy, allait sans cesse rabâcher son fameux « Je vous l'avais bien dit ». Le style de journalisme réaliste que pratiquait Abbie n'était pas assez féminin pour Miffy. Si elle tenait tant à être journaliste, pourquoi ne pas écrire sur le monde artistique ou la mode ? Ou, encore mieux, pourquoi ne pas cesser d'exposer le nom des Marshall dans les journaux et commencer à présider de sympathiques comités de charité ? Blablabla. C'était ce que faisaient la plupart des femmes de leur cercle : elles se trouvaient un bon petit travail peu exigeant dans une galerie ou une agence de relations publiques avant de mettre le grappin sur un banquier d'affaires ou un avocat et d'être emportées dans un tourbillon de soirées de charité et de petites rivalités entre parents. Depuis l'âge de seize ans, Abbie savait qu'elle ne pourrait jamais suivre ce chemin. Pourtant, Miffy remettait le sujet sur le tapis à la moindre occasion. Abbie imaginait déjà les accusations qu'elle allait devoir affronter quand ils rentreraient aux États-Unis après leur petite escapade. Si jamais ils rentraient un jour.

Kevin surgit derrière elle.

— Ça va, Abbie ? Vous digérez bien le plat du jour ?

— Ces insectes étaient délicieux.

Abbie éleva suffisamment la voix pour que Jack puisse l'entendre.

— Les meilleurs que j'ai goûtés depuis mon dernier repas à Chinatown.

Elle sourit à Kevin. C'était vraiment un charmeur.

— Et vous ? J'ai l'impression que Jack et vous pratiquez beaucoup les sorties à quatre.

— Bien sûr. Nous sommes amis depuis Trinity.

— Trinity ?

— College, précisa-t-il en haussant les épaules. Là-bas, à Dublin.

— Alors, il vient vraiment d'Irlande ? Je pensais que vous preniez l'accent pour attirer les femmes.

Kevin dégagea le chemin en donnant un coup de pied dans un enchevêtrement de lianes.

— Eh non, il est bien réel, et Jack n'a jamais eu besoin de faire semblant de quoi que ce soit pour draguer les filles. Elles sont comme des mouches attirées par...

— Je ne suis pas sourd ! cria Jack. Et si ça vous intéressait, Abbie, vous n'aviez qu'à me demander.

La jeune femme grimaça. Elle avait laissé sa curiosité l'emporter. On ne l'y reprendrait plus.

Kevin se bagarra avec une branche pendante.

— Il n'est pas si méchant quand on le connaît un peu.

— Mais je n'ai aucune intention d'apprendre à le connaître, dit-elle d'un air guindé.

Kevin lui adressa un sourire sournois.

— Enfin, vous avez tout de même couché avec lui la nuit dernière.

— Absolument pas.

Abbie sentit son visage commencer à s'empourprer. Peut-être aurait-elle dû rester avec Zeke.

— Ce n'est pas vous que j'ai entendue toute la nuit ?

Kevin siffla d'admiration.

La main droite d'Abbie la démangeait. Elle aurait bien donné un coup de poing dans n'importe quoi.

— Je n'ai pas...

Elle reprit ses esprits en entendant Kevin pouffer.

— Vous êtes un type sournois, un fourbe...

— Continuez comme ça, j'adore les compliments. Et je vais vous dire ce que j'adorerais aussi, Abbie...

— Recevoir mon poing en pleine figure ? fit une voix rageuse.

Abbie ne s'était pas aperçue que Jack s'était retourné. Une grande tache de sueur couvrait le devant de son tee-shirt, et, pareil à une seconde peau, le tissu humide collait à ses abdos. *Vas-tu arrêter de faire une fixation sur ses abdos ? Ça devient complètement absurde.* Abbie se força à lever les yeux vers son visage. L'effort physique avait fait rougir sa peau, et ses yeux bleus la transperçaient comme des lasers.

Jack tendit le couteau à Kevin.

— À ton tour, mon pote.

— C'est un peu ce que j'espérais.

Kevin prit sa place à l'avant en sifflant. Abbie crut reconnaître un chant de rébellion irlandais, mais elle n'en était pas sûre.

Cette marche était sans fin. Malgré l'aide de Jack, Abbie trébucha plusieurs fois sur de grosses racines cachées sous les broussailles. Ses vêtements lui collaient à la peau, et ses cheveux, à la tête. Que n'aurait-elle donné pour une douche ! Une bonne douche, longue et chaude. Merde... Même une douche froide aurait été la bienvenue.

— Un serpent !

Le cri de Zeke dissipa ses rêveries.

— Où ça ? cria Jack.

Le regard d'Abbie suivit la direction qu'indiquait Zeke. *Mon Dieu !* Abbie avala sa salive. Elle en avait déjà vu derrière les vitres d'un zoo, mais jamais de près, et jamais d'aussi gros.

Jack et Kevin se lancèrent à la poursuite du reptile. Elle n'aurait jamais cru que les serpents pouvaient se déplacer aussi vite. En quelques secondes, les hommes disparurent derrière le feuillage et elle n'entendit plus que leurs cris.

— Je ne peux plus continuer.

Zeke s'assit sur un rondin.

— Cette chaleur, cette nourriture horrible. Pas de communication avec l'extérieur. Comment font les gens pour vivre ainsi ?

Sous son bronzage artificiel, la peau de l'homme était grise. Peut-être était-il vraiment malade ? Abbie posa une main sur son front. Il avait chaud comme chacun d'eux, mais ne semblait pas fiévreux.

Zeke posa une main sur son poignet.

— Vous savez, Abbie, quand toute cette histoire sera terminée, peut-être que nous pourrions nous revoir et…

Il fallut un moment à Abbie pour comprendre. Jamais elle n'y aurait pensé : Zeke lui faisait des avances et avait bien l'intention d'arriver à ses fins. Lorsqu'elle lui donna une claque sur la main, il ne fut pas du tout perturbé. Il sourit comme s'il n'y avait rien d'inhabituel dans le fait de peloter une fille de trente ans sa cadette. Abbie recula.

— Pour l'amour du ciel. Mais qu'est-ce qui ne va pas chez vous ?

Le rideau de feuillage vert s'ouvrit, et Jack et Kevin réapparurent, l'air triomphant.

— Je sais, vous m'adorez, dit Jack.

— Me croiriez-vous si je vous disais que c'est exactement le contraire ?

Il sourit à Abbie.

— Comme vous voulez. Mais vous feriez mieux d'être gentille avec Kev et moi, parce que nous venons d'attraper le dîner.

L'estomac d'Abbie fit un bond.

— Un serpent. Nous allons manger du serpent pour le dîner ?

— Non, pas du serpent, Abbie, dit Kevin. Du serpent rôti. Faites-moi confiance, ça a le même goût que le poulet.

Le retour triomphal des chasseurs fut entaché par un nouveau vomissement de Zeke.

Ils poursuivirent leur marche pendant deux longues heures. Abbie portait des bottes de marche, mais leurs semelles étaient sérieusement abîmées, et la jeune femme avait la plante des pieds en feu.

— Bon, ça suffit pour aujourd'hui, dit enfin Jack.

Ces mots leur parurent les plus doux de la langue anglaise. Kevin installa les hamacs pendant que Jack allumait un feu.

— Allez me chercher des feuilles, Abbie. Des longues.

La journaliste obéit, le laissant charcuter son serpent. Lorsqu'elle fut à quelques mètres de la clairière, Abbie comprit qu'il l'avait éloignée exprès. Comme s'il la protégeait. Mister Hollywood avait donc bon fond ?

Cette pensée lui plut.

— Abbie, mais qu'est-ce que vous foutez ? hurla Jack.

Tant pis pour son bon fond. La journaliste se dépêcha de rentrer au campement. Les hommes avaient creusé une petite fosse pour y faire du feu, et le serpent était coupé en morceaux grossiers. Zeke lui-même s'était remis de ses maux d'estomac et regardait la viande avec intérêt.

— Comme du poulet, tu dis ?

— Exactement, répondit Kevin.

Ils regardèrent Jack envelopper la viande dans les feuilles humides et transpercer le paquet d'une broche improvisée. Cela sentait merveilleusement bon et, malgré son dégoût, Abbie saliva. Ils n'avaient rien mangé de toute la journée, à part des insectes et des baies acides. C'était un vrai festin.

— Je vais aller enterrer les restes, dit Kevin. Il vaut mieux ne pas attirer les prédateurs.

Des prédateurs. Abbie n'avait pas pensé à ça. Ils se trouvaient dans la jungle et, tout ce qui la protégeait de cet environnement dangereux, c'était la présence de Jack et Kevin. Comme s'il lisait dans ses pensées, Jack lui adressa un clin d'œil.

— T'en fais pas, chérie, je veille sur toi.

— C'est bien ce qui me fait peur, marmonna-t-elle.

Abbie redoutait la nuit qui approchait. Elle se demandait comment elle allait réagir à cette virilité débridée pressée contre elle pendant une deuxième nuit. Mais à peine eut-elle avalé la moitié de sa portion de serpent que la fatigue l'envahit. Elle avait soudain beaucoup de mal à garder les yeux ouverts. Abbie sursauta quand Jack dit :

— J'ai monté le hamac. Allez vous coucher, je vais finir d'installer le campement pour la nuit.

Trop fatiguée pour discuter, Abbie hocha la tête avec gratitude. Le hamac humide lui parut plus accueillant que le plus luxueux des lits. Pendant quelques minutes, elle ne parvint pas à se détendre, car elle s'attendait à ce que Jack la rejoigne. Mais l'épuisement l'emporta. Abbie dormait profondément lorsque l'acteur vint se coucher.

*

Il y avait un gros problème. Jack s'en aperçut le lendemain matin, alors que le petit groupe continuait à se frayer un chemin à travers la végétation. Quand il regarda derrière lui, il vit Abbie lever les yeux vers Kev avec une expression qui l'agaça profondément. Jack s'était dit que, si Abbie et Kev se rapprochaient, il serait débarrassé de cette fixation gênante. Mais, à présent, il comprenait que c'était la dernière chose qu'il souhaitait. La nuit passée, pendant qu'elle dormait à poings fermés à côté de lui, il l'avait prise dans ses bras. Malgré lui, Jack avait envie de la protéger. Ils s'étaient réveillés en même temps et, pendant un bref instant, s'étaient dévisagés avant de dégringoler du hamac chacun de leur côté. Jack ne pouvait pas renoncer : il lui était impossible de se rappeler depuis quand il avait eu aussi envie de baiser une femme. Mais le plus troublant, c'était cet aspect si particulier de la personnalité d'Abbie, qui l'effrayait autant qu'il l'attirait. La jeune femme était sophistiquée, mais encore innocente. Elle ignorait totalement combien elle était attirante, et, plus elle adoptait cette attitude de femme du monde hautaine, plus Jack avait envie de lui montrer vers quelles profondeurs il pouvait l'emmener. Mais c'était impossible ; il n'irait nulle part avec Abbie. Pourtant,

Jack continuait à guetter le moindre signe indiquant qu'elle était en train de tomber sous le charme simple de Kevin. Cela le tuerait de voir Kev sortir avec elle. Soudain, Jack comprit où était vraiment le problème. Pour la première fois depuis deux jours, Zeke avait cessé de se plaindre. Jack n'avait rien remarqué dans la matinée, mais maintenant qu'ils avaient l'habitude de l'entendre gémir, ce silence béni lui paraissait étrange. Il s'arrêta pour vérifier comment allait l'agent.

Zeke était blanc comme un linge. Il avait simplement cessé de se plaindre parce que la douleur était devenue inexprimable. Sa respiration était laborieuse et irrégulière.

— Kev, dit sèchement Jack. Je croyais que tu gardais un œil sur Zeke.

À regret, Kev s'arracha à sa conversation avec Abbie pour se tourner vers l'homme.

— Oh ! putain.

Cela résumait assez bien la situation. Jack aida Zeke à s'asseoir et vérifia l'état de son bras. Il était enflé et douloureux. Zeke sursautait et gémissait au moindre mouvement. Jack le força à avaler quelques analgésiques de plus.

Il regarda le paracétamol avec envie. L'acteur avait un mal de tête atroce, mais il ne restait que six comprimés, et Zeke en avait plus besoin que lui. L'écharpe en mousseline, maintenant trop fine et humide, ne suffisait plus à soutenir le bras blessé de Zeke. Il fallait la renforcer, mais avec quoi ? Jack passa mentalement en revue tout leur matériel. Mais rien ne pourrait apporter le soutien supplémentaire dont Zeke avait besoin pour continuer à marcher.

Abbie fit boire à Zeke quelques gorgées d'eau et une autre de tequila. Ses yeux verts étaient plus brillants que d'habitude à cause de l'inquiétude. Quelque chose se serra dans la poitrine de Jack lorsqu'il le remarqua. Il voulait qu'elle le regarde de la même manière.

Pendant un instant, il s'offrit le luxe de fantasmer un peu. Abbie, nue dans son lit, le regardait avec ces yeux lumineux et il… Jack interrompit le fil de ses pensées. Abbie s'enfuirait en hurlant lorsqu'elle saurait ce qu'il avait envie de lui faire. Et elle le raconterait en première page de son journal. Parfois, le jeu n'en valait pas la chandelle.

Mais Jack n'arrivait toujours pas à s'empêcher de la regarder, et, quand Abbie effleurait Zeke, il croyait sentir la caresse de ses tétons contre sa propre peau.

C'en était trop.

— Abbie, enlevez votre soutien-gorge.

— Quoi ?

La stupéfaction sur son visage, sa bouche légèrement ouverte sous l'effet du choc (offrant à Jack un aperçu de sa langue rose et tentante), lui firent l'effet d'un véritable aphrodisiaque. Malgré lui, l'acteur se sentit bander. *Tout doux, mon gars, ce n'est ni l'endroit ni le moment.*

— Jack, mais de quoi tu… ?

Kev fut le premier à protester. Puis il entrevit quelque chose sur le visage de Jack et se tut.

— Le soutien-gorge d'Abbie est élastique, non ? On peut le bricoler un peu pour qu'il renforce l'écharpe de Zeke et maintienne plus fermement son bras en place.

Il faut que Zeke puisse marcher. Regardons les choses en face : il n'est sans doute pas très lourd, mais nous ne pourrons pas le porter tout le long du chemin.

Zeke ronchonna, mais ne protesta pas. Il avait clairement atteint ses limites. S'ils n'avaient plus le choix, Kev et Jack pourraient le porter, mais Abbie devrait se charger de leur dégager un chemin. Certes, elle s'était proposé de le faire et paraissait en bonne forme physique, mais elle n'avait pas la masse musculaire nécessaire pour sectionner les branches et les lianes qui leur barreraient la route.

Au moment où il s'efforçait de faire atterrir l'avion, Jack avait aperçu des lumières au bord d'un lagon. Comme il se démenait pour maintenir l'avion dans les airs et ne prêtait pas vraiment attention au terrain, il avait seulement eu le temps d'y jeter un rapide coup d'œil. Mais il pensait maintenant que ces lumières étaient leur meilleur espoir. Il ne fallait pas se faire d'illusions ; cela n'avait sans doute rien d'une vraie ville. Mais même le plus petit des hameaux disposerait de moyens de communication, et cela leur permettrait d'appeler les secours. Jack ignorait totalement la distance qu'il leur restait à parcourir, mais, d'après ses calculs, ils en auraient sans doute encore pour deux ou trois jours de marche.

C'était faisable, se persuadait-il, même si les provisions et l'équipement manquaient dangereusement. Kev était le seul à connaître les risques réels de leur situation et avait accepté de ne rien révéler aux deux autres pour éviter de les faire paniquer. Ils n'atteindraient le lagon que s'ils étaient tous totalement aptes à se déplacer. Il fallait que Zeke soit capable de marcher s'ils voulaient se sortir de là.

— Abbie, votre soutien-gorge, dit Jack. Nous en avons besoin.

L'acteur était calme, mais sa voix ne laissait aucun doute quant au sérieux de sa demande. Ils n'avaient pas le temps d'écouter des protestations de bonne femme.

Abbie regarda Jack et Zeke tour à tour.

— Très bien, dit-elle au grand étonnement de Jack, éveillant ainsi des spéculations qu'il aurait préféré ignorer. Mais vous allez tous devoir vous retourner.

Jack hocha la tête. Il pouvait bien lui accorder cette faveur. Dans son dos, le bruissement du chemisier d'Abbie dura beaucoup plus longtemps qu'il l'avait prévu, et Jack en profita pour laisser libre cours à son imagination.

— Kevin, regardez devant vous, fit-elle sèchement.

— Rabat-joie, marmonna Kev.

Jack se promit de tabasser son vieux copain dès que possible. Comment osait-il essayer de jeter des coups d'œil à Abbie ? Jack se mit à imaginer ses doigts agiles défaisant son chemisier bouton après bouton. Le tissu glissait sur ses épaules et laissait paraître sa peau douce et pâle. Puis, son sous-vêtement en dentelle. Se fermait-il devant ou derrière ? Derrière, décida-t-il. Puis, il visualisa ses mains tendues dans son dos pour l'ouvrir, un geste qui propulsait ses seins en avant comme s'ils suppliaient Jack de les toucher. Le soutien-gorge s'ouvrait, les bretelles tombaient sur ses bras, puis Abbie retirait son petit bout de lingerie et dévoilait enfin ses seins à ses yeux impatients. Ils étaient ronds, pleins et surmontés de tétons rose pâle. Ils tremblaient légèrement à chacune de ses respirations. Au début, sa poitrine était molle, mais elle se raffermissait depuis qu'elle était exposée à l'air libre et à son regard. Abbie s'étirait, ramenait les bras vers l'arrière. Ses seins étaient juste au niveau de sa bouche et il…

Son sexe en érection enfla sous le tissu de son jean. *Détends-toi. Pense à autre chose. Aux insectes. Imagine-toi en train de manger des larves.* Ça marchait. Lorsqu'Abbie lui tendit son soutien-gorge en disant : « Et voilà », Jack était de nouveau maître de lui-même.

La vue du sous-vêtement en dentelle rose faillit réduire tous ses efforts à néant, et le léger effluve propre au corps d'Abbie ne facilita en rien sa situation.

— Bonne petite, dit-il par réflexe.

Abbie lui lança un regard à lui glacer le sang, mais il sembla à Jack que le souffle de la jeune femme était soudain plus profond. Bon sang, il fallait mettre un terme à tout ça.

— Arrêtez de me fusiller du regard, lui dit-il. On dirait que je viens de vous donner une fessée.

— UNE QUOI ?

Le regard d'Abbie s'assombrit, et ses yeux brillèrent dangereusement.

Kev gloussa.

— Ne faites pas attention à Jack. Mettre les pieds dans le plat est sa spécialité.

Abbie entreprit de remettre son soutien-gorge, mais Jack le lui arracha des mains et se tourna vers Zeke. Il s'occupa de démonter le sous-vêtement, puis se servit des bretelles élastiques pour renforcer l'écharpe et immobiliser le bras de Zeke.

— Gardez un œil sur lui, ordonna-t-il à Abbie.

Il prit son couteau et se prépara à reprendre la route.

— Vous n'êtes pas mon patron, répondit Abbie.

Elle lui obéit néanmoins.

C'est ce que vous croyez, jeune fille. Jack eut assez de bon sens pour ne pas prononcer ces mots à voix haute.

*

Abbie avait du mal à croire qu'elle venait de dire ça. Elle avait l'air aussi mûre qu'une enfant de dix ans. En fait, la dernière fois qu'elle avait répliqué de cette façon, elle était en CM2, et Miffy venait de lui demander de l'aider à préparer des cupcakes pour un truc de charité à l'école.

Pourtant, et ce n'était pas la première fois, Abbie devait bien admettre qu'elle trouvait étrangement facile de laisser quelqu'un d'autre prendre les choses en main. En principe, elle était énergique et déterminée. Excepté pour ses fiançailles (une idée de William), Abbie avait toujours été celle qui prenait des initiatives et faisait des projets pour leur couple.

Pourtant, elle se retrouvait à présent dans une situation à laquelle elle ne comprenait rien, et, en toute honnêteté, cela lui convenait très bien. Elle était sale, mal à l'aise et affamée. Mais elle n'était pas inquiète.

Pour une raison inconnue, elle était persuadée que Jack Winter savait ce qu'il faisait. Ses sentiments variaient du tout au tout : elle détestait ne pas se montrer plus sûre d'elle, mais acceptait avec un certain trouble sa propre docilité.

S'ils finissaient par retrouver la civilisation, Kit et elle s'amuseraient beaucoup à analyser ce que signifiait son attitude. Abbie comprenait maintenant pourquoi les gens payaient aussi cher pour partir à l'aventure dans la nature : on y découvrait bel et bien des choses sur soi-même.

Le petit groupe continua à trimer silencieusement à travers la forêt, luttant autant contre l'air épais et humide que contre la végétation dense. Chacun devait fournir des efforts considérables pour continuer à avancer. Jack et Kevin se relayaient, prenant tour à tour la tête ou la dernière place. Abbie, elle, surveillait Zeke et l'aidait quand il trébuchait. Aucun d'eux n'avait le temps, ni assez de souffle pour prononcer plus de quelques mots à la fois.

Comme il n'y avait pas de conversations pour les distraire, le bruit de la forêt tropicale leur paraissait étourdissant : les insectes bourdonnaient constamment, les oiseaux criaient et battaient des ailes, et de temps en temps montait le grognement d'un jaguar. La première fois qu'ils l'entendirent, la nervosité s'empara d'eux.

— Calmez-vous, dit Jack. C'est un jaguar. Cet animal n'attaque presque jamais les humains.

Comme chacun se détendait, il ajouta :

— Il est bien plus probable que vous soyez tués par une morsure de serpent.

Il était impossible d'évaluer la distance qu'ils avaient parcourue dans la jungle. Non seulement devaient-ils dégager le moindre mètre devant eux avant de pouvoir avancer, mais ils devaient aussi s'arrêter et s'abriter pendant les fréquentes averses. Le chemisier d'Abbie séchait rapidement une fois que cessait la pluie, mais ses bottes et son jean étaient toujours trempés. La jeune femme sentait aussi que les yeux des trois hommes étaient attirés comme des aimants par sa poitrine, et cela la tourmentait cruellement.

Maintenant qu'elle ne portait plus de soutien-gorge, ses seins remuaient au moindre de ses pas. Et, bien sûr, dès qu'il pleuvait, son chemisier lui collait à la peau, et ses tétons se dressaient. Abbie décida de faire comme si de rien n'était. C'était le seul moyen pour elle de supporter cette situation.

Enfin, Jack décida qu'ils avaient assez marché. Sous la voûte des arbres, il était impossible de voir la position du soleil dans le ciel, mais Abbie parvint à déceler un léger changement dans la lumière. Jack leur dit qu'il était seize heures trente. Il leur restait donc environ une heure pour s'installer avant la tombée de la nuit.

Zeke planait tellement qu'Abbie dut l'aider à s'asseoir avant de vérifier son état.

— Il est surtout épuisé, je crois, dit-elle aux deux autres.

— Où avez-vous appris tout ça ? demanda Jack.

— Dans les Peace Corps[1]. Oui, bon, c'est vrai, j'ai un jour joué les gentilles petites bénévoles.

Abbie se sentit rougir.

— C'est quoi, ça, les Peace Corps ? demanda Kevin.

Jack avait l'air tout aussi perplexe.

— Si vous l'ignorez, je ne vais certainement pas vous le dire, dit-elle en refusant de s'étendre sur le sujet.

Abbie savait qu'ils se moqueraient d'elle en apprenant qu'elle avait porté l'atroce uniforme des jeunes aides-soignantes bénévoles pendant ses années de lycée et d'université. Et elle n'était pas d'humeur à le supporter.

Elle s'assit sous un arbre et pensa qu'elle devait avoir l'air aussi mal en point que Zeke, car ni Jack ni Kevin ne tentèrent de plaisanter.

— Restez assise et reposez-vous, dit Jack. Je crois avoir vu des baies comestibles. Je vais aller en cueillir et nous les mangerons au dessert.

— Ça alors, qu'est-ce que je préférerais manger ? Des larves vivantes ou bien des baies juteuses ? Difficile à dire, plaisanta Abbie.

Elle était néanmoins soulagée que Jack se montre tendre envers elle. Elle ferma les yeux et s'adossa à l'arbre.

De son côté, Kevin commençait à monter le campement pour la nuit. Il avait déballé les hamacs et attachait le premier à un arbre. Quelle bonne idée (Abbie avait hâte de s'y installer pour dormir à poings fermés jusqu'à l'aube). Elle entendit Jack revenir au campement, puis changea de position, bâilla et s'étira.

Soudain, elle sentit un mouvement près de sa tête. Elle ouvrit les yeux, se retourna et se retrouva face aux plus gros crochets de serpent qu'elle avait jamais vus.

---

1. Programme de bénévolat américain dont la mission est de favoriser la paix et l'amitié dans le monde. (NDT)

SIX

Avant même que son cerveau ait interprété la nature du danger, le corps de Jack se mit en mouvement. Prêt à mordre, le long serpent se dressait au-dessus d'Abbie, mais le bâton de Jack l'atteignit et l'éjecta sur le côté. Le serpent se retourna en un clin d'œil, délaissant Abbie pour s'attaquer à Jack, qui était à moins d'un mètre de ses crochets.

— Jack !

Le cri et le mouvement d'Abbie détournèrent l'attention du serpent pendant une fraction de seconde vitale. Jack le frappa à nouveau avec son bâton. Cette fois, il avança tout droit vers le reptile et lui marcha sur la tête.

Le serpent se débattit et tenta de se défendre en utilisant toute la force barbare de ses trois mètres de muscles. Sa peau était rugueuse, et la crête le long de son dos, tranchante comme la lame d'un couteau. D'un seul coup de queue, le reptile lacéra le jean de Jack et lui entailla la peau.

— Kev. Couteau.

La lutte était si féroce que l'acteur parvint tout juste à prononcer ces mots. Il dut alors quitter le reptile des yeux pour rattraper le couteau que lui lançait Kev. Jack faillit le rater, mais réussit à l'agripper avant qu'il tombe. Il prit son élan et plongea le couteau dans le dos du serpent.

L'animal parvint seulement à lui donner un dernier coup de queue avant de mourir. À bout de souffle, Jack essaya péniblement de retrouver ses forces avant de se redresser.

— Abbie, est-ce qu'il vous a mordue ?

Elle secoua la tête, visiblement trop secouée pour parler.

— Mais qu'est-ce que c'était que ce truc ? demanda Kev en s'approchant pour examiner la créature.

Jack examina à nouveau le reptile. Il espérait se tromper, mais savait bel et bien ce que c'était. Ce serpent était reconnaissable à ses taches brun roux triangulaires et à la crête coupante qu'il avait sur le dos.

— C'est un crotale muet. Le plus gros serpent venimeux de la forêt tropicale. Également connu sous le nom de « maître de la brousse ». Une morsure, et c'est la mort assurée en dix minutes.

Jack vérifia s'il avait été mordu, mais savait qu'il lui avait échappé. Dans le cas contraire, il aurait déjà été à moitié mort. Personne ne s'en sortait après une morsure de crotale muet. S'il était rentré au campement armé d'un bâton, c'était par pur hasard. Il s'en était servi pour atteindre les fruits comestibles d'un palmier et l'avait gardé afin qu'Abbie l'utilise comme bâton de marche. S'il ne l'avait eu en main, la journaliste serait probablement morte.

Jack regarda avec envie le fond de tequila dans la bouteille. Il aurait bien bu quelque chose après cette aventure, mais Zeke en avait plus besoin que lui. De toute façon, il préférait le whisky Black Bush. Malgré les protestations d'Abbie, Jack fit cuire le serpent pour le dîner. Visiblement remise de son choc, elle lui demanda si le crotale muet était une espèce en voie de disparition. Jack en crut à peine ses oreilles.

— Tout à fait. Je vous demande sincèrement pardon. La prochaine fois qu'un serpent venimeux aura envie de vous mordre, je le laisserai faire.

Jack ramassa la tête du crotale et lui montra ses dangereux crochets.

— Vous n'y verrez aucun inconvénient, bien entendu.

— Cette bête me rappelle certains membres de ma famille.

Abbie frissonnait, mais elle réussit à esquisser un sourire. Elle mangea même quelques fruits pour le dessert.

Lorsque la nuit tomba, Jack avait cessé de transpirer, et

son pouls était redevenu normal, mais il ressentait toujours les effets de l'adrénaline. Il n'avait pas approché la mort d'aussi près depuis bien longtemps. Et Abbie y avait échappé d'un cheveu. Il frissonna à nouveau en revoyant le serpent s'avancer brusquement vers le bras de la jeune femme. Il était sûr de ne jamais oublier cette vision. Jack installa Abbie à côté de lui dans le hamac. Il était bien décidé à ignorer sa chaleur et la douceur de son corps contre le sien, mais les faibles tremblements qui agitaient les membres d'Abbie bouleversèrent ses bonnes intentions. Jack l'attira contre lui.

— Ça va, ma puce. C'est terminé.

Jack prit Abbie dans ses bras et lui caressa doucement le dos, le temps qu'elle se remette de sa peur. Il dut lutter de toutes ses forces contre son envie de la distraire et de la réconforter d'une tout autre façon.

Pendant ce qui lui parut une éternité, Abbie trembla dans ses bras, les courbes de son corps pressées contre lui, son parfum lui taquinant les narines. Jack luttait contre ses démons, cette partie de lui qui avait envie de se hisser sur elle et de se défouler sur son corps pris au dépourvu.

Mais c'est la jeune femme elle-même qui le surprit. Elle passa un bras autour de son cou et l'attira vers elle pour l'embrasser. Ce fut un baiser léger et fugace, que Jack lui-même reconnut comme une façon de le remercier, mais l'animal en lui n'en tint pas compte.

Dès la première caresse des lèvres d'Abbie sur les siennes, Jack prit les choses en main, l'attira plus fort contre lui et lui dévora la bouche. Ce n'était pas un tendre baiser « pour-apprendre-à-se-connaître ». Celui-ci était possessif et brutal. Abbie s'était offerte à lui, et, bon sang, il allait la prendre. Il l'embrassa voracement sans parvenir à se rassasier.

Abbie gémit, et ce minuscule son au fond de sa gorge eut l'effet d'une flamme sur du petit bois. Le sang-froid de Jack vola en éclats. Il plongea sa langue dans la bouche d'Abbie. Il la dominait, ne lui laissait aucun moyen de battre en retraite. Elle était à lui ; il régnait sur elle par droit de conquête.

Soudain, la langue d'Abbie toucha timidement la sienne, et Jack sombra. La main que Jack avait posée dans le dos d'Abbie glissa vers la forme pleine d'un sein. Elle était si douce. En remontant ses doigts sous son chemisier, Jack sentit sa peau veloutée. Il ne s'en lasserait jamais.

Jack lui massa doucement le sein et passa un pouce sur son téton, qui se durcit et forma un pic s'enfonçant dans sa paume. Abbie gémit à nouveau et se tortilla pour presser son sein plus fortement contre sa main. Bon sang. Elle était aussi excitée que lui. Il changea légèrement de position pour lui permettre de sentir son érection. Les hanches d'Abbie heurtèrent les siennes avec impatience.

— Hé ! Jack ?

Dans l'obscurité, la voix de Kev lui fit l'effet d'une douche froide.

— Ces gros serpents que tu aimes tant, ils grimpent aux arbres ?

Abbie se raidit.

Il fallut un moment à Jack pour pouvoir faire fonctionner correctement ses cordes vocales et reprendre ses esprits.

— Pas que je sache.

— Pas que tu saches ? Bon sang, t'en es même pas sûr ?

Zeke lui-même parvint à articuler une protestation ensommeillée.

L'instant magique était passé. Abbie s'était éloignée de lui aussi loin que le lui permettait le hamac. Jack se disait qu'en la cajolant un peu, il pourrait faire revenir la femme passionnée qui l'avait embrassé si avidement, mais cette interruption lui avait permis de se rappeler pourquoi ce serait une très mauvaise idée. Elle avait beau embrasser à merveille et être chaude comme la braise, Abbie Marshall était toujours une journaliste. Il ne devait pas l'oublier.

Elle lui tourna le dos et resta accrochée au bord du hamac le reste de la nuit. C'était tout aussi bien.

*

J'ai embrassé Jack Winter. Mon Dieu, je l'ai vraiment fait. En plus, c'est moi qui ai fait le premier pas. Voilà un gros titre qu'elle ne voulait surtout pas imaginer.

Abbie respira profondément. C'était un baiser ponctuel. Elle était encore traumatisée par le serpent tueur. Elle aurait embrassé n'importe qui, ça n'avait aucune importance. On pouvait presque considérer ce baiser comme un remède.

Abbie essaya d'ignorer la petite voix taquine qui lui rappelait qu'elle n'avait embrassé ni Kevin ni Zeke. Qui essayait-elle de duper ? Depuis qu'elle avait posé les yeux sur lui, Abbie était incapable d'ignorer le magnétisme sexuel de Jack Winter. Elle n'avait jamais rien ressenti de tel.

Elle était journaliste – habituée à rester détachée dans les situations extrêmes –, alors, elle avait tenté de considérer cet homme comme un phénomène intéressant, digne d'être analysé, mais sans importance à ses yeux.

Et puis, elle avait essayé de se laisser distraire par le combat qu'ils menaient tous heure après heure pour venir à bout de cette jungle. Elle avait même tenté de communiquer par la pensée avec toutes les héroïnes fougueuses et indépendantes qui lui venaient à l'esprit – de Buffy à Veronica Mars. Mais, en fin de compte, un homme parvenait toujours à fendre l'armure de l'héroïne fougueuse.

Abbie se retourna dans le hamac en essayant de ne pas réveiller Jack. La barbe de quelques jours qui assombrissait ses joues lui donnait l'air dangereux ; il était encore plus séduisant. C'était injuste. Elle était sale et sentait mauvais. Si elle ne trouvait pas rapidement un moyen de se laver, elle allait devenir folle.

Abbie se glissa hors du hamac et alla chercher son sac à dos. L'ordinateur portable était toujours en sécurité dans son étui étanche. La batterie n'était pas encore morte. Une fois qu'ils auraient atteint un endroit quelque peu civilisé, elle se mettrait à travailler sur son article.

— Bonjour, Abbie.

Kevin s'étira et bâilla.

— J'imagine que vous n'avez rien de comestible dans ce sac.

— Hélas, non.

Abbie sourit tristement. Mais lui revint alors un souvenir de l'aéroport de Toncontín. Un billet de cinq cents lempiras en poche, elle avait dû faire de la monnaie pour téléphoner. La jeune femme tapota la poche avant de son sac. *Faites qu'il soit encore là.* Elle poussa un petit cri de joie lorsque sa main se referma sur un paquet de chewing-gums.

Abbie tendit le paquet à Kevin.

Il se servit avidement.

— Abbie Marshall, je vous aime et je veux que vous soyez la mère de mes enfants.

Abbie fit battre ses paupières.

— Oh ! monsieur O'Malley, je ne savais pas que vous teniez à moi. Et de combien de rejetons parlons-nous exactement ?

Kevin lui sourit avec espièglerie.

— Environ une douzaine. J'aime les grandes familles. Bien sûr, il faudra travailler dur pour les faire, mais ça ne me pose aucun problème.

— À moi, si.

La remarque de Jack ressemblait presque à un grognement.

Abbie le regarda rapidement, puis se tourna vers Kevin. Jack semblait encore plus dangereux que la nuit passée, et elle n'aimait pas l'expression de violente colère sur son visage. Elle lui offrit un chewing-gum et ne dit rien.

Après un petit-déjeuner composé de baies et de chewing-gums, ils se remirent en route. Kevin marchait en tête et sifflait en se frayant un chemin à travers la végétation. Jack vint se placer à côté d'Abbie.

— Il est content, le salaud, hein ?

— Pas vous ?

Elle n'avait pu s'empêcher de lui répondre sèchement.

Jack glissa un bras autour de sa taille.

— Chérie, si tu aimes les mecs joyeux, je peux l'être aussi.

Abbie lui donna une tape sur la main.

— Je vous en prie, ne vous en faites pas pour moi. Je serais désolée que vous receviez un poing en pleine figure.

Jack tapota son sac à dos.

— Mais qu'est-ce que vous trimballez là-dedans ?

— Rien. Juste de l'eau.

Devant eux, Kevin s'arrêta pour reprendre son souffle.

— À ton tour, mon pote.

Abbie poussa un soupir de soulagement. Elle savait que Jack Winter serait furieux d'apprendre qu'elle avait ignoré son ordre, emportant son ordinateur au lieu de le laisser dans l'avion.

Quelques heures plus tard, elle commença à avoir mal aux épaules. Elle ne s'était pas aperçue qu'avant, les bretelles de son soutien-gorge lui protégeaient les épaules. Des gouttes de sueur lui coulaient dans le dos. Pouvait-il vraiment faire encore plus chaud ?

La chemise de Jack était trempée.

— OK, on fait une pause pour boire.

Abbie donna quelques coups de pied dans les broussailles pour chasser d'éventuelles créatures avant de s'asseoir sur un tronc d'arbre. Elle fit glisser le sac à dos de ses épaules, sortit une bouteille d'eau et la tendit à Jack.

— Bonne petite, merci, c'est pas de refus.

Mais, bon sang, pour qui se prenait-il ? *Qu'il aille se faire foutre avec ses « Bonne petite » !* Elle en avait marre de la jungle, marre de lui et marre d'être traitée comme un gentil petit animal.

— Est-ce que vous allez arrêter de m'appeler « bonne petite » ? Pour qui me prenez-vous ? Un chien ?

Jack cessa de boire et s'essuya la bouche du dos de la main.

— Qu'est-ce qui vous arrive ? Je vous ai simplement remerciée.

— Gardez vos répliques machistes pour vos fans. Elles adorent que vous les traitiez comme des petites filles ou des animaux domestiques, non ?

Jack se rapprocha d'Abbie et la domina bientôt de toute sa taille.

— Je crois me souvenir que vous ne vous êtes pas plainte la nuit dernière.

Kevin et Zeke les regardaient ; alors, Abbie résista à l'envie de le gifler. La vache... Si on apprenait qu'elle s'était retrouvée dans un hamac avec Jack Winter, elle en entendrait parler toute sa vie.

— Je ne vois pas de quoi vous parlez.

— Vraiment ?

Les yeux bleus de Jack brillaient de mécontentement et d'une pointe d'autre chose.

— Voudriez-vous que je vous rafraîchisse la mémoire ?

Abbie se leva et lui sourit gentiment.

— Non, merci, je préférerais me retrouver en tête-à-tête avec un serpent.

Ils poursuivirent leur marche pendant une heure. Enfin, Jack décida qu'il était temps de déjeuner. Tout le monde était affamé et Zeke ne se plaignit même pas à la perspective d'un nouveau repas de serpent froid. C'était toujours meilleur que les larves. Abbie grogna en retirant le sac à dos de ses épaules. Jack surprit sa grimace et se dirigea vers elle.

— Bon, qu'est-ce qu'il y a dans ce sac ?

— Rien. Je vous ai dit...

Jack saisit le sac à dos et renversa son contenu sur le sol. Une bouteille d'eau. Un paquet de pastilles de purification d'eau. Une petite trousse de toilette. Un sac plastique contenant des sous-vêtements sales.

Un Kindle, son téléphone portable et le lourd étui de caoutchouc qui protégeait son précieux ordinateur portable. L'enregistreur numérique glissa du sac et atterrit aux pieds de Jack. L'acteur le ramassa et le fourra dans sa poche.

Abbie fixait le sol des yeux. Elle ne voulait surtout pas croiser le regard de Jack. Face à lui, elle sentait sa colère irradier.

— Qu'est-ce que je vous avais dit ?

Son ton était incroyablement calme et, en un sens, c'était pire que s'il avait hurlé.

— Abbie.

Il sortit la main de sa poche, l'attrapa par le menton et lui renversa la tête. Elle n'avait d'autres choix que de le regarder en face.

— C'est mon ordinateur portable. Je le porte et ça ne vous regarde absolument pas.

L'expression menaçante de l'acteur lui dit que c'était la mauvaise réponse.

— Hé ! Jack, laisse Abbie tranquille. Si elle veut porter son...

Jack fit taire Kevin d'un regard et concentra à nouveau son attention sur elle. La main qui se mit à caresser le cou d'Abbie était tendre. Jack dégagea les cheveux de son cou et, avant qu'elle puisse protester, il ouvrit deux boutons de son chemisier et lui dénuda une épaule. La peau était à vif à l'endroit où frottait la bandoulière.

— Regardez-moi, Abbie.

Elle leva les yeux et rencontra son regard bleu perçant.

— Même une infime blessure peut s'aggraver très rapidement ici. On peut toujours remplacer un ordinateur, mais vous, non. Si vous me désobéissez à nouveau, il y aura des conséquences. C'est compris ?

Abbie avala sa salive et hocha la tête.

— Vous le récupérerez quand on sera sortis d'ici.

Jack la libéra, rangea ses affaires dans le sac et s'éloigna avec.

Abbie le suivit. Quel culot de lui prendre son sac et de la menacer ainsi ! Pour qui se prenait-il ? Des conséquences ? Ah oui ! Il allait en subir de belles quand ils seraient de retour à la civilisation.

— Espèce de connard prétentieux..., marmonna-t-elle entre ses dents.

Kevin lui lança un petit sourire satisfait, mais elle ne put le lui rendre. Abbie ressentait un mélange de colère et de peine, ce qui l'agaçait et la troublait profondément. Jack était déçu de son comportement. Elle l'avait trahi. Abbie ne s'était pas sentie aussi minable depuis qu'elle avait cassé une vitre en sixième. Maussade, elle mangea son déjeuner sans dire un mot. Elle eut beaucoup de mal à avaler les larves grillées, et même la poignée de baies récoltées par Kevin ne lui redonna pas le sourire. Jack prit la tête de la file, et chacun marcha d'un pas régulier sous la pluie intermittente. Deux ou trois kilomètres plus loin, un nouveau son vint remplacer les bruits habituels de la jungle : celui d'une chute d'eau.

Le visage de Kevin s'éclaira.

— Vous entendez ça ?

Zeke le taciturne esquissa lui-même un sourire.

— Je vote pour qu'on aille voir.

— Pareil.

Abbie leva le bras, remarqua une odeur désagréable et se dépêcha de le baisser.

— Hé ! Jack, appela Kevin. On va faire un petit détour.

Ils quittèrent le chemin accidenté et suivirent un sentier étroit et sinueux à travers la forêt. À mesure qu'augmentait le bruit de la chute d'eau, le moral d'Abbie remontait.

Ils se faufilèrent entre les arbres et arrivèrent dans une zone dégagée où se trouvait un lagon.

— Oh ! ouah !

Kevin commença à déboutonner sa chemise.

Zeke s'assit.

— Je crois que je vais avoir besoin d'aide pour me déshabiller.

Il regarda Abbie.

— Pas question, dit-elle en regardant son bras toujours maintenu par son soutien-gorge. Ma bonne volonté a des limites.

Abbie jeta un regard autour d'elle. Malgré l'intimité forcée due à leurs conditions de vie, elle n'avait aucune intention de se déshabiller devant les hommes. Elle s'éloigna de son côté en suivant le bord du lagon.

— N'allez pas trop loin, Abbie ! lui cria Jack. Et ne vous baignez pas n'importe où.

Abbie l'ignora. Elle entendit le cri de joie de Kevin, suivi d'un plouf bruyant. Quelques secondes plus tard, Zeke protesta en rugissant lorsque quelqu'un l'éclaboussa. Jack ne faisait pas un bruit.

Quelques mètres plus loin, le lagon principal faisait place à une étendue d'eau peu profonde. L'eau était parfaitement limpide. Abbie regarda derrière elle.

Elle entendait toujours les garçons chahuter dans l'eau. Elle avait tout à fait le temps de s'offrir une petite baignade.

Elle retira rapidement son pantalon et ses bottes, puis plongea un pied dans l'eau. Elle était bonne, presque aussi chaude que celle d'un bain. La tentation était trop forte.

Abbie retira son chemisier et sa petite culotte. En se dépêchant un peu, elle pourrait laver ses vêtements et les laisser sécher sur un rocher pendant qu'elle se baignerait.

Abbie fit sa lessive en quelques minutes et la mit à sécher. Puis, elle se glissa dans l'eau. Le liquide était comme de la soie sur sa peau. Abbie se tourna sur le dos et ferma les yeux. C'était encore mieux qu'un cocon de flottaison. Elle mit la tête sous l'eau et se lava les cheveux. Elle entendait les cris des autres au loin.

— Encore une petite minute, murmura-t-elle.

Le soleil était chaud sur sa peau. L'eau la portait doucement, et Abbie se laissait flotter en somnolant.

Un cri de Jack la réveilla.

— Abbie, où êtes-vous ?

Elle regagna la rive à grand-peine et se dépêcha de sortir de l'eau.

— Je suis là. Je suis là. Ne venez pas. Je suis en train de m'habiller.

Abbie entendit le rire grave de Jack.

Elle attrapa sa petite culotte, qui était trempée ; elle ne pouvait pas la remettre pour le moment. Ses doigts effleurèrent une protubérance gluante sur sa peau. Prise de panique,

Abbie essaya de s'en débarrasser d'une petite tape, mais la chose s'accrocha.

— Aïe ! aïe !

Elle réessaya, mais on aurait dit que cette chose la mordait. Son dos et ses jambes lui semblaient en feu. Quelque chose bougea dans ses cheveux, et elle hurla.

— Abbie ?

Elle perçut de l'inquiétude dans le cri de Jack.

— Ne venez pas. Ne venez pas ici.

Elle avait du mal à garder une voix calme. Ces bestioles la mordaient.

Soudain, Jack traversa le rideau de verdure. Abbie glapit et tenta de se couvrir.

L'homme s'approcha lentement, les mains en l'air.

— Ça va, Abbie. Ça va. Je suis là maintenant.

Abbie ne put retenir un gémissement de douleur.

— Tourne-toi, laisse-moi voir ce que c'est.

La journaliste ressentit un mélange déconcertant de peur et de soulagement en comprenant que Jack n'était pas en colère contre elle.

— Des sangsues, dit-il.

Elle grimaça.

— Enlevez-les-moi. Je vous en prie, Jack, enlevez-les-moi.

Abbie l'entendit gratter une allumette et sentit la fumée âcre d'une cigarette.

— Est-ce que tu me fais confiance, Abbie ?

Il avait beau se montrer trop autoritaire à son goût, elle lui faisait bel et bien confiance.

— Oui.

Sa voix n'était qu'un souffle pathétique.

— Bon. Alors, raccroche-toi à cette pensée. Elles vont avoir beaucoup plus mal que toi.

Abbie sentit la chaleur du bout de la cigarette qui s'approchait de sa peau et entendit un grésillement quand il toucha les sangsues. L'odeur était écœurante. Elles tombèrent une à une sur le sol.

Comment avait-elle pu être assez stupide pour oublier la première règle à suivre dans n'importe quelle jungle ? « Tu ne te baigneras point dans un étang plein de sangsues. » Maintenant, elle se retrouvait là, toute nue, devant Jack qui les brûlait une par une. Elle entendit un nouveau grésillement lorsque l'acteur en retira une de sa cuisse. Bon sang, il devait être nez à nez avec ses fesses.

— Vous ne pouvez pas aller plus vite ?

— Si, mais ce serait beaucoup moins drôle. Ne bouge pas.

La chaleur de la cigarette la fit tressaillir, puis une autre sangsue tomba.

— Vous trouvez ça hilarant, hein ?

— Ouais.

Abbie perçut de la malice dans sa voix.

— Ça fait des années que je ne me suis pas autant amusé pendant un rendez-vous galant. Toi, moi, des sangsues et des cigarettes. Ça ferait un bon article pour le *New York Independent*.

Abbie ferma les yeux. Elle serait la risée de la salle de rédaction si les gars découvraient comment elle avait dû être secourue.

— Je suis reporter. Je ne pratique pas le journalisme poubelle.

Il y eut un silence pendant que Jack assimilait cette information.

— Ouais, tu as raison. Peut-être que le *National Enquirer* le publierait. Je leur passerai un coup de fil quand je serai de retour à Los Angeles.

— Vous n'oserez pas.

Abbie faisait de son mieux pour tenir bon, mais son endurance s'épuisait.

Jack passa la main le long de sa cuisse.

— Est-ce que c'est un défi ? C'est risqué, tu sais. Tu ignores totalement ce dont je suis capable.

Jack continua à s'occuper des sangsues tandis que sa menace planait dans l'air.

— C'est fini ! Tu as été très courageuse.

Ce compliment bouleversa Abbie. Elle se retourna et lui tomba dans les bras en sanglotant comme un bébé. Elle se fichait d'être toute nue alors qu'il était entièrement habillé. Tout ce qui importait, c'était cette étreinte réconfortante et la force du large torse contre lequel elle pleurait.

— Je sais, je sais, murmura-t-il.

Jack le Terrible avait disparu, cédant sa place à Jack le Costaud, qui était prêt à la protéger. Il y avait quelque chose de particulier en lui. Sous ses dehors sardoniques se cachait une âme forte sur laquelle elle pouvait s'appuyer. Abbie était certaine que cet homme ne la laisserait jamais tomber.

— Ma puce, dit-il, la bouche contre ses cheveux. Les autres vont bientôt arriver. Il est temps de te rhabiller.

Obéissante, Abbie se laissa faire tandis qu'il remontait sa petite culotte humide le long de ses jambes. Elle s'assit sur un rocher pour qu'il lui remette ses chaussettes, et Jack grogna quand il remarqua un trou au niveau de son gros orteil.

Avant de lui faire enfiler ses bottes, l'homme cueillit une orchidée et la glissa dans ses cheveux. Il recula pour examiner le résultat.

— Elle est presque aussi belle que toi.

Abbie eut soudain envie de pleurer. Après l'épisode traumatisant des sangsues, ce compliment inattendu était tellement touchant qu'elle dut fermer les yeux pour refouler ses larmes.

Jack s'agenouilla, lui remit ses bottes et les laça soigneusement. Quand Abbie fut habillée, il se tint face à elle et la regarda sévèrement. Eh merde, Jack le Terrible était de retour. Ce regard intransigeant lui donnait envie de baisser les yeux, mais elle savait qu'elle aurait l'air d'une lâche. Quand Jack prit la parole, son ton était extrêmement sérieux.

— Abbie, je t'avais prévenue qu'il y aurait des conséquences si tu prenais des risques stupides. Il faut que tu obéisses aux ordres à partir de maintenant. Compris ?

Abbie était prête à répondre de façon servile et respectueuse, et cela l'horrifia. L'espace d'un instant, elle eut l'impression d'être une mauvaise élève convoquée par le principal. Elle ne laisserait jamais Jack la mener à la baguette, c'était hors de question. Alors, elle sourit d'un air suffisant et lui dit :

— Sinon quoi ? Vous allez me donner une fessée ? Laissez tomber, Jack. J'ai déconné, mais ce n'est pas comme si quelqu'un avait été blessé.

L'expression de Jack se durcit encore plus.

— Eh bien, si, Abbie. Tu l'as été. Ce n'est pas une plaisanterie. Certaines personnes en meurent. Si tu n'avais pas déjà souffert à cause des sangsues, je t'aurais fait payer les conséquences de tes actes. Mais je crois que tu as été assez punie, n'est-ce pas ?

L'espace d'un instant, Abbie faillit baisser les yeux. Mais elle réussit à soutenir son regard.

— Croyez-moi, rien de ce que vous pourrez faire ne sera pire que ces sangsues.

Jack sourit, mais d'un air désagréable.

— Oh si, fais-moi confiance.

Abbie grogna.

— Ah ouais ? Alors, allez-y, Mister Hollywood.

Avant que Jack puisse répondre, Kevin arriva dans la clairière.

— Est-ce que ça sent la cigarette ? Je ne savais pas que vous fumiez, Abbie. Vous en avez une pour moi ?

Jack lui lança un regard noir. Est-ce que c'était une habitude chez ce mec ? Pourquoi n'avait-elle jamais remarqué cette expression dans ses films ? Jack Winter jouait toujours des premiers rôles imposants, mais, à l'écran, elle n'avait jamais noté cet air menaçant plutôt subtil. Abbie était si fascinée par le fossé qui séparait l'homme devant elle et ses personnages au cinéma qu'elle faillit ne pas remarquer les plaintes de Jack au sujet de l'addiction au tabac de Kevin.

— Je n'ai pas fumé depuis deux ans, dit Kevin. Mais c'est sans doute le moment parfait pour recommencer.

Abbie n'écoutait plus le bavardage des deux hommes. Elle se demandait comment cette facette de Jack avait pu échapper aux journaux ou à la chaîne E ! Pour la première fois depuis leur rencontre, elle avait envie de dresser un portrait de Jack en profondeur. Pas de la star de cinéma, mais de l'homme derrière le masque de la célébrité. Et elle ne se laisserait pas décourager par son attitude.

Au bord de l'eau, Kevin et Zeke avaient allumé un petit feu, et l'odeur alléchante du poisson grillé emplissait l'air. Ignorant Jack, Abbie adressa un grand sourire à Kevin.

— Du poisson. Je vous adore. Si je devais encore manger du serpent ou des larves, je finirais par me transformer en l'un d'eux.

La perspective d'un repas sans serpent mit tout le monde de bonne humeur. Zeke lui-même ne se plaignit ni de l'absence de couverts ni des assiettes en feuilles de bananier.

Une fois le repas terminé, Abbie remplit leurs bouteilles d'eau et y dilua des pastilles de purification. Il ne leur en restait plus beaucoup. S'ils ne parvenaient pas à se sortir de cette situation d'ici quelques jours, tous quatre auraient de sérieux problèmes.

— Abbie.

La voix de Jack attira son attention.

— Kevin et moi allons chercher un abri pour la nuit. Enterrez les déchets de poisson. Ce serait dommage d'attirer les visiteurs.

Abbie soupira. Jack était toujours en mode autoritaire.

— D'accord, dès que j'aurai fini ça.

— Abbie.

Cette fois, c'était Zeke.

— Il faut que vous rattachiez mon écharpe. Elle glisse encore.

Mais que se passait-il donc dans cette jungle ? Était-ce quelque chose dans l'air qui transformait ces types en hommes des cavernes ? Jack jouait les machos et, maintenant, Zeke croyait qu'il pouvait lui donner des ordres.

Abbie rangea les bouteilles dans le sac à dos et jeta un œil à son téléphone. Toujours pas de réseau et sa batterie faiblissait. Au moins, son Kindle fonctionnait toujours. Elle allait peut-être pouvoir s'asseoir et lire un moment.

— Abbie, mon bras, gémit à nouveau Zeke.

— C'est bon, c'est bon, l'infirmière arrive.

La journaliste réajusta l'écharpe de fortune. Kit allait hurler lorsqu'elle apprendrait que le soutien-gorge à deux cents dollars qu'elle l'avait forcée à acheter avait été transformé en bandage. Elle qui voulait l'encourager à explorer son côté séductrice !

— Carine Gilson sera sûrement ravie d'apprendre qu'elle vous a sauvé le bras.

— Je vous le remplacerai, dit Zeke. Dès qu'on aura retrouvé la civilisation.

— Ça alors, merci ! Un petit souvenir de cet endroit, tout à fait ce dont j'aurai besoin.

Abbie examina la pile de têtes et de viscères de poisson. Une armée de fourmis avait décidé de s'y installer. Elle regarda la petite colonne militaire bien organisée qui détachait des morceaux. Avec un peu de chance, il n'y aurait bientôt plus rien à enterrer. Les fourmis s'en chargeraient pour elle.

Un ronflement lui indiqua que Zeke s'était endormi. Parfait. Enfin, un peu de tranquillité. Elle allait pouvoir lire jusqu'au retour des autres.

Abbie était absorbée par la lecture de son roman quand un grognement sourd attira son attention. Elle laissa tomber le Kindle. Loin de remarquer le jaguar qui donnait des coups de patte aux restes de poisson, Zeke dormait toujours.

Ces déchets ne suffiraient jamais à nourrir un félin affamé, et Abbie ne parvenait pas à se rappeler si les jaguars attaquaient les humains. Pourquoi n'avait-elle pas enterré ces restes de poisson ?

— Zeke, souffla-t-elle. Réveillez-vous, je vous en prie.

Seul un ronflement lui répondit. Abbie ramassa un morceau de bois à côté du feu et donna de petits coups à Zeke.

Les yeux de l'agent s'ouvrirent brusquement.

— Mais qu'est-ce que vous fou... ?

— Chuuut, nous avons un visiteur.

D'un signe de tête, Abbie désigna le jaguar, occupé à dévorer le poisson. Il n'en restait presque plus. Le félin leva la tête et les examina pensivement. Zeke enfonça ses talons dans le sol et commença à s'éloigner en rampant.

— Faites quelque chose, Abbie.

— Gentil petit chat, pourquoi tu ne t'en irais pas ?

Lorsque le jaguar s'avança, Abbie saisit son Kindle et se leva. Peut-être pourrait-elle le lancer sur lui ?

Jack et Kevin arrivèrent brusquement dans la clairière en agitant des lianes et en hurlant comme des hyènes. Abbie n'avait jamais été aussi heureuse de voir arriver quelqu'un. Le félin fit demi-tour et disparut dans la jungle aussi silencieusement qu'il était arrivé.

Kevin le suivit pour s'assurer qu'il ne reviendrait pas. Jack enjamba la pile de déchets de poisson et se tourna vers Abbie. Elle grimaça. Il lui avait dit de les enterrer et elle ne l'avait pas fait. Elle ne parvenait pas à le regarder en face. Cette fois, il était furieux contre elle. Vraiment furieux.

— Ne me dites rien : vous aimez les chattes, mais vous détestez les chats ?

Abbie se demanda aussitôt comment elle avait pu sortir une blague pareille. L'hystérie, peut-être.

Jack répondit à ce trait d'humour douteux par un regard glacial qui lui fit froid dans le dos.

— Jack, je…

La main de l'acteur se referma autour du poignet d'Abbie.

— Excusez-moi, messieurs, mademoiselle Marshall et moi devons avoir une petite conversation en tête-à-tête.

SEPT

Jack saisit le poignet d'Abbie et la força à se lever. Elle essaya de résister, fâchée d'être traitée comme une enfant récalcitrante, mais il était impossible de lutter contre lui. C'était comme essayer de résister à un tsunami. Jack était une force de la nature. Une force de la nature très énervée. *Une superstar d'Hollywood blesse une journaliste du NYI.* Abbie s'aperçut pourtant que, même si la main de Jack lui serrait fortement le poignet, il en faudrait plus pour lui laisser des marques. Elle refusait à tout prix d'admettre que tout en elle appréciait cette étreinte. Le regard et la mâchoire serrée de Jack l'avertissaient que la suite n'allait pas être agréable. Jack Winter n'avait rien d'érotique en tête. Il avait manifestement envie de lui passer un savon sans être inhibé par les deux autres. Eh bien, soit.

Jack entraîna Abbie dans une grotte qu'elle n'avait pas remarquée.

— Où sommes-nous ? demanda-t-elle dans l'espoir de le distraire. Est-ce que Kevin et vous avez découvert cet endroit tout à l'heure ?

Parcourant la grotte du regard, Abbie essaya de faire abstraction du monument de testostérone, haut d'un mètre quatre-vingts, qui se dressait devant elle. La grotte était bien sèche et aucune araignée ne semblait s'y promener. Au centre, la voûte était assez haute pour que Jack puisse se tenir droit.

— C'est chouette ; j'aime bien ce que vous avez fait de cet endroit.

L'acteur ignora son ton désinvolte et se tourna vers elle.

— Tu imagines un peu à quel point tu t'es mal conduite ?

Comme il semblait attendre une réponse, Abbie répondit :

— Ce n'était pas si grave. Personne n'a été blessé.

Ce n'était pas la bonne chose à dire. La rage illumina le regard de Jack, mais son ton se fit plus modéré, ce qui ne présageait rien de bon.

— Personne n'a été blessé parce que je suis arrivé. Si vous aviez été seuls, Zeke et toi auriez été tués. Tout ça parce que tu n'as pas fait ce que je t'avais dit. Mais à quoi tu pensais, bordel ?

Abbie fut tentée de mentir, de dire qu'elle avait oublié ou qu'elle n'avait pas réussi à enterrer les déchets.

— J'ai eu un million de choses à faire. Zeke pleurnichait pour que je lui rattache son écharpe, et ensuite, quand j'ai vu les fourmis, j'ai...

Jack conservait le même air sombre. Abbie poursuivit ses explications, même si elle savait qu'elle ne faisait qu'aggraver son cas.

— Je n'avais pas envie de le faire. J'en ai marre de recevoir des ordres. C'était votre faute, c'est tout.

Abbie aurait aimé que la grotte soit plus sombre afin de ne pas voir son expression. Elle était vraiment dans le pétrin ici. Elle prit son courage à deux mains.

— Qu'est-ce que vous allez me faire ?

— Ceci.

Abbie ne le vit pas bouger. Un instant plus tôt, Jack se dressait face à elle comme un professeur de mauvaise humeur et, maintenant, il la soulevait et l'emmenait à grandes enjambées près de la paroi de la grotte. Lorsqu'elle parvint à reprendre son souffle, Abbie s'aperçut qu'il s'était assis sur un rocher et l'avait placée en travers de ses genoux.

— Je t'avais prévenue qu'il y aurait des conséquences, Abbie. Maintenant, à toi de les assumer.

Non ! Il n'avait quand même pas l'intention de la fesser ? Elle avait plaisanté à ce sujet, mais parce que ce sujet en lui-même était une plaisanterie. Cela n'arrivait pas aux femmes comme elle au vingt et unième siècle. Elle se débattit comme un chat sauvage, bien déterminée à s'échapper de cette position indigne et à s'en aller loin de lui.

— Lâche-moi, espèce de salaud.

Jack la retint sans mal.

— Tu m'as cherché, Abbie, alors, tu vas me trouver.

Jack était sérieux. Il allait vraiment le faire. Abbie se débattit rageusement.

Elle se souciait peu de tomber sur le sol. Elle voulait seulement se sortir de cette épouvantable situation. Les cuisses de Jack étaient dures comme de la pierre et lui écrasaient la poitrine et l'estomac.

Le sang lui affluait à la tête, et Abbie était prise de vertiges. Elle hurla de rage et essaya de trouver un appui qui lui permettrait de se redresser, mais ses mains et ses pieds touchaient à peine le sol, et la force de Jack était implacable.

— Lâche-moi, tu n'as pas le droit de me faire ça.

Sa rage était réelle, mais Abbie était dégoûtée par le manque de souffle de sa voix. Elle essaya de le griffer, de planter ses ongles dans ses jambes, mais le tissu de son jean était trop résistant.

Abbie agita les pieds avec autant de force que possible et découvrit soudain que Jack avait changé de position. Elle était coincée sur un seul de ses genoux, et ses deux jambes étaient maintenant bloquées entre celles de Jack.

— Laisse-moi partir ! hurla-t-elle. Je vais te faire inculper pour agression, espèce de salaud !

— C'est trop tard, Abbie, tu ne peux plus y échapper.

À côté de ses cris aigus, le ton de Jack était d'un calme exaspérant. L'acteur leva une main et lui donna une fessée.

Aouh ! Le corps tout entier d'Abbie tressaillit.

— Ça fait mal !

Jack rit. Ce salaud riait !

— À quoi t'attendais-tu ?

Sa main s'abattit à nouveau sur ses fesses avec encore plus de force. La douleur cinglante se répandit dans tout son corps, réveillant des terminaisons nerveuses dont elle ignorait l'existence. Jack recommença. Abbie serra les dents. Elle était décidée à subir ces coups avec dignité et en silence.

La fessée suivante fut encore plus forte. Abbie grogna, incapable de rester silencieuse. Au coup suivant, Jack redoubla d'ardeur et Abbie grogna plus fort. Au diable le silence, elle ne pouvait plus supporter ça. La jeune femme hurla.

Jack recommença. Abbie se tortilla dans l'espoir de lui échapper. Prête à tout pour que ce supplice s'arrête, elle tenta de lui mordre la jambe. Mais rien ne semblait pouvoir l'arrêter.

Abbie s'était parfois demandé ce que les gens pouvaient bien trouver aux fessées.

Il lui était inconcevable de prendre du plaisir grâce aux coups d'un autre. Eh bien, maintenant, elle connaissait la réponse : rien. Ce n'était ni sexy ni sensuel. C'était douloureux. La main de Jack ressemblait à une dalle de ciment.

Abbie essaya de se retourner pour vérifier s'il tenait vraiment quelque chose. Une main humaine ne pouvait certainement pas frapper aussi fort.

— Arrête, arrête, je t'en prie.

Elle ne s'était pas aperçue que ses cris étaient devenus des supplications, mais cela n'arrêta pas Jack.

— Tu l'as mérité, Abbie.

— Je t'en prie, ça suffit.

Son angoisse augmentait, ses fesses étaient en feu. Désormais, elle se fichait bien de sa dignité.

— Ce n'était qu'un échauffement.

Horrifiée, Abbie sentit Jack agripper la taille de son pantalon et tirer dessus, baissant en même temps sa petite culotte.

— Une bonne fessée se donne toujours fesses nues.

Non, il ne pouvait pas faire ça. C'était humiliant. Et cela allait être tellement plus douloureux. Abbie avait manqué ses derniers cours de Pilates, et ses fesses n'avaient pas fière allure. *Mais enfin, à quoi pensait-elle ?* Jack était en train de la frapper et elle craignait que ses fesses ne soient pas assez belles pour lui ? Abbie comprit qu'elle avait perdu la tête pour de bon.

Jack caressa tendrement son derrière nu. Rouge de honte, Abbie trouva ce contact agréable sur sa peau brûlante.

Si impatiente qu'il recommence, elle dut réprimer une forte envie de soulever les fesses.

— Maintenant, revenons-en à nos moutons.

Jack la frappa à nouveau. Cette fessée était plus brutale, plus immédiate. Et le bruit de sa main sur sa peau nue résonna plus fort dans la grotte. Abbie hurla à nouveau.

Quand elle parvint à reprendre son souffle, elle demanda :

— Combien vas-tu m'en donner ?

Elle ignorait totalement combien de coups elle avait reçus jusque-là, mais, au moins, si elle en connaissait le nombre, elle n'aurait qu'à serrer les dents en attendant la fin de son supplice.

— Autant que tu en mérites, selon moi.

Jack la fessa de nouveau. La force de son coup écrasa Abbie contre sa cuisse. La fermeté de sa main formait un contraste étrangement réconfortant avec la chaleur cuisante de ses fesses.

Abbie s'abandonna aux coups. Elle ne pouvait pas les arrêter et devrait les endurer jusqu'à ce qu'il ait terminé. Au lieu d'essayer de se taire, elle s'autorisa à crier, à hurler, et laissa couler sa sueur et ses larmes. Elle avait conscience d'être une loque échevelée et trempée, mais peu lui importait maintenant.

Le seul bruit qui résonnait dans sa tête était celui de la chair contre la chair et de ses propres cris. Il n'y avait plus de pensées, que des sensations. Elle était à peine consciente de parler.

— Pardon. Pardon. Je ne le referai plus.

Après cela, quelque chose se modifia dans les claques de Jack.

Les coups étaient différents et pleuvaient sur diverses parties de ses fesses. Ceux qui tombaient en haut étaient les pires et faisaient affreusement mal. Abbie se mit à remuer, essayant de diriger la main de Jack plus bas, vers la naissance de ses cuisses. Oui, là. S'il la frappait à cet endroit, c'était presque supportable.

Abbie remua à nouveau et se hissa légèrement sur le bout des orteils, tentant de diriger la main de Jack sans parler. Elle n'allait certainement pas le supplier.

— Ah !

L'angle de cette fessée était différent. Le coup écrasa Abbie contre sa cuisse et provoqua une étincelle de plaisir qui traversa tout son corps. Elle gigota afin d'obtenir le même angle.

Jack la fessa de nouveau vers le haut et, cette fois, l'étincelle devint une petite flamme. Abbie poussa un cri. Jack ralentit le rythme, la frappa plus doucement. Il passa la main sur sa peau brûlante.

Abbie fit basculer son bassin, comme une prière silencieuse. Il la fessa de nouveau à cet endroit magique, mais cela ne suffisait plus tout à fait.

— Encore. Plus fort.

Abbie ne pouvait croire qu'elle venait de prononcer ces mots, mais Jack prit sa demande pour argent comptant.

Sa main retomba, de plus en plus vite. Le souffle et le plaisir d'Abbie évoluaient au même rythme. Abbie était vaguement consciente d'être humide d'excitation, mais elle s'en moquait. Elle n'avait jamais rien ressenti de tel avant, et n'avait aucun moyen de faire barrage aux sensations bouleversantes qui l'envahissaient. Elle s'abandonna à elles, autorisant Jack à l'emmener de plus en plus loin. Soudain, dans un gémissement de plaisir, Abbie laissa exploser son orgasme et s'effondra, tremblante et pantelante.

Oh ! mon Dieu, oh ! mon Dieu, oh ! mon Dieu, qu'est-ce que j'ai fait ? C'était forcément un cauchemar, cela ne pouvait pas être réel. Pourtant, Abbie était toujours suspendue la tête en bas sur le genou de Jack Winter. Sa grande main dessinait des cercles apaisants sur son derrière nu. Peu disposée à affronter ce qui venait de se passer, elle s'autorisa à rester ainsi encore quelques instants.

— Eh bien, qui l'eût cru ?

La voix de Jack la ramena à la réalité, et Abbie se raidit en percevant sa satisfaction amusée.

Elle se redressa et, cette fois, Jack ne fit pas un geste pour l'arrêter. Il l'aida même à se relever. Abbie grimaça lorsque ces mouvements tirèrent sur la peau tendre de ses fesses meurtries. Comme elle ne voulait pas croiser son regard, elle se retourna, puis essaya de remonter son pantalon sans lui dévoiler plus de ses attributs.

— Abbie…

Elle ne sut jamais ce que Jack était sur le point de lui dire. Un cri à l'extérieur de la grotte l'interrompit.

— Hé ! Vous êtes là, tous les deux ?

Abbie céda à la panique. Kevin ne devait surtout pas la découvrir dans cet état, le pantalon autour des chevilles. Elle parvint enfin à le remonter, mais retint son souffle lorsque le tissu entra en contact avec sa peau brûlante.

Elle avait l'impression que ses fesses avaient doublé de volume. Elle dévisagea Jack.

— Regarde ce que tu m'as fait : je suis une loque.

Elle parlait à voix basse pour que Kevin ne l'entende pas. Jack rit.

— Détends-toi, je ne t'ai pas fessée si fort que ça. Tu n'auras peut-être même pas de bleus demain.

*

Jack regarda Abbie se retourner. Elle était pressée de fermer son pantalon avant l'arrivée de Kevin. D'une main, elle essuya ses larmes.

— Tout va bien, il ne s'apercevra de rien, dit Jack.

Abbie se retourna et le fusilla du regard.

La lumière du jour baissait dehors, mais l'acteur lut tout de même une certaine inquiétude sur le visage de Kev.

— Nous sommes là. Tout va bien.

L'expression renfrognée d'Abbie lui donnait envie de rire.

Kev pénétra dans la grotte et les regarda tour à tour.

— Vous êtes sûrs ?

Jack retint son souffle. C'était le moment où Abbie pouvait le détruire. Il suffisait qu'elle dise : « Jack Winter a baissé ma petite culotte et m'a donné une fessée » et ce serait la fin de sa carrière. Il le savait, et elle aussi, sans aucun doute.

Jack ne regrettait pas de l'avoir fessée. Si une fille le méritait, c'était bien elle. Le sang de Jack se figeait encore quand il revoyait le jaguar à quelques mètres d'elle. Tout ça parce qu'elle avait refusé de lui obéir. Abbie méritait cette punition. Si elle avait un minimum de bon sens, elle le reconnaîtrait. Mais elle avait quand même la possibilité de le trahir.

À son grand soulagement, Abbie répondit rapidement que tout allait bien, puis tourna le dos à Kev et referma son bouton sous les yeux de Jack.

Kev lança un regard sévère à son ami, comme s'il savait ce qui s'était passé. C'était sans doute le cas. Kev le connaissait tellement bien.

— Abbie, est-ce que ça va ?

Sa voix était plus douce que d'habitude.

— Je vais installer le couchage ici. Vous voulez dormir à côté de moi ?

— Tant que vos mains se tiennent tranquilles.

Jack devait le reconnaître, Abbie se remettait rapidement de ses émotions.

— Je ne suis vraiment pas d'humeur à supporter un autre casse-pieds.

Abbie parvint à ignorer Jack tandis qu'elle aidait Kev à disposer le couchage, à accrocher les moustiquaires et à installer Zeke. Mais Jack, lui, ne cessait de la regarder.

Il avait adoré lui donner la fessée. Sa main se souvenait encore de la douceur de son magnifique cul. Bon sang, c'était un cul qui ne demandait qu'à être fessé. Jack aurait préféré qu'il ne s'agisse pas d'une punition.

Il était conscient d'avoir brisé toutes les règles, parce qu'elle n'avait pas consenti à cette fessée. Mais, nom d'un chien, elle l'avait méritée, et Jack savait que son corps avait adoré ça, quoi qu'Abbie en dise.

Qu'elle en soit consciente ou non, Abbie Marshall était une soumise ne demandant qu'à se révéler. Jack aurait adoré lui faire découvrir, installée sur son genou, les joies d'une série de claques érotiques et sensuelles. Au lieu de cela, il avait fallu la punir sans y prendre vraiment de plaisir.

Mais Abbie avait joui. Jack l'avait entendue pousser de petits cris sauvages lorsque le plaisir avait envahi son corps. Et il l'avait sentie frissonner au moment de l'orgasme.

Jack savait qu'il était possible de jouir grâce à une simple série de claques sur les fesses, mais il n'avait encore jamais provoqué cela chez quelqu'un. Abbie Marshall, la New-Yorkaise collet monté, avait joui sur son genou. Il avait très envie de la revoir dans cet état.

Elle s'allongea le plus loin possible de lui et lui tourna le dos. Aucune importance ; Jack ne cessa de la regarder que lorsque l'intérieur de la grotte fut entièrement sombre.

L'acteur essaya alors de dormir, mais l'érection qu'il avait réussi à maîtriser au fil des coups sur les fesses recommençait à le tourmenter. Son sexe se dressait contre son ventre, dur et obstiné. Le désir empêchait Jack de dormir.

Tout au long de la nuit, il revécut le moment extraordinaire de l'orgasme d'Abbie sous sa main.

Jack se retournait avec impatience, essayant de trouver la meilleure position pour que son érection cesse de le tourmenter. Dans le silence de la grotte, il ne pouvait même pas se servir de sa main pour mettre fin à ce supplice.

Dès qu'ils seraient de retour chez eux, il se trouverait une soumise expérimentée et soulagerait sa frustration. Il essaya alors de se concentrer sur ce qu'il lui ferait, mais le visage d'Abbie ne cessait d'apparaître dans ses pensées.

L'acteur rit en silence. Le fait qu'Abbie Marshall fasse maintenant partie de sa vie cachée était si improbable que cela dépassait tous ses fantasmes. Même si elle ignorait totalement être une soumise née.

Chaque fois qu'il s'endormait, Jack était torturé par les mêmes rêves. Abbie placée sur son genou, les claques sur les fesses qui tombaient une à une, son orgasme sous sa main. C'était insupportable.

Dès que la première lueur de l'aube pénétra dans la grotte, Jack se glissa hors de la moustiquaire et sortit sans bruit. Le bourdonnement nocturne des moustiques était toujours bruyant, mais une nouvelle journée commençait. Jack fit quelques pas vers le lagon et s'immobilisa.

Un bateau voguait sur l'eau. Une sorte de canoë à bord duquel deux hommes pêchaient.

— *Hola ! Help !* cria-t-il.

L'espace d'un instant, Jack crut qu'ils ne l'avaient pas entendu, mais les deux hommes se tournèrent dans sa direction et pagayèrent vers lui.

Ils étaient sauvés.

HUIT

L'œil fatigué, Abbie pénétra dans le hall des arrivées de l'aéroport de Miami. Zeke lui expliqua qu'elle pouvait s'estimer heureuse de voyager en compagnie d'une célébrité, car, sans Jack, elle serait restée coincée un bon moment au contrôle des passeports. Toute cette histoire de notoriété la sidérait. Il n'y avait eu aucune attente. Les autorités de l'aéroport n'avaient cessé de passer de la pommade à Jack, et lui considérait cela comme un dû. Abbie et Jack n'avaient pas reparlé de ce qui s'était passé dans la grotte. Elle essayait encore d'y trouver un sens. Enfin, pendant les rares moments où elle n'était pas occupée à s'efforcer de ne plus y penser. Comment avait-il pu lui faire cela, la faire réagir de cette façon ? C'était dû à la chaleur, se rassurait-elle. Une fois de retour à New York, ce ne serait plus un problème.

— Abbie. Mon Dieu, Abbie.

Un homme blond et mince traversa la foule à grandes enjambées.

William. Jamais elle ne s'était autant réjouie de voir quelqu'un.

— Ma chérie, dit son fiancé en la soulevant et en la serrant dans ses bras. On s'est tous tellement inquiétés pour toi. Miffy téléphonait toutes les heures au ministère des Affaires étrangères pour avoir de tes nouvelles.

Les bras de William la relâchèrent, et le jeune homme recula en fronçant le nez.

— Tu es un peu…, enfin, un peu…

Il pouvait se montrer tellement agaçant parfois.

— Sale ? Repoussante ? J'ai passé ces quatre derniers jours dans la jungle, William. Tu t'attendais à quoi ?

— Oh ! ne sois pas comme ça, mon lapin. Je suis ravi que tu sois saine et sauve.

William lui fit un autre câlin, mais plus raide.

— J'ai réservé une suite à l'hôtel ONE Bal pour que tu puisses te laver. Et il faudra que tu informes ton journal de ton arrivée. Ces gens n'arrêtent pas de nous harceler.

Abbie acquiesça, imaginant déjà ce qu'elle dirait à son rédacteur en chef.

Elle jeta un regard furtif à Jack, qui était entouré de journalistes et de photographes. Même avec une barbe de plusieurs jours et une chemise tachée de sueur, il était d'une beauté époustouflante. Mais, comme le jaguar de la jungle – particulier, exotique –, il valait mieux ne pas l'approcher. Il était temps de dire au revoir au Honduras et de passer à autre chose.

La foule qui entourait Jack éclata brusquement de rire, et Abbie se retourna. Leurs regards se croisèrent, et Jack se mit à la dévisager. Avec cette expression caractéristique qui la troublait toujours autant. Abbie passa son bras dans celui de William et tourna le dos à l'acteur.

*

Jack regarda Abbie s'éloigner. C'était ridicule d'être jaloux d'un avorton comme lui. Ce type était probablement le fiancé qu'Abbie n'avait cessé d'évoquer lorsqu'ils étaient dans la jungle. D'un seul coup d'œil, Jack comprit que ce blondinet ne saurait jamais satisfaire une femme passionnée comme Abbie. Mais cela l'exaspérait de penser que c'était lui qui pouvait l'embrasser et la ramener chez lui.

Jack avait envie de le tuer.

Soudain, l'abruti embrassa Abbie, recula rapidement et dit quelque chose qui la mit en colère. Jack était trop loin pour les entendre, mais désormais il connaissait le langage corporel d'Abbie. L'autre homme l'avait vraiment énervée.

Jack sourit. Visiblement, l'autre n'allait pas passer une bonne soirée. Histoire de s'en assurer, Jack s'éloigna du gang de journalistes qui ne cessaient de le mitrailler et se dirigea vers le couple. Il tapota l'épaule d'Abbie.

— Hé ! Tu n'aurais pas oublié quelque chose ?

— En fait, j'aimerais mieux *tout* oublier, répondit Abbie avec raideur.

— Même ça ?

Jack lui tendit le sac à dos qui contenait son ordinateur portable et regarda son visage s'illuminer. Pendant un instant, il espéra qu'elle allait lui sauter au cou et l'embrasser. Le blaireau fronça le nez et dit :

— Je ne crois pas que nous ayons été présentés.

Jack lui tendit la main.

— Jack Winter. J'ai passé les quatre dernières nuits avec Abbie. Vous êtes… ?

Visiblement, l'autre homme n'avait aucune envie de lui serrer la main, mais ses bonnes manières l'emportèrent. Cependant, sa main ne fit qu'effleurer celle de Jack.

— William Dillard, le fiancé d'Abbie. Cette plaisanterie était de très mauvais goût.

— Will Tocard. Pigé.

Jack recula avant que l'autre homme ait eu le temps de réagir. Il ne voulait pas regarder Abbie s'éloigner à nouveau. Il se tourna vers le groupe de journalistes, et les flashs se remirent à crépiter.

— Jack ! Jack ! Comment vous sentez-vous ?

On lui colla quelques micros sous le nez. Bon sang, il détestait vraiment cette partie du boulot. Il adorait jouer, mais abhorrait toute cette machine promotionnelle. Néanmoins, comme il savait très bien comment tout cela fonctionnait, il s'efforça de sourire, l'œil pétillant, et leur offrit le Jack Winter aux airs de *bad boy* qu'ils attendaient.

— Je me sens très bien maintenant que je suis de retour

en Amérique, mais je dois dire que j'ai hâte de rentrer chez moi et de boire un bon verre de Guinness fraîche.

Jack lança un clin d'œil à une journaliste, qui rougit aussitôt.

— Ça vous dirait de me tenir compagnie ?

Aucun d'eux ne l'avait jamais vu en boire, mais ils étaient tous convaincus qu'il se saoulait à la Guinness tous les soirs. Il y eut quelques questions au sujet de leur survie dans la jungle. Jack fit l'éloge de la formation qu'il avait reçue pendant le tournage de *Jungle Heat*. Puis, un journaliste lui demanda :

— On dit que vous avez mis le grappin sur Abbie Marshall quand vous étiez dans la jungle. Est-ce que c'est vrai ?

Cette question prit Jack au dépourvu, et il donna au journaliste une réponse typiquement hollywoodienne.

— Je n'ai aucune déclaration à faire.

Le brouhaha augmenta, et le crépitement des flashs reprit de plus belle : dans le milieu journalistique, « pas de déclaration » équivalait à un oui.

Abbie ne lui pardonnerait jamais cette erreur.

*

Abbie grimaça en voyant le couvre-lit d'un blanc immaculé. Tout dans cette suite luxueuse était blanc, y compris les chaises. Elle ne pourrait même pas s'asseoir pour écrire son article.

— Tout va bien ?

— Bien sûr. Tout est parfait, mais je…

Abbie baissa les yeux vers ses vêtements tachés de boue.

— Tu te sentiras mieux dès que tu te seras lavée et changée, lui assura William.

— Mais je n'ai rien d'autre à me mettre.

Et elle ne sortirait certainement pas dans cette tenue.

— William, si je te note mes différentes tailles sur un papier, tu pourrais aller à la boutique de l'hôtel m'acheter quelque chose à enfiler ?

William eut l'air décontenancé, mais il parvint à lui sourire.

— Bien sûr, je vais te chercher quelque chose d'approprié.

Abbie réprima un frisson en pensant à ce qu'il risquait d'acheter, griffonna une liste de tailles et referma la porte derrière lui. Elle ne supportait plus ces vêtements dégoûtants. Peut-être pourrait-elle écrire son article toute nue avant d'aller prendre sa douche ?

Abbie sortit l'ordinateur portable de son sac. Au même instant, les restes de l'orchidée que Jack lui avait donnée tombèrent sur la table. Les doigts tremblants, elle essaya de lisser les pétales froissés. Le parfum qui s'en échappa provoqua un choc en elle. L'espace d'un instant, elle se revit dans la jungle tandis que Jack laçait ses bottes et la regardait avec intensité. Abbie secoua la tête. Elle avait un article à écrire. Elle ouvrit son ordinateur et se mit au travail.

Il lui fallut plus de temps que prévu pour en venir à bout. Son rédacteur en chef lui redemanda quelques précisions. Beaucoup, en fait.

— Est-ce que tu écris en même temps un article sur tes aventures avec Jack Winter dans la jungle ? Tout le monde en parle, tu sais.

Abbie perçut de l'amusement dans son ton.

— Arrête, Josh, tu sais que ce n'est pas mon truc.

L'idée de devoir raconter les journées et les nuits qu'elle avait passées avec Jack lui donnait des frissons.

Pourtant, Josh finit par la convaincre d'écrire un article sur ses aventures dans la jungle.

— D'accord, mais pas ce soir. Je suis crevée. Je rentre demain à New York. Je le ferai une fois là-bas, lui dit-elle.

Abbie raccrocha en se demandant dans quoi elle s'était laissé embarquer. Elle savait cependant que Josh avait raison : elle détenait des informations exclusives ; il fallait qu'elle écrive un article.

Elle s'aperçut dans le miroir. Pas étonnant que William ait été abasourdi. Elle avait des coups de soleil, les cheveux en bataille et ressemblait à une journaliste du *National Geographic*.

Cette douche chaude fut l'une des expériences les plus agréables de sa vie. Abbie se débarrassa de la crasse de la jungle à grand renfort de shampoing et de savon, et ne sortit de la douche que lorsqu'elle fut sûre d'en avoir fait disparaître toutes les traces. Ne restaient que les marques sur ses fesses. Les rougeurs avaient disparu, mais on voyait encore les bleus laissés par la paume de Jack. Elle toucha doucement sa peau à cet endroit et ressentit un soupçon d'excitation. *Encore !* C'était incroyable. Mais qu'est-ce qui lui prenait à la fin ? Abbie enfila un peignoir de l'hôtel afin de cacher ses marques. Il faudrait s'en contenter jusqu'à ce que William revienne avec des vêtements. Dans la salle de bains, elle entendit qu'on frappait à la porte, puis une voix assourdie appela :

— Abbie ? C'est moi.

Elle passa dans la chambre et aperçut deux clés magnétiques sur la table basse. William avait dû oublier la sienne. Cependant, quand elle ouvrit la porte, c'est Jack qui apparut. Il s'était changé, et ses cheveux foncés étaient encore humides. Une vague de désir la submergea. Il portait un jean foncé et une chemise bleu clair immaculée qui accentuait incroyablement la couleur de ses yeux. Il était irrésistible. Il fallait qu'elle se ressaisisse. Jack Winter ne lui causait que des problèmes.

— Je me suis dit que tu aurais besoin de ça, dit-il en lui tendant quelque chose.

Son enregistreur. Il l'avait ramassé et rangé dans sa poche quand ils étaient dans la jungle.

Abbie reprit ses esprits. Réflexion faite, elle avait surtout envie de lui donner un bon coup de poing après ce qui s'était passé à l'aéroport. Comment avait-il osé lui parler de cette façon devant les caméras ? Profitant de son hésitation, Jack passa devant elle et entra dans la suite.

L'acteur parcourut la pièce du regard.

— Pas de Tocard ?

— Si tu veux parler de William, il est parti m'acheter des vêtements.

Les yeux de Jack se promenèrent sur son corps et s'arrêtèrent un instant sur la peau nue de sa gorge. Abbie dut se forcer à respirer.

— Dommage. Je te préfère nue.

Abbie étouffa un gémissement. Il essayait de la provoquer et elle devait à tout prix se maîtriser, ne pas mordre à l'hameçon. Elle lui sourit gentiment.

— Tes préférences ne m'intéressent absolument pas.

Jack fit un pas en avant.

— Tu as envie de la même chose que moi, Abbie, mais je suis le seul à être assez honnête pour le reconnaître.

Elle recula jusqu'à ce que ses cuisses touchent le lit. Ce n'était pas une bonne idée.

Même si elle était couverte du cou aux mollets, le regard de Jack lui donnait l'impression d'être nue.

— Imagine un peu. Mes mains caressent ta peau nue, puis je te place sur mon genou. Et tu te mets à tortiller ton fabuleux petit cul pour me montrer ce que tu veux.

Abbie avala sa salive. Ces images lui firent serrer les cuisses. Elle était incapable de parler et n'avait aucun moyen de lui échapper.

Jack se rapprocha d'elle et posa sa puissante main sur la base de sa nuque. Il l'attira si près de lui qu'elle sentit le parfum de son savon.

— Ne lutte pas, Abbie. Laisse les choses venir. Tu sais que tu en as envie.

Elle s'arma de courage, prête à recevoir un baiser vorace et insistant. Mais il fut différent. Jack traça le contour de ses lèvres avec sa langue, et elle se laissa faire en gémissant doucement. Jungle Jack n'était plus. Un tendre séducteur avait pris sa place.

— Ce n'est pas une bonne idée, dit-elle, alors même que ses mains caressaient les muscles de son dos.

— Mmm, fit-il en enfonçant sa langue entre ses lèvres.

Jack la taquina pour obtenir une réaction. Son baiser était lent ; il s'attardait comme s'il avait toute la vie devant lui.

En quête d'un meilleur contact, Abbie repositionna sa tête. Mon Dieu, cet homme savait embrasser. Elle essaya de se dire que c'était une erreur, que cela ne devait pas arriver, mais une inertie languide s'empara d'elle. Plus rien n'existait, il n'y avait que le baiser de Jack, tentant et passionné. Un gémissement s'échappa de la bouche d'Abbie.

— Voilà qui est mieux.

Jack lui renversa la tête jusqu'à ce que sa gorge soit exposée devant lui, puis il se pencha légèrement et souffla sur sa peau en feu. Les genoux d'Abbie tremblèrent. Il l'avait à peine touchée, mais elle en voulait plus et il le savait.

— Est-ce que tu mouilles pour moi ? Et si je glissais la main sous ton peignoir pour vérifier ?

La main de Jack glissa le long de son épaule, ouvrit le peignoir et exposa sa peau nue. Il recueillit ses seins dans le creux de ses mains, puis pencha la tête et prit un téton dans sa bouche. Le contact de ses lèvres qui suçait sa peau ne lui suffisait pas. Abbie enfouit les mains dans ses cheveux pour le rapprocher d'elle. Jack émit un grognement de plaisir. Il suça plus fort, passa d'un sein à l'autre et mordilla sa peau tendre.

— Oh ! mon Dieu ! s'écria-t-elle.

Jack relâcha son téton. Ses paupières étaient lourdes de désir.

— Dis-moi ce que tu veux.

— Je veux…

Abbie ne parvint pas à prononcer le mot. Comment dire à Jack Winter qu'elle voulait, qu'il fallait qu'il la baise ? Qu'elle ferait tout ce qu'il lui demanderait s'il posait seulement les mains sur elle ? Les mots sortirent comme dans un soupir.

— S'il te plaît.

De ses doigts habiles, Jack dénoua sa ceinture, et le peignoir tomba. Jack poussa doucement Abbie jusqu'à ce que son corps soit étendu sur le lit et il se glissa entre ses jambes écartées. Il enfonça un doigt en elle, puis un deuxième. Ensuite, il les fit aller et venir lentement, et ignora les mouvements d'Abbie lorsqu'elle tenta de le faire accélérer.

— Ne bouge pas, sinon je m'arrête.

Abbie se figea. Il ne pouvait pas l'abandonner maintenant. En jetant un coup d'œil à son visage, elle comprit qu'il le ferait sans hésiter. Son corps se tendit afin de rester immobile. Quand Jack retira les doigts de son sexe et massa son clitoris avec ses sucs, Abbie faillit bondir du lit. Son corps tout entier vibrait de désir. Jack tomba à genoux et se servit de ses épaules pour maintenir ses jambes écartées. Au premier coup de langue sur sa chair brûlante, Abbie s'agrippa au couvre-lit, les ongles profondément enfoncés dans le coton. La bouche chaude de Jack lapa ses lèvres et décrivit de lents cercles avec sa langue tout en ignorant délibérément son clitoris. Il traça des cercles autour de son ouverture, avant de plonger sa langue en elle, puis la lécha et la suça jusqu'à ce qu'elle halète de plaisir. L'attention de Jack se porta à nouveau sur son clitoris. Il lapa la petite bosse en lui donnant d'atroces petits coups de langue qui la firent crier. Ses doigts la pénétrèrent à nouveau. Ils caressèrent la paroi supérieure de son vagin tandis que sa bouche suçait fortement son clitoris. Impatiente d'obtenir plus de satisfaction, Abbie balança son bassin vers lui et elle plongea. Le plaisir la submergea par vagues, provoquant des tremblements à travers son corps tout entier.

Abbie se couvrit la bouche de la main dans l'espoir d'étouffer ses cris. La bouche et les doigts de Jack poursuivirent leur travail malicieux, extorquant à son corps les dernières impulsions vacillantes de l'orgasme, jusqu'à ce que la journaliste retombe, molle et satisfaite, sur le lit.

Jack déposa un baiser sur son ventre avant de se lever. Abbie n'avait pas la force de bouger.

— Ma pauvre chérie. Je t'ai épuisée, pas vrai ?

Elle se laissa faire lorsqu'il l'aida à remettre son peignoir et fit un joli nœud avec sa ceinture. La poignée de la porte remua, et la voix de William dans le couloir fit sursauter Abbie. Jack ramassa l'enregistreur et ouvrit la porte.

— Salut, Will, je passais juste pour rendre son enregistreur à Abbie.

Il posa l'appareil sur la table basse à côté des clés magnétiques et partit sans se retourner.

William entra dans la chambre, chargé de sacs de courses.

— Il était là depuis longtemps ?

Pas assez. Abbie se démena pour faire fonctionner la partie de son cerveau qui n'était pas plongée dans un brouillard postorgasmique.

— J'ai passé des heures au téléphone avec Josh. J'allais prendre une douche quand il est arrivé.

Par chance, William s'était emparé de la télécommande et n'avait pas remarqué que ses cheveux étaient déjà humides.

— Vas-y, mon lapin. Je vais regarder la télé.

Abbie referma la porte de la salle de bains et s'appuya contre elle. Que venait-elle de faire ? Elle avait besoin d'une autre douche. Très froide cette fois.

Quand elle fut douchée, Abbie se couvrit le corps de lait hydratant et enfila la chemise de nuit que William lui avait achetée. Elle était en coton blanc et avait un col haut.

Abbie sourit en se voyant dans le miroir. Miffy elle-même portait des trucs plus sexy, mais cette chemise de nuit avait au moins le mérite de couvrir ses marques.

Quand Abbie sortit de la salle de bains, la télé était allumée. William était allongé sur le lit dans son pyjama en soie et passait d'une émission à l'autre. Sur la commode, on avait posé une bouteille de champagne dans un seau de glace.

Abbie trouva cette vision déplaisante. William était trop petit, trop maigre, trop blond. Son pyjama en soie était ridicule. Elle savait qu'il le portait pour couvrir un torse légèrement concave. Cela n'avait aucune importance pour elle avant, mais maintenant, c'était le contraire. Des retrouvailles au lit avec William étaient bien la dernière chose qu'elle souhaitait.

Cela faisait des mois que William et elle n'avaient pas couché ensemble. Aucun d'eux n'était vraiment porté sur le sexe. Ils se convenaient l'un à l'autre. Enfin, c'était le cas avant. Dans la jungle, quelque chose était arrivé à sa libido. Jack Winter avait libéré un petit diable en elle, et Abbie devait à tout prix le remettre dans sa boîte.

L'odeur de William n'était pas la bonne. Non pas qu'il sentait mauvais : William se douchait deux ou trois fois par jour, se brossait les dents, se passait du fil dentaire, se frottait la langue avec le plus grand soin et investissait dans les parfums les plus coûteux. Mais quelque chose n'allait pas. Quand Abbie s'approcha de lui, elle fronça le nez et recula par réflexe. William était parfait pour elle, mais il n'était pas Jack.

Le jeune homme tapota le couvre-lit.

— Tu m'as manqué, mon lapin.

Abbie grimaça en entendant le surnom puéril qu'elle traînait depuis l'adolescence à cause d'un appareil destiné à lui redresser les dents.

Elle n'avait pas besoin d'entendre ce surnom en ce moment. Jack ne l'aurait jamais appelée comme ça, lui. *Arrête de penser à Jack, il est parti.* Mais Abbie savait qu'elle ne pouvait pas passer directement des bras de Jack à ceux de William. Quelque chose en elle frissonna à cette pensée.

Elle s'efforça de sourire.

— Tu m'as manqué aussi, mais est-ce que ça te dérange si on ne le fait pas maintenant ? Tu vois, j'ai tellement mal dormi ces dernières nuits et…

William se montra immédiatement plein de sollicitude.

— Bien sûr, comme je suis maladroit. Je voulais seulement te montrer que tu m'avais manqué. Viens vite te coucher.

Abbie se glissa entre les draps. Le lit était merveilleusement confortable, les oreillers, exactement comme elle les aimait, mais tout était trop doux. Tandis qu'elle se laissait gagner par le sommeil, Abbie s'imagina dans un hamac se balançant au-dessus du sol de la jungle, entre des bras protecteurs qui la serraient fort. Le faible parfum de l'orchidée la suivit dans ses rêves.

NEUF

L e voyage en avion vers New York se déroula sans incident. Après avoir eu aussi chaud dans la jungle, Abbie était gelée. L'hiver arrivait, mais Jack Winter[1] s'en était allé. *Bon, arrête de penser à lui. Quand tu seras à New York, tu devras l'oublier.*

William ronflait doucement sur le siège à côté d'elle. En regardant par le hublot, Abbie essaya d'imaginer un article qui n'inclurait aucun personnage aux biceps durs comme du béton, aux pommettes saillantes et aux lèvres fermes. Cet effort n'eut aucun effet sur sa libido.

Le cœur d'Abbie se réchauffa à la vue du petit groupe qui l'attendait dans le hall des arrivées. Il y avait son père, et puis Miffy et les filles. Les jumelles de Miffy agitaient des pancartes qui disaient : BIENVENUE À LA MAISON, ABBIE. L'une d'elles était ornée de serpents aux couleurs criardes.

La réunion de famille fut interrompue par un groupe de journalistes qui venait de les repérer et se jeta sur eux en criant des questions.

— Mademoiselle Marshall, Abbie. Un commentaire sur cette histoire pour *Us Weekly* ?

Un journaliste grassouillet planta sa caméra devant elle, ignorant les efforts de William pour la protéger.

— Abbie, prévoyez-vous de revoir Jack Winter ou bien votre aventure est-elle vraiment terminée ?

---

1. *Winter*, en anglais, signifie « hiver ». (NDT)

Ses collègues ricanèrent en chœur. Abbie sentait la moutarde lui monter au nez.

— Ces questions n'ont aucun sens.

Une journaliste trop maquillée à l'air faussement bienveillant s'avança.

— Les fans de Jack veulent simplement savoir s'il est vrai que vous sortez ensemble.

Interprétant le silence d'Abbie comme une réponse affirmative, elle insista :

— Quatre jours et quatre nuits dans la jungle. Racontez-nous ce que ça fait de partager un hamac avec Jack Winter !

Ils étaient au courant… Tout le monde l'était. Jack le leur avait dit. Une boule se forma dans sa gorge. Elle imaginait très bien le visage amusé de Jack tandis qu'il racontait toute l'histoire à un journaliste flagorneur. Juste derrière la foule, Abbie vit Miffy esquisser une moue pleine de dégoût et comprit que ceci n'était pas une fête de bienvenue, mais une opération visant à limiter les dégâts pour la famille Marshall.

William coinça le bras d'Abbie sous le sien. Elle lui lança un regard reconnaissant et s'éclaircit la voix.

— Ces quelques jours dans la jungle ont été un véritable calvaire pour moi et je préfère ne plus en parler. Je suis heureuse d'être de retour auprès de ma famille. Je n'ai rien à ajouter.

Ignorant la foule de questions qu'on lui lançait et le barrage formé par les appareils photo, Abbie se fraya un chemin à travers la foule et ressentit un petit plaisir pervers lorsqu'elle marcha accidentellement sur le pied d'un journaliste.

Son père s'avança, les bras grands ouverts, et Abbie courut vers lui.

— Oh ! papa.

— C'est fini, tu es en sécurité maintenant.

— Tante Abbie, tante Abbie.

Les jumelles sautillaient dans tous les sens en agitant leurs pancartes pour attirer son attention.

— On t'a fait des dessins.

Abbie s'agenouilla sans se soucier des larmes qui lui picotaient les yeux.

— Ce sont les plus beaux que j'aie jamais vus. Est-ce que c'est un serpent bleu ? Ouah ! Je suis très impressionnée.

Miffy la serra dans ses bras et lui fit la bise avec raideur.

— Je ne peux vraiment pas croire que tu aies fait ça. Jack Winter ?...

— C'est bon, les filles.

Le ton calme de son père fit taire Miffy.

— Nous pourrons parler de ça plus tard.

Les journalistes les poursuivirent à travers le hall des arrivées et ne cessèrent de les harceler que lorsqu'ils furent à l'abri dans leurs voitures. Miffy et les filles rentrèrent chez elles. William et Abbie furent ramenés en ville par le père d'Abbie. Pour une fois, elle trouva très utiles les vitres fumées de sa berline démodée. William n'avait pas prononcé un mot depuis qu'ils avaient quitté le terminal. Un tel scandale allait certainement bouleverser sa mère, et William était prêt à tout pour éviter cela.

— Pourquoi ne viendrais-tu pas vivre à la maison pendant un certain temps ? demanda son père.

— Non, papa, ça va. Je dois aller travailler demain. Toute cette histoire sera oubliée dans quelques jours.

La voiture s'arrêta devant l'immeuble d'Abbie, et William sortit son sac à dos du coffre.

— Tu veux monter ? demanda-t-elle.

William secoua la tête.

— J'ai une réunion à la faculté cet après-midi, mais je t'appellerai plus tard.

Il déposa un rapide baiser sur sa joue et disparut.

Abbie salua le concierge d'un signe de tête dans le hall d'entrée. L'homme lui remit une liasse de papiers.

— Content de vous revoir, mademoiselle Marshall. Il y a eu pas mal de messages pour vous.

— Super, soupira Abbie en voyant que le premier était celui d'un documentaliste du *Late Show with David Letterman*.

La tournure que prenait cette histoire ne lui plaisait pas du tout.

Après s'être préparé du café, Abbie ouvrit un nouveau document sur son ordinateur et contempla la page blanche. Elle avait promis à Josh d'écrire un article sur son aventure dans la jungle, et le journal attendait qu'elle leur rende sa copie.

Dans l'enfer de la jungle avec Jack Winter, tapa-t-elle lentement. Voilà, ce n'était pas si mal.

Cela faisait huit mots ; plus que mille neuf cent quatre-vingt-douze à écrire. Du gâteau. Elle se leva du bureau et se dirigea vers la fenêtre pour contempler la rue bordée d'arbres. Peut-être un footing apaiserait-il son esprit agité ?

— Non, Abbie, pas de footing.

Comme un écho à ses pensées, son téléphone portable sonna. C'était Josh.

— Abbie, est-ce que tu me prends pour un idiot ? Tous les autres journaux ont déjà publié un article sur Jack Winter et toi. Je te donne une heure, maximum, pour me rendre le tien.

— C'est parti, répondit Abbie en prenant l'air enjoué.

Elle raccrocha et se rassit à son bureau. Jack Winter pouvait aller se faire foutre. Abbie se sentit brusquement motivée par cet accès de colère. Elle se jeta sur son clavier et commença à écrire. C'était cathartique : la jungle, les animaux dangereux, les nuits à la belle étoile, leur sauvetage.

Les mots lui venaient spontanément. Elle décrivit la blessure de Zeke, sa frayeur face au jaguar et tous les embarras auxquels ils avaient dû faire face. Elle fit l'impasse sur les nuits qu'elle avait passées dans les bras de Jack et omit volontairement de parler de la grotte. À la fin, Abbie apporta quelques modifications rapides, puis cliqua sur ENVOI.

Ensuite, elle entreprit de trier les derniers mails arrivés dans sa boîte de réception. Des publicités, de nouvelles demandes d'interviews. Presque tous cherchaient à en savoir plus sur sa relation avec Jack Winter. *On ne peut vraiment rien faire sans que tout le monde soit au courant*, pensa-t-elle.

Lorsqu'Abbie sortit de la douche, elle vit que William avait laissé un message. Il avait réservé une table Chez Martin pour le dîner et la retrouverait là-bas. Elle aurait préféré un endroit moins collet monté. Les serveurs et serveuses eux-mêmes ressemblaient à des mannequins, et une simple salade verte coûtait cinquante dollars. Abbie enfila à contrecœur une petite robe noire et des chaussures à talons.

Le maître d'hôtel la conduisit jusqu'à leur table, située en plein milieu de la salle. Le nom de Dillard garantissait toujours les meilleures places du restaurant. William l'attendait déjà et se leva quand elle approcha.

— Tu es toujours aussi belle, ma chérie.

Abbie savait qu'elle ne l'était pas. Quand elle prenait la peine de s'habiller élégamment et de se maquiller, elle était juste présentable. C'étaient les seules fois où William la complimentait. Le cœur d'Abbie se serra quand elle repensa à son apparence négligée après sa baignade dans la jungle, et à la sincérité du regard de Jack quand il lui avait offert une orchidée en lui disant que la fleur était presque aussi belle qu'elle. C'était terminé. Jack faisait partie de son passé. William était son présent et son futur.

Si seulement cette pensée ne lui avait paru aussi déprimante. Abbie s'assit, et le maître d'hôtel s'affaira autour d'eux. Il secoua sa serviette au pliage élaboré et la déposa sur ses genoux, comme si elle était incapable de le faire elle-même.

Le serveur arriva et leur remit des menus recouverts de cuir. Comme d'habitude, les prix n'étaient pas indiqués sur l'exemplaire d'Abbie. Cela n'avait aucune importance, de toute façon. William insista pour choisir lui-même les plats. Abbie était trop fatiguée pour protester.

— Le soufflé aux cèpes et à la truffe me semble exquis.

Elle lui sourit avec raideur.

— Tu sais que je ne peux pas manger de champignons.

— Bien sûr que si.

Mais Abbie était certaine qu'il n'avait pas pensé un seul instant à elle en faisant son choix. Une fois le repas commandé,

William parcourut la carte des vins. Il eut une longue conversation avec le sommelier, puis son attention se porta enfin sur elle. Abbie se recroquevilla lorsqu'elle surprit les coups d'œil amusés que lui lançaient les autres clients.

Quelques personnes chuchotaient, et elle était sûre d'avoir entendu le mot « jungle ».

William lui prit la main.

— Je crois qu'il faut qu'on ait une petite conversation. J'ai parlé avec maman. Tous ces commérages au sujet de tes aventures avec Jack Winter ne l'enchantent pas particulièrement.

— Et ?

Le fait que la mère de William puisse s'immiscer dans leur vie privée mettait Abbie hors d'elle.

— Eh bien, maman pense que c'est ton travail qui t'a mise dans cette situation, et je crois qu'elle a raison.

Abbie ouvrit la bouche, mais il poursuivit.

— Il est temps que tu t'installes et que tu mettes fin à ces dangereuses expéditions. Enfin, regarde Miffy : elle aime son travail de bénévole et puis elle organise toutes ces choses au musée. Tu les verrais beaucoup plus, elle et les filles.

William lui tapota la main.

— Ce que j'essaie de te dire, mon lapin, c'est qu'il est temps pour nous de penser au mariage.

Il adressa un geste au serveur, qui apporta aussitôt deux flûtes et une bouteille de champagne sur un plateau d'argent. Le cœur d'Abbie se serra. Soudain, Moët & Chandon la mettait au pied du mur. William poursuivit.

— Maman n'était pas contente quand elle a su que j'étais prêt à te pardonner. Après tout, le nom des Dillard n'a jamais été associé à un seul scandale. Mais si tu lui montres que tu es sincèrement désolée, je crois qu'elle te pardonnera.

— Me pardonner ?

Abbie s'étrangla en prononçant ces mots. L'idée de devoir supporter toute sa vie ces interminables dîners à trois, face à une Dolores Dillard la regardant de son air snob, était trop affreuse à envisager.

William jouait avec le pied de sa flûte à champagne.

— Mais d'abord, tu dois m'assurer que vous n'avez pas eu de relations intimes, lui et toi.

Et voilà. Le moment de vérité. Abbie était incapable d'imaginer le moindre mensonge réconfortant. Il était impossible de prétendre que son aventure au Honduras n'avait jamais eu lieu. William était son ami depuis l'enfance. Il leur avait semblé si naturel de se fiancer. Tout le monde s'y attendait. Mais, si Abbie pouvait se mentir à elle-même, elle devait la vérité à William. Il avait beau être un peu coincé, elle avait de l'affection pour lui. Elle ne pouvait pas consentir à ce mariage ; ses sentiments pour Jack étaient trop ambigus.

— William, je suis vraiment désolée. Je ne peux pas te mentir. Jack et moi…

Abbie ne parvenait pas à prononcer les mots. Elle n'avait pas vraiment couché avec Jack, mais ce qui s'était passé entre eux lui semblait encore pire. Abbie toucha sa main gauche en essayant d'ignorer la mine déconfite de William. Elle ne portait pas sa bague de fiançailles. Le diamant de la famille Dillard passait plus de temps à la banque qu'à son doigt.

— Je demanderai à la banque de nous rendre la bague demain. Je suis désolée, William.

Abbie attendit qu'un sentiment de culpabilité l'envahisse, mais en vain. Elle aurait dû se sentir affreusement honteuse. Ou triste. Mais, au lieu de ça, elle se sentait libre.

Du coin de l'œil, elle vit le serveur apporter deux assiettes. Elle ne pouvait tout de même pas rester assise en face de William et prétendre que tout allait bien ! C'est alors qu'elle saisit sa pèlerine et s'enfuit.

Dehors, il commençait à pleuvoir. Abbie héla un taxi.

— Emmenez-moi chez le marchand de vin le plus proche et, après, vous me déposerez à Greenwich Village.

DIX

Jack avait dû se battre pour pouvoir loger dans l'un des appartements meublés des studios Standard. Il était censé s'installer dans un hôtel cinq étoiles comme le Waldorf, peuplé de starlettes et de journalistes.

Mais, en ce moment, ce genre de chose lui paraissait insurmontable. Il avait besoin de temps pour réfléchir. La jungle, la grotte…, cette chambre d'hôtel à Miami, des traces d'Abbie partout sur sa bouche et ses doigts…, son odeur, son cul parfait, sa chatte luisante, le bruit qu'elle faisait lorsqu'elle était sur le point de jouir. Ces pensées tournaient en boucle dans sa tête et il ne parvenait plus à les arrêter.

Jack ne comprenait pas ce qui avait changé au Honduras. Il avait vécu pas mal d'aventures terrifiantes dans sa vie.

Mais, après quelques fêtes bien arrosées, il se remettait au boulot. Cette fois, il souhaitait seulement se retrouver seul pour panser ses blessures. Blessures qu'il avait d'ailleurs beaucoup de mal à définir.

L'appartement de base était normalement utilisé par les équipes de tournage en déplacement. Il comprenait deux chambres sommairement meublées, une salle de bains avec une douche correcte et une kitchenette.

Mais, le plus important, c'est qu'il était vide et que Jack avait tout l'espace pour lui.

Il alluma la télévision à écran large et passa sur la chaîne E ! par habitude. Son visage apparut aussitôt. Cradingue et les cheveux emmêlés, il souriait à la caméra, et, soudain, ouais, une petite minute, il avait l'air tout retourné et prononçait la phrase fatale : « Je n'ai aucune déclaration à faire. » Bordel, il finissait presque par croire lui-même qu'il avait couché avec elle. Abbie allait piquer une de ces crises.

Jack se prépara une grande tasse de café, l'une des choses qui lui avaient vraiment manqué dans la jungle : l'eau au goût de produits chimiques avait eu du mal à passer lorsqu'il s'était senti en manque de caféine. Jack faillit rater le commentaire du présentateur. « Des sources proches du couple en question ont révélé que leurs relations étaient effectivement torrides. Mademoiselle Marshall, plus connue pour ses compétences de reporter que de chroniqueuse mondaine, semble avoir eu des difficultés à rester habillée en présence de Jack Winter. »

Aussitôt apparut une photo d'Abbie, chemise boutonnée et look professionnel, interviewant le président Obama. Puis, une autre prise à l'aéroport de Miami, sur laquelle elle semblait défaite et épuisée. Jack lui préférait cet air-là. Sans prévenir, le souvenir d'un look qu'il aimait encore plus lui revint : Abbie nue après sa baignade.

La caméra le suivait tandis qu'il s'éloignait de Kev et Zeke afin de lui rendre son sac à dos. Il n'aurait pas dû faire ça. C'est alors qu'il l'entendit. Le son était étouffé, comme si on l'avait amplifié en studio, et il y avait beaucoup de bruits de fond, mais sa phrase était claire. « Jack Winter. J'ai passé les quatre dernières nuits avec Abbie. »

Jack grogna. Oh oui, ils étaient cuits.

Il décida de parler à Abbie, mais s'aperçut qu'il n'avait pas son numéro de portable. Alors, il appela Zeke. L'agent était à l'hôpital, drogué et heureux.

— Tu as entendu cette histoire dans les médias au sujet de ma soi-disant liaison avec Abbie ? Il faut que tu organises une conférence de presse afin de rétablir la vérité.

Bryan gloussa.

— Mon pote, rien de ce que tu pourras dire ne changera quoi que ce soit. Plus tu protesteras, plus tu auras l'air coupable. D'ailleurs, ça te fait une excellente publicité. *Jungle*

Heat va faire un carton rien qu'à cause de ça. Le héros du film s'écrase pour de vrai dans la jungle, réussit à sauver la vie de ses copains et se tape l'héroïne. Ça va faire exploser le nombre d'entrées.

— Zeke, espèce de salaud ! C'est toi qui as rancardé les médias ! Je comprends mieux pourquoi tu étais si pressé de joindre ton bureau quand nous avons atteint cette ville.

L'agent rit. Jack jura.

— Allez, Zeke. Il doit bien y avoir un moyen d'aider Abbie. Elle t'a fait don de son soutien-gorge. Ne la mets pas dans une situation délicate.

— Comme si tu ne l'avais pas déjà fait !

Jack grogna d'un air menaçant.

— Fais retirer son nom des gros titres, Zeke, parce que, si tu ne m'aides pas, je n'apparaîtrai pas à la moindre première de ce film.

— Et alors ? Tout le monde se dira que tu es terré quelque part, occupé à tringler la nubile mademoiselle Marshall.

— Zeke…

Peut-être l'effet des médicaments s'estompait-il, ou bien le cerveau de Zeke n'était-il pas totalement hors service ; toujours est-il qu'il se calma légèrement.

— OK, Jack, si tu tiens vraiment à arranger les choses, le mieux à faire est d'éviter totalement Abbie. Ne la contacte pas, ne prononce pas son nom, n'apparais nulle part en sa compagnie. Et commence à sortir avec Kym Kardell.

Bryan avait raison. Une liaison avec Kym Kardell, sa partenaire dans *Jungle Heat*, serait un excellent coup médiatique et, bientôt, plus personne ne prononcerait le nom d'Abbie en sa présence. Il allait avoir beaucoup de mal à écouter l'actrice parler de manucure à longueur de soirée, mais ça valait le coup d'essayer.

— C'est bon, Zeke, je suis partant. Quel que soit le prix à payer.

*

— Je n'arrive pas à croire qu'avec l'aide de deux maquilleuses et d'un unique coiffeur, je puisse être aussi magnifique dans ce film. Tu n'es pas d'accord ?

Kym Kardell n'arrêtait jamais de parler. Elle s'accrochait au bras de Jack, souriait aux photographes et prenait machinalement la pose sans jamais la fermer. Jack avait du mal à croire qu'il était possible d'exprimer autant de pensées sans fond.

Et comment se faisait-il qu'une personne capable de parler autant n'avait jamais réussi à se souvenir de son texte ? Jack avait rapidement cessé de compter le nombre de prises ratées parce que Kym avait oublié sa réplique ou s'était trompée dans son texte.

Tous deux se tenaient sur le tapis rouge de la première new-yorkaise de *Jungle Heat*. Kym était incroyablement douée pour poser tout en parlant.

— N'importe qui aurait l'air énorme dans ces horribles pantalons de treillis, bien sûr, mais j'ai un look mortel, tu ne trouves pas ? On voit vraiment le résultat de mon entraînement militaire quand je noue mon tee-shirt pour montrer mes abdos.

Kym n'avait cessé de parler depuis leur arrivée, mais soudain elle semblait attendre une réponse.

Jack baissa les yeux vers elle. Elle était petite et délicate comme une poupée de porcelaine, avec une longue chevelure noire qui exigeait des heures de coiffage chaque jour, et à laquelle il n'avait jamais eu le droit de toucher.

La caméra adorait ses yeux immenses et sa moue, mais, en réalité, il y avait un manque de mobilité troublant dans ses lèvres. Trop de Botox, devina Jack. Il fit de son mieux pour ne pas penser à une autre femme, celle dont le visage bougeait avec naturel et qui était absolument délicieuse au saut du lit, même sans une trace de maquillage.

Jack passa un bras autour de Kym et se pencha comme s'il était sur le point de l'embrasser. La foule hurla, et les flashs se mirent à crépiter. Il garda cette position pendant quelques secondes, puis se redressa en prenant l'air penaud, comme si on l'avait pincé la main dans le sac.

Kym sourit à Jack et posa sur lui le regard épris qu'elle n'avait encore jamais été capable de produire devant une caméra.

Jack avait promis à Zeke de se rendre à la première avec Kym, puis de l'emmener danser. Zeke s'assurerait ainsi que les journalistes les suivent.

Au bout d'une semaine à ce régime, le public serait convaincu qu'Abbie était juste une fille qu'il avait rencontrée dans la jungle. Du moins, c'était ce qu'il espérait.

— Hé ! Jack, comment va Abbie ? lui cria un journaliste.

L'acteur haussa les épaules.

— Je n'en ai aucune idée. Je ne lui ai pas reparlé depuis que nous avons atterri à Miami.

Et pourtant, Dieu sait qu'il en rêvait. La force de cette envie l'effrayait. Abbie était la seule femme qu'il ne pouvait pas avoir. Il fallait qu'il l'oublie, même si cela l'exaspérait.

— Alors, vous ne sortez pas avec elle ?

Jack parvint à prendre l'air incrédule et las.

— Avec mademoiselle Marshall ? Bien sûr que non.

Il passa un bras autour de Kym.

— Je sors avec cette charmante jeune femme. Mais surtout, ne le dites à personne.

L'affaire serait partout dans les médias le lendemain.

Jack se demanda ce qu'en penserait Abbie.

*

Abbie souleva la bouteille vide et la regarda fixement. Comment le vin pouvait-il s'être évaporé aussi rapidement ?

Kit hoqueta et rejeta en arrière ses tresses africaines.

— Bon, on a assez noyé nos chagrins dans l'alcool. Il faut vraiment que tu m'expliques ce qui t'arrive. Et je t'en prie, ne me dis pas que c'est ta rupture avec William qui te déprime autant.

— Mais je suis réellement déprimée…

— Peut-être, mais pas à cause de ta rupture. Allez, c'est

à moi que tu parles, pas à une inconnue que tu as rencontrée dans un café. Tiens, à ce propos : je ferais mieux de contacter le gang des marieuses pour leur dire que William est de nouveau sur le marché.

Abbie lui lança un coussin.

— Pour ce que j'en ai à faire.

— Eh bien, voilà qui répond à ma question. Bon, je ne peux plus attendre. Que s'est-il passé entre Jack Winter et toi ? Et, s'il te plaît, ne me dis pas que tu n'as « aucune déclaration à faire ».

— C'est difficile à dire.

Abbie n'avait pas l'intention de rester évasive. Enfin, pas plus que d'habitude. Si elle pouvait parler à quelqu'un de cette pagaille, c'était bien à Kit. Elle était sa plus vieille amie, et les rares fois dans sa vie où Abbie avait eu besoin de se confier, c'était vers Kit qu'elle s'était tournée.

Elle avait une capacité troublante à deviner quand il fallait se taire et écouter. Elles avaient partagé et analysé tous leurs grands moments (premier joint, première relation sexuelle, premiers pas dans leurs carrières) et tout le reste. Kit ne la jugeait jamais.

Et pourtant, Abbie se sentait soudain gênée ; elle n'était pas sûre de savoir comment lui expliquer sa relation avec Jack. Elle n'aurait su l'expliquer à personne, d'ailleurs.

Son cou et son visage s'empourprèrent peu à peu.

— Mon Dieu, Abbie. Je t'en prie, dis-moi que tu as couché avec lui. Non, attends. J'ai besoin de boire avant.

Abbie entendit Kit ouvrir une nouvelle bouteille de vin et un sachet de bretzels dans la cuisine. Elles allaient avoir une gueule de bois atroce le lendemain matin. Mais Abbie s'en moquait. Il fallait qu'elle parle à quelqu'un.

Kit remplit deux grands verres de viognier.

— C'est bon, vas-y.

Abbie avala sa salive.

— Je n'ai pas exactement couché avec lui. Enfin, nous avons bel et bien dormi ensemble, dans un hamac, mais...

— Et est-ce qu'il... Je veux dire, est-ce que vous avez fait des cochonneries ? Oh ! allez, Abbie. Je suis une personne visuelle, j'ai besoin de détails.

— C'est un terme clinique, ça, « cochonneries » ? demanda Abbie. Est-ce que tu demandes à tes patients : « Et sinon, tout va bien sur le plan des cochonneries ? » Impressionnant.

Kit lui lança un coussin à son tour.

— Abbie, je n'ai pas besoin de faire appel à mes talents de psychothérapeute pour deviner que quelqu'un évite mes questions. Bon, pour la dernière fois, que s'est-il passé ?

— Nous nous sommes embrassés.

Le cri de Kit s'entendit probablement deux pâtés de maisons plus loin.

— Pardon, pardon. Continue. Vous vous êtes embrassés et...

— Nous avons un peu batifolé.

— C'est quoi un peu ? Arrête d'être aussi prude. Est-ce que c'est un bon coup ?

Abbie but une nouvelle gorgée de vin.

— Jack Winter est le coup du siècle.

Voilà, c'était dit. Elle l'avait prononcé à haute voix. Elle était physiquement attirée par Jack Winter. Mais « attraction physique » était un terme trop faible pour décrire ce qu'elle ressentait. Il avait fait naître en elle une introspection proche de la torture : Abbie avait entrevu une facette inconnue de sa propre personnalité et désirait ardemment en savoir plus. C'était une forme extrême de tourment parce qu'elle ne pouvait obtenir ce qu'elle voulait le plus. Jack était Hollywood et elle était New York. Il était inutile de rêver. Il fallait qu'elle oublie toute cette histoire.

— Il y a autre chose.

Kit posa son verre et se pencha en avant.

— Vas-y.

— Eh bien, il m'a demandé d'enterrer les restes des poissons que nous avions mangés un soir, pour éviter d'attirer les prédateurs, et..., enfin, je ne l'ai pas fait, et un jaguar est arrivé. Heureusement, Jack a réussi à le chasser, mais il était absolument furieux.

Abbie posa son verre sur la table et marqua une pause avant de poursuivre.

— Il m'a entraînée dans une grotte et m'a donné une fessée.

L'expression de Kit était mêlée de stupéfaction et d'envie.

— Oh !... mon... Dieu.

— C'est pire que ça, Kit. Quand il a commencé, tu vois, à me frapper, j'ai gigoté, hurlé, je l'ai traité de tous les noms, mais... je ne sais pas comment dire ça...

— Je suis conseillère conjugale. Rien de ce que tu diras ne pourra me choquer.

— J'ai aimé ça, dit-elle tristement. J'ai eu un orgasme.

— Oh !

Le visage de Kit redevint sérieux.

— Oui : « oh ». Le « oh » le plus énorme que j'ai jamais crié. Et ça me tue qu'une personne comme lui ait pu me faire ça à moi.

— Abbie...

Kit abandonna son verre et enlaça son amie.

— Est-ce que tu avais déjà des tendances soumises avant ? Je veux dire, as-tu expérimenté la soumission au cours d'autres relations ?

Abbie s'écarta de Kit.

— Qu'est-ce que tu entends par « des tendances soumises » ? Je ne suis pas une de tes patientes bizarres.

Kit la regarda avec un mélange d'affection et d'exaspération.

— Abbie, je t'en prie, ne le prends pas mal, mais, pour une femme du monde, tu as de grosses lacunes. De quoi crois-tu que je parle ?

— Je n'en sais rien. De pratiques SM, je suppose. Ces choses me font complètement flipper. Enfin, est-ce que tu m'imagines en train de demander à William de...

Toutes deux se regardèrent, puis éclatèrent de rire en imaginant William entreprendre la moindre chose perverse au lit. Abbie ne lui avait pas rapporté tous les détails de leur vie sexuelle – ou absence de vie sexuelle –, mais elle lui en avait suffisamment parlé.

Parfois, Kit avait gentiment enquêté pendant leurs soirées entre filles, cherchant à savoir si Abbie était sûre de vouloir passer sa vie avec William, mais la journaliste l'avait toujours envoyée paître.

Kit se calma et prit un air sérieux.

— Abbie, il ne s'agit pas de ce que font les gens, mais de qui ils sont sexuellement parlant.

Abbie ne voyait pas très bien où Kit voulait en venir, mais elle resta silencieuse et écouta.

— Certaines personnes prennent leur pied grâce à la domination et la soumission. Il n'y a rien de mal à ça. C'est normal pour elles. Les gens ont parfois une sexualité débridée. Il y a aussi des tas de couples fidèles qui se sont formés parce que l'un était Dominant et l'autre soumis. Abbie, le fait d'avoir un penchant pour la soumission ne signifie pas que tu es « bizarre », et j'ai remarqué que tu en avais un.

Abbie avait l'impression que sa tête allait exploser.

— Écoute, tu n'es pas ma patiente. Je te le dis en tant qu'amie. Tu es peut-être capable de sauter dans un avion et de prendre les risques les plus fous pour un article, mais, quand tu es chez toi, tu es une vraie lavette.

— Je ne suis absolument pas une lavette.

Abbie renvoya le coussin à Kit. Il rebondit mollement sur l'accoudoir du canapé et atterrit sur le tapis.

— Oh que si ! Réfléchis un peu. Qui ta famille appelle-t-elle invariablement quand elle a besoin d'un coup de main ?

— Ça ne se passe pas du tout de cette façon.

— Si. Qui a laissé tomber ses vacances pour s'occuper des jumelles ?

— Mais Miffy était malade…

Kit dévisagea son amie.

— Abbie, cette femme avait la grippe. Pourquoi ne pas avoir demandé de l'aide à son mari ou à sa douzaine de domestiques ? Et ces horribles soirées de charité ? Pourquoi ne refuses-tu pas simplement d'y aller ?

Abbie ignora sa question et prit une poignée de bretzels. Elle pouvait dire non. Elle n'en avait pas envie, c'est tout. On ne l'avait tout de même pas contrainte à épouser William. Elle avait eu le choix, non ? Et puis, elle adorait Miffy et les filles.

Kit se servit un autre verre de vin.

— Je vois que ça cogite là-dedans. Ce que je constate, c'est que tu viens de rompre avec William, mais que tu n'es pas effondrée pour autant. En fait, j'irais même jusqu'à dire que tu es soulagée.

Elle n'était pas comme ça. Elle ne pouvait pas être assez superficielle pour rompre avec William sans avoir le cœur brisé.

— Tu es vraiment cruelle.

— Alors, lance-moi un autre coussin. Écoute, Jack Winter a transformé ta vie, et ce n'est sans doute pas une mauvaise chose. Tu devrais peut-être t'occuper un peu plus de toi-même quand tu n'es pas en train de parcourir le monde pour sauver la planète. Si tu veux, je peux te mettre en contact avec quelqu'un. Juste au cas où tu voudrais en apprendre un peu plus. C'est tout ce que j'avais à dire. À toi de voir.

Abbie hocha la tête. Kit trouvait peut-être cette expérience positive, mais elle n'avait aucune intention de laisser son côté soumis se manifester à nouveau.

*

Plus jamais. Je ne peux pas faire ça. Je risque d'étrangler cette femme si je dois passer une heure de plus avec elle. Jack claqua la porte de son appartement et envisagea de ne plus en sortir avant la fin de son séjour à New York. Il ne pouvait plus passer une minute avec Kym Kardell.

Il était impossible qu'une personne soit aussi stupide. Même le blaireau d'Abbie avait plus de cervelle que Kym Kardell.

Mauvaise idée. *Arrête de penser à Abbie.*

Jack avait beau comparer Kym Kardell à toutes les personnes auxquelles il pouvait penser, l'actrice lui apparaissait toujours comme une poupée en plastique. Même Sarah O'Brien-Willis en avait plus dans le crâne.

Maintenant qu'il y songeait, toutes les femmes avec qui il était sorti étaient intelligentes. C'était donc sa limite dure[1], un QI à trois chiffres. Ce ne devait pas être si difficile d'en trouver un à New York.

Jack se débarrassa de son smoking et prit une douche rapide afin de ne plus sentir le parfum écœurant de Kym qui le suivait partout.

Ce truc coûtait peut-être la peau des fesses, mais il sentait franchement mauvais. Enfin à l'aise en tee-shirt et pantalon de sport, Jack s'installa devant son ordinateur portable.

Plus de quarante e-mails l'attendaient. Il parcourut rapidement la liste. Certains expéditeurs étaient des fans. Jack copia-colla un message amical et essaya d'ajouter une touche plus personnelle à chaque réponse. Deux e-mails venaient de la nouvelle école au Honduras.

Ils étaient rédigés péniblement par les élèves dans un anglais basique. Jack sourit et leur envoya une longue réponse. Venaient ensuite un e-mail, court et guindé, de sa mère qui lui promettait de lui écrire et un long message bavard de sa sœur. Elle y racontait tout ce qui se passait dans sa vie, et Jack eut soudain envie de rentrer à Dublin.

Dans sa réponse, il lui raconta la dure réalité de la vie dans la jungle. En omettant tout de même ce qui s'était passé avec Abbie dans la grotte. Comme il l'avait appris à ses dépens, sa famille n'était pas prête à accepter certaines choses.

Un jour, il affronterait ses souvenirs les plus sombres et retournerait là-bas. Jack n'avait pas l'intention de laisser son passé diriger sa vie. Mais le moment n'était pas encore venu. Quelques années de plus, et il serait peut-être prêt.

---

1. Terme BDSM désignant les actes interdits au sein d'une relation Dominant/soumis. Franchir la limite peut signifier la fin de cette relation.

Une poignée de mails professionnels, quelques pubs qui avaient réussi à passer malgré son filtre antispam, et Jack put enfin ouvrir les messages qu'il attendait avec impatience. Les e-mails de FetLife. Jack avait bien l'intention de s'offrir une petite récompense après avoir supporté Barbie toute la nuit : il allait entrer en contact avec quelqu'un qui partageait ses bizarreries, prendre son pied et oublier Abbie Marshall. Il trouverait certainement une personne avec qui jouer dans cette ville. C'était New York, après tout.

Jack se connecta à son compte et cliqua sur les nouveaux messages.

Cher Contrôleur,
Je suis une méchante fille qui mérite une bonne fessée.
Voudriez-vous vous en charger ?

Jack vérifia son profil avant de lui répondre. Il s'interdisait de sortir avec des femmes mariées. Mais ce profil était complètement vide. Pas d'amis, pas de fétiches, pas de groupes, et pas un seul message sur son mur.

Jack grimaça. Il était prêt à parier qu'il s'agissait d'une journaliste. Il avait beau se démener pour protéger sa vie privée, les fuites n'étaient pas rares, et certains journalistes venaient fourrer leur nez dans ses affaires.

Si celle-ci s'était mieux renseignée, elle aurait su qu'il ne sortait jamais avec une femme qu'un ami ne lui avait pas d'abord présentée. Les risques étaient trop grands.

Il suffisait de voir le fiasco de son aventure avec Abbie.

Non, il ne fallait plus penser à elle. Cette obsession devenait ridicule. Jack cliqua sur deux ou trois messages, bavarda avec quelques amis, écrivit *Joyeux anniversaire* sur le mur d'un autre, puis remarqua qu'une de ses vieilles copines avait un nouveau Dom. Jack ne le connaissait pas ; alors, il vérifia son profil pour examiner ses préférences et l'identité de ses anciennes partenaires. Rien de suspect. Il pouvait se détendre, elle avait fait un bon choix.

Sa boîte de dialogue s'ouvrit. C'était Paloma, l'une de ses anciennes soumises, la seule avec qui il avait eu un contrat à long terme. Jack l'avait rencontrée alors qu'il venait d'arriver à New York. À l'époque, ils jouaient tous deux dans de petites pièces à Broadway. Après ce qui s'était passé à Dublin, Jack avait eu peur de ne plus pratiquer que du sexe vanille[1].

Mais Paloma avait senti quelque chose en lui et l'avait libéré. Jack avait toujours de l'affection pour elle, même s'ils n'étaient plus très souvent en contact. Cela faisait plus d'un an qu'il n'avait pas eu de nouvelles d'elle.

<Jack, c'est toi ?>

Il répondit immédiatement.

<Qui d'autre veux-tu que ce soit ? Comment ça va ?>

<Pas bien.>

Jack attendit qu'elle s'explique, mais il y eut un silence ; alors, il l'encouragea.

<Raconte-moi.>

<Oui, monsieur.>

Il sourit. Il se souvenait que le simple fait de prononcer ces mots excitait Paloma.

<Alors, raconte-moi.>

Cette fois, la réponse ne tarda pas.

<Je crois que T va me quitter.>

T était son Dom actuel. La dernière fois que Jack en avait entendu parler, ils étaient très heureux ensemble.

<Pourquoi ?>

Il y eut une pause.

<Il se comporte bizarrement avec moi. Hier, on est sortis manger et il ne m'a pas laissée l'appeler « monsieur » une seule fois.>

<C'est tout ?>

<Il n'a pas non plus vérifié la couleur de ma petite culotte.>

<Alors, il y a un problème>, convint Jack. <De quelle couleur était-elle ?>

---

1. Dans le langage BDSM, « vanille » désigne les relations sexuelles conventionnelles.

<Tu n'es plus mon Dom.>

Si elle se montrait effrontée, c'est que le moral de Paloma remontait.

<Mais je suis toujours un homme et tu as un cul phénoménal. N'importe qui voudrait le savoir.>

<En souvenir du bon vieux temps, je peux te dire qu'elle était en dentelle noire.>

<Bonne petite. Est-ce que T a fini par la voir ?>

<Oui, et il l'a beaucoup aimée !!!>

<Tout va bien alors. Peut-être qu'il avait simplement passé une mauvaise journée ?>

<Peut-être. Je suis toujours inquiète.>

Même si leurs chemins s'étaient séparés, Jack se sentait toujours responsable de Paloma. Et puis, ce serait sympa de discuter avec elle après si longtemps.

<On prend un verre ensemble demain soir ? Tu pourras me parler de tout ça.>

<Oui, ce serait super. Ça te dirait de manger espagnol ? Il y a un nouveau bar à tapas près de chez moi.>

Après avoir noté l'heure et le lieu, Jack jeta de nouveau un œil au message de la « méchante fille ». Pas de journalistes. Plus jamais. Il referma sa boîte de dialogue.

ONZE

Josh Martin repoussa sa tasse de café.

— Abbie, écoute-moi. Je n'ai aucun pouvoir là-dessus. Tu es transférée à la section « Style de vie », un point, c'est tout.

— « Style de vie » ? Quel irresponsable a cru bon de donner à une journaliste d'informations expérimentée un travail que n'importe quel stagiaire pourrait faire ? Bon sang, Josh, est-ce qu'il est vraiment difficile de dénicher des détails scabreux et des ragots sur les stars, ou d'écrire des articles sur la mode et le design ?

— Je suis désolé, ce n'est pas ma décision. Jack Winter est au cœur de l'actualité en ce moment et comme tu sors avec...

— Je ne sors pas avec Jack Winter.

Les mains levées, Josh fit semblant de capituler.

— D'accord, d'accord. Je ne crois pas aux rumeurs qui disent que tu couches avec lui, de toute façon. Tu es plus intelligente que ça.

Josh se leva et ferma la porte. Le bruit de la salle de rédaction s'estompa aussitôt.

— Écoute, Abbie, ça fait vingt ans que je travaille dans ce secteur et je n'y comprends rien non plus. Le comité de rédaction a soudain décidé de te faire passer des infos à la section « Style de vie ». Ce n'est pas dans ses habitudes, mais, bon, c'est le comité, ces gens font la pluie et le beau temps. Prends ton mal en patience et je ferai une demande pour que tu reviennes aux infos dans quelques mois.

Abbie grogna. Pourquoi n'était-elle pas rassurée ?

— Et tu sais, le fait d'écrire pour « Style de vie » ne t'empêche pas de continuer à travailler sur ton enquête au Honduras. En plus, si tu disparais des infos, ça calmera peut-être le jeu et tu n'auras plus d'emmerdes.

Abbie ouvrit la bouche pour répondre, mais s'arrêta. Josh avait raison. Quelqu'un faisait tout pour l'empêcher de révéler cette affaire. Elle avait l'habitude d'être harcelée par les gens qui ne voulaient pas qu'elle écrive tel ou tel article, mais, cette fois, la situation était inquiétante. Abbie pouvait supporter les menaces, mais les orchidées, c'était nouveau. Il était assez facile d'imaginer pourquoi quelqu'un lui envoyait la fleur nationale du Honduras. On la surveillait toujours, même si elle avait quitté le pays. Les fleurs arrivaient presque tous les jours à la salle de rédaction. Parfois, elles étaient parfaites, d'autres fois, déchirées et cassées. Chaque livraison était plus éprouvante que la précédente. Abbie eut le cœur serré en s'apercevant qu'elle avait fini par redouter la vue des orchidées. Le moment où Jack avait glissé une fleur dans ses cheveux était l'un des plus beaux souvenirs qu'elle gardait de la jungle.

— Je n'ai pas peur de ces gens.

La bouche de Josh se serra.

— Eh bien, peut-être que tu le devrais. Il faut que tu sois plus prudente, et si ce transfert est le seul moyen de t'en faire prendre conscience, alors, soit.

Abbie hocha la tête avec raideur. Elle écrirait pour la section « Style de vie », même si cela lui était insupportable. Alors qu'elle posait la main sur la poignée de la porte, Josh ajouta :

— Et surtout, continue à chercher des infos compromettantes sur ce Tom Breslin au ministère des Affaires étrangères. Coince-le, et ce reportage sera une réussite.

Abbie quitta la pièce en claquant la porte derrière elle. De retour à son bureau, elle découvrit que quelqu'un y avait déposé un exemplaire de *Us Weekly* ouvert à la page 3. Une interview de Jack Winter était entourée en rouge. *Je ne sors pas avec Abbie Marshall*, disait le gros titre. Abbie vérifia autour d'elle si les mecs rigolaient, mais, visiblement, chacun avait le nez dans son travail. Salauds. Elle prit le magazine et le jeta dans la corbeille. Très bien. S'ils voulaient vraiment la transférer, elle obéirait. Mais sans se presser. Abbie se refusa à vider son bureau de la salle de rédaction.

Au lieu de cela, elle rangea tous ses objets de valeur dans ses tiroirs et les ferma à clé. Après avoir avalé une deuxième tasse de café et un muffin, elle prit l'ascenseur.

— Bienvenue, mademoiselle Marshall.

Betsy Taylor était la rédactrice en chef de la section « Style de vie » depuis plus d'une décennie, et sa réputation était presque aussi solide que celle de Josh Martin.

— Bonjour, madame Taylor. Je ne sais pas très bien ce que je fais ici.

Elle le savait très bien, en fait. Josh ne l'avait pas dit, personne ne l'avait dit, mais elle avait enfreint l'une des règles implicites de la maison. Aucun journaliste digne de ce nom ne couchait avec une personne qu'il interviewait.

Le journal pouvait toujours prétendre qu'elle était transférée pour une question de sécurité ; il s'agissait en fait d'une punition pure et simple. Plus vite elle aurait purgé sa peine, plus vite elle reviendrait au vrai journalisme.

Betsy examina le pantalon noir et la chemise à col boutonné d'Abbie.

— Que pensez-vous de la mode ?

— Ce n'est... pas trop mon truc, dit Abbie.

Envoyez-moi dans la jungle ou le désert, mais, par pitié, ne me demandez pas de porter des talons avec le sourire.

— Les potins ? demanda Betsy.

— Du monde politique ? demanda Abbie, pleine d'espoir.

— Non, chérie.

Betsy fit la moue.

— On ne publie qu'un certain type de ragot dans « Style de vie ». Qui couche avec qui, et ce que ces deux-là portaient juste avant leur partie de jambes en l'air.

Abbie essaya de ne pas avoir l'air abattue. Ce travail allait être pire que prévu.

— Bien sûr, étant donné vos relations, vous avez des contacts privilégiés avec beaucoup de personnes importantes. Comme Jack Winter. Voilà un bon sujet. Le beau gosse irlandais qui a réussi dans la vie, mais ne peut pas s'empêcher de flirter avec le danger. J'adore les héros torturés, pas vous ?

Le radar journalistique d'Abbie se mit en marche.

— Quel danger ?

— Le BDSM, bien sûr. Mais on n'a pas réussi à le prendre la main dans le sac. Pas encore. Notre Jack fréquente des personnes aux mœurs très libres. Malheureusement, elles sont toutes très discrètes. Voyez ce que vous pouvez me trouver.

Une assistante à lunettes lui fit un signe de la main.

— Betsy, j'ai Paris en ligne pour vous.

— Hilton ? demanda Betsy.

— Non, la France.

Là-dessus, Betsy disparut, laissant dans son sillage des effluves de Jo Malone.

Qu'est-ce que c'était que cette histoire ? Jack faisait partie du monde BDSM ? Même après ce que Kit lui avait dit, et malgré tout ce qu'elle apprenait sur la domination et la soumission en parcourant le web, elle était encore persuadée que Jack l'avait fessée parce qu'il était submergé par la passion et la peur après l'apparition du jaguar.

Elle détestait imaginer qu'il aimait vraiment ces trucs pervers, qu'elle faisait simplement partie d'une série de femmes auxquelles il avait donné des fessées. Abbie s'aperçut que ce n'était pourtant pas très surprenant. Il était beaucoup trop doué pour les fessées. Il savait exactement ce qu'il faisait. Des années de pratique sur des tas de femmes différentes, sans aucun doute. Cette pensée ne la réconfortait aucunement.

Et si Jack tenait à protéger tous ses petits secrets, il ne voyait aucun mal à l'y mêler et faire d'elle la risée de tous. *Eh bien, je vais vous rendre la monnaie de votre pièce, Mister Hollywood.* Il était temps que les secrets de l'acteur éclatent au grand jour. Une semaine après avoir rencontré Jack Winter, elle avait perdu son fiancé, son travail, et cette affaire avait ruiné sa réputation. Il était urgent de riposter et elle savait exactement comment le faire.

Abbie s'assit à un bureau libre, composa le numéro de Kit et tomba sur son répondeur.

— Kit, j'aimerais que tu me rendes un petit service. Tu m'as dit que tu pouvais me mettre en relation avec quelqu'un au sujet de mon…, euh…, problème, tu te souviens ? Eh bien, j'ai besoin de parler à cette personne le plus rapidement possible.

*

Le bar était bruyant. Abbie laissa tomber son parapluie dans la corbeille en métal à l'entrée et balaya la salle du regard pour voir si Kit était arrivée.

— Abbie.

Une voix l'appela de l'autre côté de la salle. Kit était assise en compagnie d'une autre femme dans une petite alcôve. Le cœur d'Abbie cognait dans sa poitrine. Elle était vraiment sur le point de le faire. De parler à une autre soumise. *À une soumise tout court*, se réprimanda-t-elle. *Tu n'en es pas une.*

— Paloma, voici mon amie Abbie. Abbie, je te présente Paloma.

Paloma surprit beaucoup Abbie. En fait, elle s'était attendue à rencontrer une nymphette à moitié nue, avec un look de star du porno. Paloma avait la trentaine, une silhouette ronde, un sourire chaleureux et un maquillage subtil. Kit s'excusa avant de les laisser seules. Pour une fois, Abbie avait du mal à parler. Qu'allait-elle bien pouvoir lui dire ?

Le sourire de Paloma était compréhensif.

— J'imagine que tout cela est très étrange pour vous ?

— Oui, j'ignore totalement ce que je fais ici. Kit s'est dit que nous devrions nous rencontrer.

La réalité de ce qu'elle était en train de faire la frappa. Il s'agissait d'une personne réelle, pas d'un profil sur un site Internet.

— Il faut bien commencer quelque part.

Paloma rassembla ses cheveux foncés sur son épaule, dévoilant au passage une chaîne en argent avec un petit cadenas richement décoré.

Abbie en avait vu de semblables au cours de ses recherches sur Internet, mais celui-ci avait l'air cher et ancien. Paloma remarqua le regard d'Abbie et toucha son collier.

— Monsieur me l'a offert pour notre troisième anniversaire.

— Oh ! il est joli.

Pour une raison inconnue, elle n'avait pas associé le monde du SM à ce genre d'anniversaire.

— Kit m'a dit que tu voulais discuter avec quelqu'un afin d'explorer ton penchant pour la soumission ?

C'était une façon très directe de définir ses intentions.

— Eh bien, je ne sais pas si je suis vraiment... l'une d'entre vous, mais, oui, je crois qu'on peut parler d'exploration.

Abbie savait que ses paroles étaient trop vagues. Elle avait besoin d'être admise dans le monde de Paloma si elle voulait coincer Jack Winter. Elle devait convaincre Paloma de l'aider.

— Il m'est arrivé quelque chose pendant un voyage d'affaires. J'ai rencontré quelqu'un et nous..., enfin, il m'a fessée.

Abbie retint son souffle, impatiente de voir comment l'autre femme allait réagir.

Paloma eut un léger sourire.

— La fessée peut être une expérience intense. C'était la première fois ?

Abbie acquiesça.

— Je n'arrête pas d'y penser. Je ne sais pas si c'est à cause de lui, ou de ce qu'il m'a fait, et j'ignore totalement comment faire face à mes doutes. Écoutez, je vais être honnête : je suis journaliste. Si cela s'ébruitait..., enfin, ma réputation serait...

Paloma hocha la tête.

— Oui, je vous ai vue aux informations.

Abbie blêmit et se prit la tête entre les mains l'espace d'un instant.

— Mon Dieu, vous savez qui je suis ?

C'était son cauchemar. Que des inconnus sachent qui elle était et se moquent d'elle.

— Pas de problème. La discrétion est l'une des règles d'or de notre communauté. Je ne parlerai pas de vous et vous ne parlerez pas de moi.

Abbie comprit enfin. Elle n'allait pas souvent au théâtre, mais lisait le journal tous les jours.

— Vous êtes Paloma Perez. Vous avez gagné un Tony Award il y a deux ou trois ans.

Paloma acquiesça.

— Motus, d'accord ? Maintenant, je devine qui était cet homme.

Abbie en resta bouche bée. Son visage s'empourpra tant qu'il lui parut en feu.

— Je... Je...

Elle ne trouvait rien à dire. Paloma rit gentiment, lui laissant le temps de se ressaisir. Finalement, Abbie retrouva son sang-froid.

— Oui, mais c'est terminé. Il ne s'intéresse pas à moi.

Elle serra les dents en voyant le sourire entendu de l'autre femme.

— Et il ne m'intéresse pas non plus. Je veux juste en apprendre un peu plus sur ces choses. Peut-être m'inscrire sur quelques sites, aller à des fêtes, vous voyez ?

Mais Paloma secoua la tête.

— Vous seriez comme un agneau au milieu des loups. Vous ne cherchez pas un compagnon, je me trompe ? Vous voulez juste en apprendre un peu plus sur vous-même. Il vous faut un mentor.

Paloma tripota son cadenas en argent tout en réfléchissant.

— En temps normal, mon Dom serait heureux de vous parler. De vous aider à explorer vos limites.

Abbie recula sur son siège.

— Non, ce n'est pas mon truc. Pas de choses bizarres.

Le rire de Paloma emplit la petite alcôve.

— Je voulais dire en ligne, Abbie. Il est très doué. Mais

nous traversons une période difficile en ce moment. Les choses sont un peu fragiles entre nous. Mais je peux vous mettre en relation avec quelqu'un d'autre. Un vieil ami qui a beaucoup d'expérience. Je crois qu'il vous plaira.

— D'accord.

Abbie était incroyablement soulagée. Elle allait pouvoir parler avec quelqu'un et, si elle se montrait assez convaincante, peut-être trouverait-elle Jack ?

— Mais il faut d'abord que je l'appelle. Et vous allez devoir vous choisir un pseudonyme.

— Orchidée sauvage, répondit-elle rapidement.

Ce nom lui parut idiot en le prononçant, mais Abbie voulait se réapproprier la fleur qui avait fini par l'effrayer. L'orchidée lui rappelait le Honduras, la jungle et les fleurs exotiques, mais surtout Jack. Abbie chassa cette pensée.

— Très bien, dit Paloma. Je vais parler à mon ami et je vous enverrai un e-mail ce soir.

*

— Allez, Jack, viens prendre un verre. T'es pas marrant depuis qu'on est rentrés du Honduras.

Kevin hissa son sac de sport sur son épaule, afin de pouvoir envoyer un coup de poing dans les côtes de Jack.

Jack recula rapidement.

— Est-ce que tu es maso ? Tu es en train de frapper un homme qui vient de faire deux heures de combat libre ? Tu vas te faire casser les dents.

Kevin ignora cette remarque pas très subtile et descendit l'escalier.

— Tu n'étais pas le seul à t'entraîner là-dedans. Je sais très bien me défendre avec les pieds.

Jack le suivit dans la rue après avoir vérifié qu'aucun paparazzi ne s'y trouvait. Visiblement, c'était son jour de chance.

— Tu n'as pas dû beaucoup t'entraîner si tu as encore de l'énergie pour te battre.

Par prudence, il rabattit la capuche de son sweat-shirt sur ses cheveux mouillés.

— Certains d'entre nous parviennent à garder la forme sans avoir besoin de faire des centaines d'abdos, tu sais.

— Et moi, je ne serai pas payé si je n'ai pas un physique impeccable.

Kev pouvait très bien se contenter d'un entraînement de temps en temps. Il voulait juste rester en forme et n'avait pas besoin de trouver une salle de sport qui n'irait pas prévenir les médias de sa présence ou ne laisserait pas des journalistes le suivre jusque dans le sauna ou sous la douche. C'est ainsi qu'avaient commencé les rumeurs selon lesquelles Jack était un vrai fouteur de merde. Franchement, il mettait quiconque au défi de rester calmement sous la douche pendant qu'un petit avorton photographiait ses bijoux de famille. Jack sourit. Au moins, l'angle lui avait été favorable. Maintenant, on disait de lui qu'il était monté comme un cheval. Cette salle de sport se spécialisait en arts martiaux, n'avait pas de sauna, et les douches y étaient encore équipées de ces pommes merdiques fixées au mur qui ne se faisaient plus depuis vingt ans. Mais le poids des haltères allait jusqu'à cinquante kilos, il y avait trois cages de musculation et les entraîneurs étaient impitoyables. Jack boitait après sa séance et serait couvert de bleus le lendemain.

Il se demanda si Abbie avait eu des bleus après ses fessées. Il aurait peut-être dû lui dire d'acheter de l'arnica. Putain, mais pourquoi ses pensées le ramenaient-elles toujours à Abbie Marshall, même quand il songeait à ses gros entraîneurs suants et à ses baskets miteuses ? Il avait vraiment besoin de baiser, et, pour le moment, c'était le néant de ce côté-là.

— Tu as raison, Kev, déclara-t-il. Il est temps que je sorte prendre un verre.

Une heure plus tard, Kev et lui étaient planqués dans un bar irlandais de la Troisième Avenue. Ils s'installèrent à une table près de la cheminée et choisirent deux plats. Kev commanda des Guinness pour tous deux. Ce n'était pas la boisson préférée de Jack, mais il n'eut pas le courage de protester.

Il essaya de se rappeler la dernière fois qu'il avait bu un verre, mais en vain. Il avait pris un sacré retard.

— Alors, c'est quoi cette histoire entre Abbie et toi ?

Jack s'étrangla en avalant une bouchée du plat du jour, un hachis Parmentier à l'irlandaise, et Kev lui donna une tape dans le dos avec une certaine dose d'enthousiasme.

— Il n'y a pas d'histoire. Nous ne nous sommes pas vus ni parlé depuis notre retour de la jungle.

— Ouais, j'ai remarqué que tu étais occupé. À te faire Kym Kardell. Certains mecs ont vraiment trop de chance.

— Bon sang, si tu devais passer dix minutes avec cette femme, tu t'enfoncerais des cure-dents dans les oreilles plutôt que de l'écouter parler. Ce n'est pas un hasard si elle n'obtient que des rôles quasiment muets.

— Oh ! arrête ! T'as vu ses nibards ? Avec des seins pareils, qu'est-ce que ça peut faire si elle parle trop ?

— Et je peux te dire au *cent* près combien ils lui ont coûté, combien de temps a duré sa convalescence et à combien ils sont assurés. Crois-moi, il vaut mieux travailler avec Kym Kardell que coucher avec elle.

— Rien à voir avec Abbie, hein ?

Et voilà qu'ils reparlaient d'Abbie, la seule personne à laquelle il ne voulait pas penser.

— Abbie est journaliste. Et tu sais ce que je pense de la presse.

Jack prit son verre et but une gorgée de bière.

— Dans ce cas, tu ne verras aucun inconvénient à ce que je tente ma chance ?

Kev engouffra un morceau de Parmentier dans sa bouche et mâcha. Jack lui aurait bien enfoncé sa fourchette dans un autre endroit.

— Elle est fiancée, tu te souviens ? Abbie nous le rappelait chaque fois que nous lui adressions la parole dans la jungle.

Jack était conscient de parler comme ces professeurs qu'il avait toujours détestés, mais il ne pouvait pas s'en empêcher. Il ne supportait pas d'imaginer Kev en train de draguer Abbie.

— Non, elle ne l'est plus. Tu n'es pas au courant ? Elle a rompu avec Machinchouette. Alors, maintenant, c'est une femme libre.

Le cœur de Jack fit un bond, mais il s'efforça de l'ignorer. Cela n'avait rien à voir avec lui.

— Et je vais tenter ma chance.

— Laisse-la tranquille, lui ordonna Jack sans pouvoir s'en empêcher.

Kev l'observait d'un air entendu.

— Pourquoi ? Elle est super canon, cette fille. Ses seins sont vrais, et ils sont très jolis aussi. C'était une excellente idée de lui faire retirer son soutien-gorge, au fait.

— Laisse-la tranquille, répéta Jack.

— Désolé, mon pote. Elle est disponible, sexy, et tu as merdé avec elle.

Plus tard, Jack ne sut pas très bien expliquer ce qui s'était passé ensuite. Il attribuait sa soudaine agressivité à l'entraînement intensif qu'il venait de terminer, à sa trop grande consommation d'alcool à jeun et au comportement très agaçant de Kev. Jack envoya un coup de poing à Kev. Un gros. Kev fut éjecté de sa chaise et traversa la pièce sur le dos au milieu de la sciure. Puis, il se ressaisit et se jeta sur Jack.

La police arriva au moment où le personnel du bar réussit enfin à les séparer, et tous deux furent arrêtés. Zeke vint payer la caution de Jack pour le faire sortir de prison. L'acteur ne fut pas surpris de devoir braver une foule de paparazzis et de caméras de télévision pour sortir du commissariat. L'arrestation d'une célébrité était toujours un événement, surtout lorsque cette star venait de tabasser son meilleur ami et de saccager un bar. Le seul point positif, c'est que personne ne leur avait demandé jusque-là ce qui avait déclenché la bagarre : deux Irlandais qui se battaient dans un bar, cela n'avait rien de très anormal. Il faisait déjà nuit quand Zeke vint le chercher et, dès sa sortie, Jack fut aveuglé par les flashs des appareils. D'un air renfrogné, il leva le bras pour se cacher les yeux. Bon sang, il détestait vraiment sa vie parfois. Ce qu'il aimait par-dessus tout, c'était jouer, pas faire les choux gras des médias. Une caméra lui heurta le visage. Jack jura et l'arracha des mains du caméraman. Le propriétaire protesta, indigné.

— Hé ! c'est une Hasselblad toute neuve. Vous savez combien ça coûte ?

— Allez-y, intentez-moi un procès.

Jack en avait marre de tout ça. Il se tourna vers Zeke.

— Sors-moi de là.

Un peu plus tard, ils arrivèrent non pas devant le minuscule appartement de Jack, mais devant la belle demeure new-yorkaise de Zeke, dans le nord de l'État. Le portail électronique, le système de sécurité ultramoderne, le terrain de dix acres et la façade à colonnes contrastaient de façon spectaculaire avec les petites rues animées du quartier.

— C'est une charmante maison que tu as là, dit Jack. Elle sera encore plus jolie quand tu l'auras retapée.

Zeke le dévisagea sans comprendre. Jack soupira. Il oubliait parfois que les gens d'ici ne comprenaient rien à l'humour irlandais. Un majordome leur ouvrit la porte. Il s'inclina.

— C'est un plaisir de vous revoir, monsieur Bryan.

Jack, lui, eut à peine droit à un signe de tête. Il était dans un sale état après la bagarre dans le bar et son passage en cellule.

— Du café. Et j'en veux des litres, ordonna Zeke.

Pensait-il que Jack était toujours ivre ? L'agent le fit ensuite entrer dans une bibliothèque dix-neuvième siècle admirablement imitée. Jack était prêt à parier que Zeke n'avait pas lu un seul de ces livres.

Zeke ne dit pas un mot jusqu'à ce qu'ils soient tous deux assis devant une tasse de café. Soudain, il se mit à hurler.

— Est-ce que tu as perdu la tête ? Tu te fous vraiment de ta carrière ? Tu préfères gagner ta vie en faisant le larbin dans un restaurant ? En tout cas, si tu continues comme ça, c'est exactement ce qui t'attend.

Jack posa sa tasse.

— C'était juste une petite bagarre. Rien de grave. Je vais payer les dégâts.

Zeke fit un geste dédaigneux.

— C'est déjà fait. On s'en fiche, des chaises cassées. Non, ce qui m'exaspère, c'est que tu passes ton temps à essayer de foutre en l'air ta réputation.

— C'était une dispute, Zeke. Tout le monde s'en moquerait si je n'étais pas Jack Winter.

— Eh bien, tu es Jack Winter. Et j'ai entendu dire que tu étais impliqué dans d'autres histoires.

L'agent marqua une pause. Rien ne semblait pouvoir embarrasser Zeke d'habitude.

— Des histoires bizarres.

Jack but une gorgée de café.

— Quelles histoires bizarres ?

— Tu sais. Des trucs pervers. Des fessées.

Jack faillit éclater de rire. Zeke avait lui-même participé au casting de quelques films très tordus, pleins de meurtres atroces extrêmement inventifs. Et il prononçait « fessées » en bégayant ! Encore heureux qu'il n'ait pas découvert le reste.

— On va pas en faire un drame.

— Bien sûr que si, Jack. Le remake de *The African Queen* est en cours de production. Tu fais partie des favoris pour le premier rôle, mais tu pourras faire une croix dessus si la production apprend tes conneries. Ce film est destiné à un public familial. Il faut que tu te comportes correctement.

Heureusement que Jack était assis. *The African Queen.* L'un des plus grands rôles de l'histoire du cinéma. Ce serait enfin l'occasion pour lui de jouer autre chose que les beaux mecs aux gros muscles. S'il décrochait ce rôle, tout le monde devrait le prendre au sérieux. Il attendait cette opportunité depuis le jour où il était arrivé à Hollywood.

— D'accord, Zeke. Qu'est-ce que je dois faire pour l'avoir ?

— Reste sobre. Ne va nulle part, ne parle à personne et évite les problèmes. Mène une vie de moine.

Jack était prêt à tout accepter pour avoir la chance d'interpréter Charlie dans *The African Queen.* Il hocha la tête. Sa vie allait être aussi paisible que celle d'un moine.

DOUZE

Jack regarda l'écran de son smartphone. Trois appels en absence de Paloma. C'était bizarre. Il lui était peut-être arrivé quelque chose. Jack la rappela, et elle décrocha dès la première sonnerie.

— Est-ce que tout va bien ?

Le ton pressant de Jack sembla la surprendre.

— Oui, bien sûr.

— Tu m'as appelé trois fois. J'étais inquiet.

— Pardon, monsieur.

Il perçut une pointe de remords dans sa voix.

— Je ne suis plus ton Dom.

— Une vieille habitude, tu sais bien. D'ailleurs, tu étais bien plus strict que Tomas.

Jack eut envie de sourire, mais garda un ton sévère.

— Je vais le redevenir si tu ne me dis pas pourquoi tu m'as appelé. Je peux encore te mettre au coin.

— Beurk. Je déteste ça. J'espère que tu n'es pas fâché. L'amie d'une amie vient de découvrir qu'elle était soumise et ça la perturbe. Je lui ai dit de te parler.

— Paloma…

Comment lui dire que ce n'était vraiment pas le moment ?

— Après tout, c'est toi qui as provoqué tout ça.

— Quoi ?

Le cerveau de Jack cessa de fonctionner. Il était impossible que ce soit Abbie. Elle avait pété les plombs quand il l'avait fessée.

— Tu es sûre ? demanda-t-il.

Il perçut son amusement.

— Arrête, Jack. Combien de filles as-tu fessées dans la jungle ? Elle n'arrête pas d'y penser. Elle a besoin d'explorer ses penchants, de découvrir qui elle est.

— C'est une erreur. Abbie Marshall est purement vanille.

Oui, même si elle avait hurlé de jouissance quand il l'avait fessée.

Il y eut un silence pendant que Paloma réfléchissait.

— Je ne crois pas. Mais si tu ne veux pas t'en occuper, je lui trouverai un autre mentor.

— Non !

Le mot s'échappa de sa bouche avant que Jack ait eu le temps de réfléchir. Étant donné le nombre de soumises que comptait New York, comment était-il possible qu'Abbie se soit adressée à Paloma ?

— Personne d'autre ne doit l'approcher. Elle est comme Alice au pays des merveilles : elle se met sans cesse dans le pétrin. Je préfère ne pas imaginer avec qui elle finirait. Si je m'en occupe, je pourrai au moins garder un œil sur elle et m'assurer qu'elle va bien.

Paloma rit.

— Je le savais. Tu n'arrêtais pas de parler de la jungle l'autre soir. Le pseudonyme d'Abbie est Orchidée sauvage. Je ne lui ai pas dit qui tu étais. Elle attend le message d'un Dominant ce soir à vingt-deux heures. Si tu ne veux pas le faire, je trouverai quelqu'un d'autre.

— Hors de question. Je vais la contacter et lui flanquer la trouille de sa vie. Et, Paloma, je te jure, si tu étais là, je t'allongerais sur la table et je te donnerais une bonne fessée.

Elle rit.

— Des promesses, toujours des promesses, conclut-elle avant de raccrocher.

*

Abbie referma brusquement la couverture de son Kindle et jeta un œil à sa montre. Il était encore trop tôt. Dans une heure, elle devrait se connecter à son compte et parler de sexe avec un parfait étranger. Dans quoi s'était-elle laissé embarquer ? Abbie ne s'était pas attendue à ce que Paloma lui envoie un message aussi rapidement. Elle pensait qu'on ne la contacterait pas avant des semaines.

Elle trottina jusqu'à la cuisine et ouvrit une bouteille de vin. Elle allait avoir besoin d'alcool pour se donner du courage, mais juste un petit peu : elle devenait beaucoup trop franche quand elle avait bu. Il suffisait de voir ce qui s'était passé le soir où elle avait parlé à Kit.

Abbie se connecta à sa messagerie Yahoo. Trois onglets s'ouvrirent aussitôt et des messages s'affichèrent. Abbie faillit refermer son ordinateur.

— Idiote, ce sont probablement des spams.

Elle y jeta un œil. Pas de « Contrôleur ». Juste de la publicité pour des jeux vidéo. Abbie ne savait pas si elle devait être soulagée. Encore trois quarts d'heure à attendre. Elle allait prendre un bain. Cela lui permettrait de se détendre et, à son retour, elle discuterait avec lui.

Abbie aurait aimé avoir plus de temps pour s'entretenir avec Paloma. Qu'allait-elle dire à cet homme ? S'attendrait-il à ce qu'elle l'appelle « monsieur » ? Hors de question, elle n'appellerait jamais ainsi un parfait étranger.

Après son bain, elle enfila un pyjama et une robe de chambre. Il était vingt-deux heures quinze à sa montre. Parfait, elle ne voulait pas paraître trop pressée. Abbie se connecta. Toujours aucun message de lui. Elle prit une profonde inspiration.

— C'est parti.

<Orchidée sauvage : Salut.>

<Contrôleur : Tu es en retard.>

Oh ! bon sang, il était là. Et il avait l'air énervé. Qu'allait-elle faire ? *Cesse d'être aussi stupide et parle-lui, Abbie. Ce n'est pas comme s'il pouvait te voir.* Elle posa les doigts sur le clavier et commença à taper.

<Orchidée sauvage : Je suis désolée.>

<Contrôleur : Pourquoi es-tu là ?>

<Orchidée sauvage : À vous de me le dire.>

Abbie tendit la main vers son verre de vin. C'était une réponse insolente et puérile. Elle tapota à nouveau sur son clavier.

<Orchidée sauvage : Désolée, ce n'est pas ce que je voulais dire. J'ai discuté avec Paloma et elle m'a dit que vous seriez sans doute capable de m'aider.>

<Contrôleur : Paloma est une femme perspicace. Qu'attends-tu de moi ?>

Abbie but une gorgée de vin. Elle aurait dû mieux se préparer. Qu'attendait-elle de lui ? Pas ce type de comportement. Pas des questions brutales et muettes venues du fin fond du cyberespace.

<Orchidée sauvage : Je ne sais pas très bien. Je n'ai encore jamais fait ce genre de chose.>

<Contrôleur : Ce genre de chose ?>

<Orchidée sauvage : Vous savez bien.>

<Contrôleur : Non, c'est à toi de me le dire.>

Abbie décelait presque du mépris dans ses paroles. Il devait la prendre pour une idiote. Elle prit une profonde inspiration.

<Orchidée sauvage : Le BDSM. Bon, j'ai rencontré un mec. Appelons-le Kevin. La situation a un peu dégénéré entre nous. Beaucoup, même.>

*

Jack recracha tout son café sur l'écran de son ordinateur. Kev ? Elle ne voulait quand même pas dire que Kev et elle… ? Non, non, non, c'était n'importe quoi. Il essuya son écran et essaya de se calmer avant de lui répondre.

<Contrôleur : Kevin ? C'est un nom peu commun.>

Bon sang, s'il s'agissait vraiment de Kev O'Malley, il allait lui faire la peau.

<Orchidée sauvage : Oui, il est irlandais.>

C'était Kev. Abbie allait se faire botter les fesses. Comment osait-elle sortir avec Kev ? Jack se remémora leur séjour dans la jungle. Abbie et Kev ne lui semblaient pas avoir passé assez de temps ensemble pour vivre une histoire sérieuse, mais il ne voulait même pas qu'elle pense à Kev de cette façon. Il se remit à écrire.

<Contrôleur : Parle-moi de lui.>

Jack crut qu'il allait devenir fou en attendant sa réponse. Comme pour le tourmenter, il y eut un long silence, et il se demanda ce qu'elle avait à dire. Il se remit à taper.

<Contrôleur : L'un des principes de toute relation Dominant/soumis est l'honnêteté. Ne me mens pas, même par omission.>

<Orchidée sauvage : Merde, il le faut vraiment ?>

<Contrôleur : J'attends de toi certaines choses. Quand tu t'adresses à moi, n'utilise pas de mots inconvenants. Je te prie de retirer le mot « merde » de ton vocabulaire.>

Il détestait ce mot, honnêtement. Mais, le plus important, c'est que ce tout petit détail leur indiquerait si elle était vraiment prête à se soumettre.

<Contrôleur : Ensuite, nous parlerons de la raison de ta présence ici.>

<Orchidée sauvage : Mer…, enfin, pardon.>

Jack eut envie de lever le poing en signe de victoire. *Oh oui, douce Abbie, tu seras bientôt à moi.*

<Contrôleur : Bonne petite.>

<Orchidée sauvage : J'aimerais savoir si ce qui m'est arrivé est dû à cet homme ou à ce qu'il m'a fait.>

<Contrôleur : Que s'est-il passé ?>

<Orchidée sauvage : Il m'a donné une fessée.>

Orchidée sauvage est en train d'écrire s'afficha sur l'écran.

<Orchidée sauvage : Et j'ai aimé ça.>

Bingo ! Jack savait qu'elle avait joui, qu'elle avait rêvé d'atteindre l'orgasme sous sa main, mais il s'était demandé si elle l'admettrait. Était-il possible qu'Abbie soit sérieuse, qu'elle ne soit pas seulement à la recherche d'un bon sujet d'enquête ? Elle savait certainement qu'il pouvait sauvegarder ce dialogue. En fait, il allait le faire, juste par précaution, au cas où elle ne résisterait pas à la tentation d'écrire quelque chose sur lui. Il pourrait faire en sorte qu'elle souffre autant que lui. Que devait-il demander maintenant ? Il ne pouvait tout de même pas lui dire qu'il avait vécu la scène.

<Contrôleur : Est-ce que c'était une fessée en bonne et due forme ?>

<Orchidée sauvage : Je ne sais pas ce que ça veut dire.>

<Contrôleur : SLG ?>

<Orchidée sauvage : Qu'est-ce que ça signifie ?>

Abbie était donc vraiment vierge en matière de BDSM.

<Contrôleur : Sur le genou.>

Sa façon préférée. Certaines femmes n'aimaient pas, mais, aux yeux de Jack, rien ne pouvait rivaliser avec l'intimité d'une bonne vieille fessée sur le genou.

<Orchidée sauvage : Oui, c'en était une. SLG, lol.>

<Contrôleur : Si tu es une soumise, tu entendras souvent ce terme.>

<Orchidée sauvage : Je ne suis pas sûre d'en être une. C'est ce que j'essaie de découvrir.>

<Contrôleur : Qu'est-ce qui te fait penser que tu pourrais être une soumise ? Ou ne pas l'être ?>

Jack était impatient de voir ce qu'elle allait répondre. Il avait repéré quelques signes subtils et était presque sûr qu'Abbie en était une, mais il se demanda à quel point elle se connaissait. Et si elle le lui dirait.

<Orchidée sauvage : Oh ! plusieurs choses. J'exerce un métier difficile. Je suis autoritaire, j'ai un avis sur tout et, d'après ma sœur Miffy, je suis trop indépendante. Ce n'est pas vraiment ce qui caractérise une soumise, hein ?>

<Contrôeur : Eh bien, si. Les meilleures soumises sont intelligentes, compétentes et sûres d'elles.>

<Orchidée sauvage : Oh ! Je pensais qu'elles portaient un collier et obéissaient aux ordres. Mais est-ce que « soumise »

ne veut pas dire « faible » ? Se laisser dominer ? Je ne crois pas que je pourrais le faire.>

Jack sourit. Si quelqu'un essayait de dominer Abbie au travail ou à la maison, il devait prendre un sacré savon. Pourtant, il voulait qu'elle se soumette à lui. Son sexe se durcit à cette pensée.

<Contrôleur : Aucun Dom ne voudrait d'un paillasson. Il s'agit de vivre une relation à deux. Un Dominant fort a besoin d'une soumise forte. La soumission à un Dominant est un choix, c'est une question de confiance, pas un signe de faiblesse.>

<Orchidée sauvage : Oh !>

<Contrôleur : Surprise ?>

<Orchidée sauvage : Oui, très. Cette idée me met toujours mal à l'aise. Mais je crois que j'ai besoin d'approfondir la question.>

Jack imagina Abbie explorant son côté soumis, et son sexe se durcit encore plus.

Il s'agita sur sa chaise en bois inconfortable. Heureusement qu'il n'y avait personne dans l'appartement pour le voir bander tout en tapant sur son clavier.

<Contrôleur : Est-ce que cette fessée t'a excitée ?>

<Orchidée sauvage : Ça ne vous rega...>

Orchidée sauvage est en train d'écrire.

<Orchidée sauvage : Oui.>

<Contrôleur : Bonne petite. >

Jack était vraiment fier d'elle. C'était une chose difficile à admettre.

<Contrôleur : Pas facile d'être honnête, hein ?>

<Orchidée sauvage : En effet.>

<Contrôleur : On ne peut pas vivre dans le mensonge et être heureux. Il faut assumer sa propre personnalité.>

<Orchidée sauvage : Mais comment faire ? Beaucoup de gens dépendent de moi. Je ne peux pas changer du jour au lendemain.>

<Contrôleur : Qui dépend de toi ?>

Dans la jungle, Abbie n'avait évoqué personne à part l'illustre William Tocard, et seul ce blaireau était venu l'accueillir à Miami.

<Orchidée sauvage : Ma famille : mon père, Miffy et ses filles. Je suis une personne forte ; ils comptent sur moi.>

<Contrôleur : Quel âge as-tu ?>

<Orchidée sauvage : Vingt-sept ans.>

Elle paraissait un peu plus jeune, mais avait assez d'assurance dans ses manières pour que ce soit plausible.

<Orchidée sauvage : Et puis, il y a mon travail. Je rentre juste d'Amérique centrale. Est-ce que Paloma vous a dit que j'étais journaliste ? Je traite les sujets forts et l'actualité internationale. J'ai même interviewé le président au sujet de sa politique étrangère.>

Curieusement, Jack ne s'était pas attendu à ce qu'elle avoue sa profession. Il était imprudent de révéler des informations aussi personnelles à un inconnu.

Si Jack n'avait pas connu son nom, il aurait eu suffisamment de renseignements pour pouvoir la retrouver. Abbie méritait vraiment une fessée. Mais d'abord...

<Contrôleur : Tu es journaliste ? Est-ce que c'est pour un reportage ?>

<Orchidée sauvage : Non, non, non, non. Rien à voir, vraiment. Je ne peux parler de ça à personne d'autre et je ne sais pas quoi faire. Je n'ai pas envie de ressentir ces choses.>

<Contrôleur : Pourquoi ?>

*

La question resta en suspens sur l'écran. Les mots clignotaient devant ses yeux. La grande question. Était-ce à cause de Jack ? Avait-il provoqué ce changement en elle ? Ou bien Kit avait-elle raison ? Peut-être qu'elle avait vraiment un penchant pour la soumission. Comment avait-elle pu vivre vingt-sept ans sans le savoir ?

Abbie repensa soudain aux sites les plus effrayants qu'elle avait vus sur Internet. Colliers, fouets, cordes, tenues de cuir. Ce n'était absolument pas son truc. Elle avala une gorgée de vin. *Note pour plus tard : ne plus jamais acheter de boissons alcoolisées.* La question clignotait sur l'écran. Il attendait toujours sa réponse.

<Orchidée sauvage : Parce que j'ignore si je pourrais ressentir la même chose avec quelqu'un d'autre.>

Rien ne se passa. Abbie contemplait sa réponse, et ces mots semblaient se moquer d'elle. Peut-être qu'elle perdait son temps. Peut-être qu'il était parti. Un message apparut en bas de son écran : *Contrôleur est en train d'écrire.*

<Contrôleur : Dis-moi ce que tu ressens pour lui.>

Abbie n'avait jamais été aussi soulagée de voir apparaître une réponse. Elle appuya les coudes sur la table et posa le menton dans le creux de ses mains. Qu'allait-elle lui dire ? *La vérité, Abbie. Dis-lui simplement la vérité.*

<Orchidée sauvage : Vous risquez de vous moquer de moi, mais je pense à lui tout le temps. Je sais que c'est stupide et je ne dirais ces choses à personne d'autre. Ça me ressemble si peu. J'ai même rompu avec William, mon fiancé.>

<Contrôleur : Pourquoi ?>

<Orchidée sauvage : Parce que j'avais passé plusieurs nuits avec Kevin.>

Oups. Écrit de cette façon sur l'écran, c'était horrible. On aurait dit qu'elle était une sorte de cybersalope qui passait son temps à coucher avec des types au hasard. Bon, il valait mieux clarifier les choses. Abbie était sur le point de développer sa réponse lorsqu'une phrase apparut.

<Contrôleur : Alors que tu étais fiancée avec William ?>

Abbie tapa rageusement sur son clavier.

<Orchidée sauvage : Oui. Enfin, j'ai dormi avec lui. Je voulais dire dormir, pas… vous savez quoi.>

<Contrôleur : Est-ce que tu veux dire que tu n'as pas couché avec lui ?>

<Orchidée sauvage : Je ne l'ai pas fait, mais j'en ai eu envie.>

<Contrôleur : Parle-moi de Kevin.>

<Orchidée sauvage : Je ne peux pas vous dire grand-chose, parce qu'il est célèbre, et je n'aimerais pas trahir sa confiance. Enfin, bref, ce n'est pas mon type d'homme habituel. En gros, c'est un emmerdeur. Mais je l'aimais bien. Avec lui, je me sentais en sécurité et je n'ai pas l'habitude de pouvoir m'appuyer sur quelqu'un. Est-ce que ça vous paraît bizarre ?>

<Contrôleur : Non, ça ressemble à une relation D/s. Est-ce que ça t'a plu ?>

<Orchidée sauvage : En quelque sorte. Enfin, peut-être pas au début : il était trop dominateur. Il voulait tout faire à sa façon.>

<Contrôleur : Comme tout Dom qui se respecte.>

<Orchidée sauvage : Ce n'était pas une relation D/s.>

<Contrôleur : Il s'est occupé de toi, t'a protégée et t'a fessée quand c'était nécessaire. Pour moi, il s'agit bel et bien d'une relation.>

Une relation. Abbie contempla le mot sur l'écran. Ce n'en était pas une. Jack était Dieu sait où, certainement en compagnie d'une magnifique starlette, et elle se retrouvait en train de discuter avec un parfait inconnu dans l'espoir de reprendre le cours normal de sa vie.

<Orchidée sauvage : Ce n'est pas ce que je voulais dire. En fait, il ne fait plus partie de ma vie maintenant.>

<Contrôleur : Pourquoi ?>

<Orchidée sauvage : Il est Hollywood. Je suis New York. Aucune relation ne semblait possible. C'était une aventure ponctuelle. Il m'a sans doute totalement oubliée.>

Contrôleur est en train d'écrire.

<Contrôleur : Parle-moi de William.>

<Orchidée sauvage : Nous nous sommes rencontrés quand nous avions quatre ans. Nos mères jouaient au bridge ensemble. Enfin, bref, j'étais plus réservée que Miffy, mais ça ne semblait pas avoir d'importance. William et moi finissions

toujours ensemble. Le bac, l'université, toutes ces fêtes. Le fait de nous fiancer semblait aller de soi. C'était ce que nos familles attendaient.>

<Contrôleur : Est-ce que tu aimais faire l'amour avec lui ?>

Quoi ? Comment pouvait-il lui demander cela ? Kit elle-même ne lui posait jamais de questions de ce genre. Abbie s'adossa au canapé. Une minute s'écoula. Il n'avait pas le droit de lui demander des choses pareilles. Il était temps de mettre les points sur les i.

<Orchidée sauvage : C'est une question vraiment ignoble.>

<Contrôleur : Elle est pertinente.>

<Orchidée sauvage : Le sexe ne fait pas tout, vous savez. Certains couples peuvent vivre très heureux sans relations sexuelles.>

<Contrôleur : Absolument. Mais pas lorsqu'ils souhaitent se marier, avoir des enfants et dormir ensemble toutes les nuits. Alors, parle-moi de tes rapports sexuels avec William.>

<Orchidée sauvage : Vous êtes tellement… Je n'arrive même pas à trouver le mot.>

<Contrôleur : Lol.>

<Orchidée sauvage : Avez-vous oublié que je vous connais depuis seulement cinquante-six minutes ?>

<Contrôleur : Et alors ?>

Et alors ? La colère d'Abbie montait. Ce type était presque aussi agaçant que Jack. Elle refusait de répondre à cette question.

Contrôleur est en train d'écrire.

<Contrôleur : Est-ce que les choses seront différentes dans soixante minutes ? Parle-moi de tes rapports sexuels avec William.>

<Orchidée sauvage : Il n'y a pas grand-chose à dire. Non pas que nous n'en avions jamais, mais, vous voyez, ce n'était pas la partie la plus importante de notre relation. William était gentil, il était tendre. Il disait qu'il ne fallait pas faire une fixation sur le sexe.>

<Contrôleur : Tu as dit que tu étais autoritaire, indépendante et que tu avais un avis sur tout. Comment est-ce que ça pouvait coller avec le gentil, le tendre William ?>

Abbie se mordit les lèvres. Décrite ainsi, leur relation semblait pathétique. Elle était consciente d'avoir ces défauts, mais n'avait pas l'impression d'avoir mené William à la baguette. Enfin, pas tout le temps. Ses doigts tapèrent à toute vitesse sur le clavier.

<Orchidée sauvage : C'est vraiment méchant.>

<Contrôleur : Il ne s'agit pas d'être sympa ou méchant. Il s'agit de découvrir la vérité. Qui est Orchidée sauvage ?>

<Orchidée sauvage : Orchidée sauvage, c'est moi. Une partie de moi. La partie de moi que j'ai laissée au Honduras. Je crois que j'ai besoin d'en rester là pour ce soir.>

<Contrôleur : Bonne nuit. Je t'attends en ligne demain à vingt-deux heures. Ne sois pas en retard.>

<Orchidée sauvage : OK.>

<Contrôleur : Bonne petite.>

Abbie fut tentée de répondre sèchement à son « Bonne petite ». Cet homme était presque aussi insupportable que Jack. Mais c'était trop tard ; il s'était déjà déconnecté. Abbie relut les dernières lignes de leur conversation. Comment un étranger pouvait-il lui faire cela ? L'amener à s'ouvrir à lui comme elle ne parvenait à le faire avec personne d'autre ? Était-ce le fait de discuter en ligne ? Peut-être qu'elle ressentait une certaine sécurité dans cet éloignement. Abbie ne savait pas où se trouvait cet homme, et tous deux ne se rencontreraient probablement jamais.

TREIZE

Le téléphone portable d'Abbie se mit à sonner alors qu'elle entrait dans le café. Elle sortit l'appareil de son sac. C'était le mauvais. Elle finit par trouver l'autre et jeta un coup d'œil sur l'écran. C'était à nouveau Betsy. Elle eut soudain envie d'arracher la batterie du portable et de l'écraser sous le talon aiguille de sa chaussure. Même dans ses pires moments, Josh Martin n'était pas aussi exigeant que la reine de la section « Style de vie ». Abbie laissa le portable sonner en attendant que Betsy tombe sur sa messagerie. Pas étonnant que cette femme s'habille en 34. Elle ne prenait jamais de pause déjeuner. Kit lui fit signe depuis leur table habituelle. Abbie s'écroula sur la chaise en face d'elle.

— Tu sais quoi, ma vie était plus facile dans la jungle. Tu as déjà commandé ?

— Oui, deux plats du jour végétariens.

Abbie fit la grimace. Kit était une obsédée de la diététique.

— Alors ?

Kit prit la carafe et leur versa deux verres d'eau.

— Comment trouves-tu le cyberespace ? Tu es déjà en contact avec l'ami de Paloma ?

Abbie fut soulagée de voir le serveur arriver avec deux salades multicolores. Elle n'était pas très sûre d'avoir envie d'en parler.

— Tu te renfermes encore dans ta coquille.

— Mais non. Je suis juste… Comment tu dirais ça ? J'essaie de mieux me comprendre.

— Et ?

Abbie posa son couteau et sa fourchette sur son assiette.

— Je ne vais pas m'en tirer aussi facilement, hein ?

Kit inclina la tête et sourit.

— Aucune chance. Dis-moi ce qui t'arrive.

Elle piqua dans un morceau de tofu.

— J'ai pris contact avec lui.

— Lui qui ?

Abbie se pencha en avant.

— Son nom est Contrôleur.

Kit émit un grognement tout à fait disgracieux.

— Désolée. Je ne voulais pas me moquer, mais quand je pense à ta fessée, enfin, je…

Abbie sentit son cou s'empourprer.

— Et si tu montais sur ta chaise pour le crier à tout le monde ? Je crois que la fille de la caisse ne t'a pas entendue.

— Ne sois pas aussi susceptible, Abbie. C'était une plaisanterie. Bon, parle-moi de C.

Abbie éparpilla sa salade autour de son assiette.

— Il est très exigeant. Je dois dire la vérité. Je ne dois pas prononcer de gros mots et il veut qu'on parle de ma vie sexuelle avec William.

— C'est tout ?

— Que veux-tu dire, c'est tout ? Je n'ai même pas parlé de ces choses avec toi.

— C'est peut-être plus facile de le faire avec une personne virtuelle. Ce qui compte, c'est que tu parles à quelqu'un.

*

Abbie eut l'occasion de se changer les idées grâce à sa réunion avec Betsy et toute l'équipe, mais, en fin d'après-midi, elle redevint pensive. Elle s'enveloppa dans son manteau et sortit du bureau.

Malgré le ciel menaçant, elle décida de rentrer chez elle à pied. Cela l'aiderait à se débarrasser de ses idées perturbantes.

Kit était contente qu'elle parle à quelqu'un. Mais Abbie n'était pas si sûre que ce soit une bonne chose.

C'était comme un bélier, il essayait d'enfoncer sa carapace, et Abbie ne savait pas très bien si elle avait envie que quelqu'un furète dans sa tête.

Elle s'arrêta chez le traiteur du coin et acheta un calzone pour le dîner. Elle mangea devant la télévision et essaya de tuer le temps en attendant de pouvoir se connecter.

<Orchidée sauvage : Salut.>

Il répondit presque immédiatement.

<Contrôleur : Comment vas-tu ce soir ?>

<Orchidée sauvage : Je vais bien. J'ai eu beaucoup de boulot. Je dois apprendre un nouveau travail.>

<Contrôleur : Et comment te sens-tu après notre conversation d'hier ?>

Eh non, la bonne vieille tactique du *j'essaie de te distraire en te parlant de mon nouveau travail* n'avait pas marché avec lui. Elle devait à nouveau parler de ses sentiments.

<Orchidée sauvage : Un peu perdue, je suppose. Je ne peux pas croire que je vous aie raconté toutes ces choses. J'ai eu quelques frissons d'horreur en allant boire à la fontaine aujourd'hui.>

<Contrôleur : Mais tu es revenue ce soir. Alors, qu'est-ce qui a provoqué ces frissons d'horreur ?>

Par où commencer ? Le fait de lui parler aussi ouvertement avait remué beaucoup de choses en elle. William, le mariage, sa famille. Elle n'était pas sûre d'être prête pour une nouvelle séance de torture.

<Orchidée sauvage : Je ne parle de mes sentiments à personne. Pas même aux gens que je connais – sauf à ma meilleure amie, Kit. Et en général, l'alcool me donne un petit coup de main… Lol.>

<Contrôleur : Est-ce que tu bois en ce moment ?>

Évidemment, il fallait qu'il rebondisse là-dessus. Elle ne sortait quand même pas tous les soirs pour boire des cocktails jusqu'à deux heures du matin.

<Orchidée sauvage : Oui. Du vin blanc. Mais juste un verre. Un petit remontant.>

Abbie but une gorgée avec malice avant de recommencer à écrire.

<Orchidée sauvage : Vous me faites un peu peur.>

<Contrôleur : C'est vrai ?>

<Orchidée sauvage : Oui. Je suis terrifiée.>

<Contrôleur : Pourquoi ?>

Abbie contempla l'écran de son ordinateur pendant une longue minute. Pourquoi avait-elle aussi peur ? Qu'y avait-il de si difficile dans le fait de parler à quelqu'un ? Il ne serait pas venu si elle ne l'intéressait pas.

Contrôleur est en train d'écrire.

<Contrôleur : Dis-moi à quoi tu penses.>

<Orchidée sauvage : Eh bien, à William. Rien de tout ça n'est sa faute. Nous nous sommes fiancés sans réfléchir, en quelque sorte, et j'ai détruit sa vie.>

<Contrôleur : Comment ?>

<Orchidée sauvage : Sa mère nous a organisé un merveilleux mariage. À deux reprises.>

C'était assez consternant de le voir écrit noir sur blanc. En fait, Abbie ne lui avait rien demandé. Mais Dolores Dillard avait l'habitude de prendre les choses en main, et William était content de la laisser faire. La première fois, Abbie se trouvait en Afrique du Nord et elle était restée coincée là-bas plus longtemps que prévu. Elle n'avait pas pu venir essayer sa robe chez Vera Wang, alors que le rendez-vous était fixé depuis des mois. Leur relation belle-mère/belle-fille en avait pris un coup. Dolores lui en voulait terriblement de ne pas avoir laissé tomber son travail quand ils s'étaient fiancés.

<Orchidée sauvage : C'est moi la seule fautive.>

<Contrôleur : Parce que tu as rompu avec lui ? Même s'il ne te satisfaisait pas au lit ?>

Bon sang, c'était une vraie obsession. Le sexe, le sexe et encore le sexe. Lui arrivait-il de penser à autre chose ? Il était pire que Kit. Abbie avait bien compris qu'ils ne se retrouvaient pas en ligne pour discuter de son intérêt pour les cartels de la drogue honduriens, mais fallait-il toujours en revenir à sa vie sexuelle ? Elle essaya de le lancer sur un autre sujet.

<Orchidée sauvage : Et nous voilà de retour au lit. Lol. On vous a déjà dit que vous étiez un obsédé ?>

<Contrôleur : Souvent. C'est l'une des choses qui font de moi un bon Dominant. Parle-moi de tes relations sexuelles avec William.>

<Orchidée sauvage : Je ne suis pas sûre de vouloir parler de ça.>

Correction : je n'ai absolument aucune envie d'aborder le sujet. D'où lui venait donc cette fascination sans limites pour William ? Ce n'était pourtant pas son premier petit ami. Il y avait eu ce mec avec qui elle avait passé une nuit à Mexico pendant des vacances entre copines.

Elle ne se souvenait pas de grand-chose, sinon qu'il était suédois et faisait le tour du monde après avoir fini ses études. En fait, ils n'avaient pas couché ensemble. Trop de mojitos. Peut-être C aimerait-il entendre cette histoire ?

<Orchidée sauvage : Il n'était pas mon premier petit ami, vous savez.>

<Contrôleur : Tu évites ma question. Si cette conversation ne t'intéresse pas, nous pouvons tout arrêter maintenant. Tu n'aurais qu'à trouver quelqu'un d'autre à qui parler.>

Oh non. Il ne pouvait quand même pas couper les ponts aussi facilement. Abbie tapa rageusement sur son clavier.

<Orchidée sauvage : Non, non. C'est bon. William et moi nous sommes fiancés après l'université. Nous partions ensemble en Namibie pour participer à un projet de sauvetage des éléphants. Enfin, bref, mon père est un peu vieux-jeu. Vous auriez dû voir le visage de William lorsqu'il a dit : « Ramène-la dans le même état que tu l'as trouvée. » Alors, nous nous sommes fiancés.>

<Contrôleur : Et est-ce qu'il l'a fait ?>

<Orchidée sauvage : Quoi ? Oh ! pardon, vous me demandez s'il a... Nous l'avons fait pendant une escale à Paris. Vous

y êtes déjà allé ? Nous logions dans un petit hôtel déniché par William. Nous avions une vue fantastique sur la tour Eiffel. L'ambiance était parfaite, j'imagine.>

<Contrôleur : Que s'est-il passé ?>

<Orchidée sauvage : Nous sommes sortis dîner au Jules Verne, le restaurant situé au deuxième étage de la tour Eiffel. Ensuite, nous sommes allés nous promener, et puis nous sommes rentrés à l'hôtel et... Eh bien, c'était agréable.>

<Contrôleur : Agréable ?>

Que voulait-il de plus ? Une leçon d'anatomie ? Elle venait de lui parler de sa première fois. Que pouvait-elle apprendre de nouveau sur le sexe à un Dominant ?

<Orchidée sauvage : Agréable.>

<Contrôleur : Est-ce que tu as joui ?>

<Orchidée sauvage : Je ne peux pas croire que vous me posiez cette question.>

Abbie fut tentée de jeter un coussin sur l'écran. Si elle ne répondait pas, il allait lui rejouer son numéro de grand méchant Dominant. Elle lui avait demandé de l'aider, non de fouiller les moindres recoins de sa cervelle. Cet homme était pire qu'un thérapeute.

<Orchidée sauvage : Non. Je n'ai pas joui, mais tout le monde n'est pas aussi obsédé par le sexe que vous. Ça n'avait pas d'importance pour moi. Ce qui m'importait vraiment, c'était que nous soyons ensemble, que William et moi nous lancions dans une grande aventure. Ça ne peut pas toujours se terminer par un feu d'artifice.>

Contrôleur est en train d'écrire.

<Contrôleur : Vraiment ? Développe.>

Abbie sentit une boule se former dans sa gorge. Qu'est-ce que ça pouvait faire si elle n'avait pas joui ? Si la vie intime des Marshall/Dillard ne ressemblait pas au Kama-sutra ? Beaucoup de gens n'atteignaient pas l'orgasme chaque fois qu'ils faisaient l'amour. Beaucoup de ses amies n'avaient pas du tout de rapports sexuels. C essayait juste de l'énerver. De voir jusqu'à quel point il pouvait la bousculer. Il était exactement comme Jack.

<Orchidée sauvage : Je ne veux plus discuter.>

Abbie referma son portable d'un coup sec. Elle renifla bruyamment. C'était une erreur. Une énorme erreur. Elle tendit la main vers son téléphone portable, mais il était déjà tard.

Elle ne pouvait pas appeler Kit maintenant. Abbie regarda le câble de son ordinateur. Que n'aurait-elle donné pour se trouver à moins d'un mètre de M. le Contrôleur ! Des images de Jack lui revinrent brusquement. Ses bras qui la protégeaient la nuit. Sa main sur son...

Abbie se passa une main dans les cheveux. Elle ne pouvait pas continuer comme ça. Il devait bien y avoir un moyen de se sortir Jack de la tête. Il fallait reparler à C.

*

Putain, putain, putain. Était-il allé trop loin ? Abbie venait de se déconnecter sans préciser quand elle reviendrait.

Incapable de rester assis, Jack s'écarta de son ordinateur portable et se mit à faire les cent pas dans son appartement. Il aurait bien donné un coup de pied dans quelque chose, mais il ne trouva rien sur son passage.

Il passa en revue leur conversation. Était-il allé trop loin parce qu'il était jaloux de ce pauvre type ?

Jack secoua la tête. Non, il y avait quelque chose à approfondir. Abbie parlait beaucoup et répondait à ses questions, mais, dès qu'il s'agissait du gentil, du parfait William, elle se tendait. Quelque chose dans ses rapports sexuels avec William l'angoissait.

Jack avait envie de l'interroger plus longuement sur la grotte, sur la fessée qu'il lui avait donnée. Il voulait recueillir ses impressions. De toute façon, il l'amènerait à en parler, tôt ou tard. Mais d'abord, il devait s'occuper du blaireau et de ce qui agaçait Abbie dans leur relation.

Jack se servit un verre de whisky, y ajouta de la glace et revint devant l'ordinateur. Abbie était toujours déconnectée ; alors, il s'obligea à répondre à quelques e-mails. Il vérifia même son compte Twitter. Ouah, deux millions d'abonnés. Et ce nombre ne cessait de grimper. Il publia un rapide tweet. *De retour d'une soirée en compagnie de la belle Kym Kardell. Je crois qu'on a réussi à échapper aux paparazzis cette fois.* Ce qui suffirait sans doute à satisfaire Zeke.

Son icône Yahoo clignota. Bingo. C'était Abbie.

<Orchidée sauvage : Vous êtes toujours là ?>

Jack attendit un instant avant de répondre. Elle pouvait bien souffrir un peu, elle aussi.

<Contrôleur : Oui.>

<Orchidée sauvage : Pardon pour ce que j'ai fait, j'étais à bout.>

<Contrôleur : Est-ce que la crise est passée maintenant ?>

<Orchidée sauvage : Oui. Je n'ai pas l'habitude de parler de mes sentiments et de ce genre de trucs.>

<Contrôleur : À qui parles-tu ?>

<Orchidée sauvage : À Kit, parfois, mais je suis très souvent sur la route. Enfin, je l'étais jusqu'à ce qu'on me transfère.>

<Contrôleur : Où ça ?>

<Orchidée sauvage : À la section « Style de vie ». Beurk. Tout ça parce qu'ils pensent que je couche avec Kevin.>

<Contrôleur : Tu n'apprécies pas ?>

<Orchidée sauvage : Noooooon. Vous n'imaginez pas un instant ce que ça fait de travailler avec un tas de garces obsédées par leurs fringues et leurs cheveux !>

Jack rit si fort qu'il faillit s'étrangler avec sa boisson. Il était prêt à parier que pas une de ses collègues n'arrivait à la cheville de Kym Kardell dans ce domaine.

<Contrôleur : Je peux le concevoir.>

Il sourit.

<Orchidée sauvage : Non, impossible. Elles veulent que je porte des talons au bureau – ces talons hauts qui vous donnent

l'impression de marcher sur des échasses. Et puis une JUPE. N'étant pas une fille à jupes, imaginez ce que j'endure.>

L'image d'Abbie en talons hauts et en jupe provoqua un effet prévisible sur sa queue. Jack but une gorgée de sa boisson et s'autorisa un bref fantasme avant de reposer les mains sur le clavier.

<Contrôleur : J'aime les jupes. Je préfère que mes soumises en portent. Et il est toujours dangereux de demander à un Dom d'imaginer ce que tu endures.>

<Orchidée sauvage : Oh !>

<Contrôleur : Quand tu te présenteras à moi pour une fessée, je veux que tu portes une jupe.>

<Orchidée sauvage : Me présenter à qui ? À vous ? Mais je ne vous connais même pas.>

<Contrôleur : On progresse pourtant. N'est-ce pas ?>

<Orchidée sauvage : J'imagine, un peu. Qu'est-ce qui va se passer ensuite ?>

<Contrôleur : À toi d'en décider. Veux-tu être ma soumise ? Mais seulement en ligne pour le moment, jusqu'à ce que tu sois prête à aller plus loin ?>

Jack retint sa respiration en attendant la réponse d'Abbie.

Orchidée sauvage est en train d'écrire.

<Orchidée sauvage : Oui et oui.>

Jack jouit presque sur place. Il lui fallut déployer d'énormes efforts pour pouvoir se remettre à écrire.

<Contrôleur : Bonne petite.>

Il lui accorda un instant pour qu'elle prenne conscience de ce qui se passait.

<Contrôleur : J'attends certaines choses de toi : je veux que tu sois honnête en permanence avec moi. Pas de mensonges, que ce soit par choix ou par omission.>

Elle ne s'opposerait sans doute pas à cette demande. Enfin, avec Abbie, on pouvait s'attendre à tout.

<Contrôleur : Je veux que tu sois en ligne tous les soirs à vingt-deux heures, sauf si nous en avons décidé autrement

avant. Réponds aux questions de façon directe. Ne jure pas. L'une de ces exigences te pose-t-elle problème ?>

    <Orchidée sauvage : Non.>

    <Contrôleur : Non, monsieur.>

    <Orchidée sauvage : Non.>

    Orchidée sauvage est en train d'écrire.

    <Orchidée sauvage : Monsieur.>

    Jack rit. Il avait tellement hâte de commencer.

QUATORZE

Le portable d'Abbie sonna juste au moment où elle terminait d'écrire un article sur le succès croissant des stylistes danois. Abbie tendit la main pour attraper son téléphone personnel. Peut-être était-ce Jack ? Une pensée totalement folle, mais maintenant tout revenait à lui. Quand elle vit le nom de Miffy sur l'écran, elle fut tentée de l'ignorer, mais il ne servait à rien de repousser l'inévitable.

— Salut, sœurette, comment va papa ?

— Bien. Il a emmené JJ et Robyn pour le week-end ; alors, je me disais qu'on pourrait se retrouver pour déjeuner.

Abbie jeta un œil à sa montre. Il était presque midi, et le déjeuner était le moment que préférait Miffy pour lui tendre des embuscades. Elle prit son courage à deux mains.

— D'accord. Où est-ce qu'on se retrouve ?

— Au Bergdorf Goodman, bien sûr. J'ai l'impression de ne pas t'avoir vue depuis des siècles. Je nous ai réservé une bonne table où nous pourrons discuter.

Abbie imaginait très bien la scène. La table préférée de Miffy se trouvait près de la fenêtre et avait vue sur Central Park. Ce ne serait pas un simple déjeuner décontracté, mais plutôt un interrogatoire. Elles n'avaient pas encore analysé sa rupture avec William. Et Abbie savait que Miffy aurait beaucoup de choses à dire à ce sujet.

Millicent avait quatre ans de plus qu'elle, mais se comportait plutôt comme si elle en avait quarante. Miffy avait toujours été un peu autoritaire, mais, après la mort de leur mère, elle s'était complètement lâchée. C'était sa façon de faire face. La plupart du temps, Abbie ne se laissait pas atteindre – du moins le pensait-elle –, mais la perspective de devoir présenter une version acceptable de ce qui s'était passé avec William la terrorisait. Pourtant, il faudrait bien en passer par là.

— D'accord, mais n'oublie pas que je travaille. Je ne pourrai pas rester très longtemps.

Miffy n'avait jamais réussi à intégrer la notion d'heures de bureau.

— Fantastique.

Miffy poursuivit sans l'écouter.

— Je t'y retrouve à treize heures quinze.

Il était treize heures vingt lorsqu'Abbie traversa en courant le rayon « Accessoires de maison » du septième étage. Elle entra enfin dans le restaurant bondé. L'endroit était plein de touristes. L'avantage, c'est qu'il était bruyant. Le brouhaha couvrirait les plaintes incessantes de Miffy.

— Abbie.

Miffy se leva pour lui faire la bise.

— Je suis tellement contente de te voir. J'ai commandé deux flûtes de Veuve Clicquot. Assieds-toi vite, tu vas pouvoir me raconter tout ce qui s'est passé depuis ta rupture avec ce pauvre William.

Ce pauvre William ? Abbie faillit tourner les talons et repartir travailler sur-le-champ. Mais, comme un serveur se matérialisa derrière elle, Abbie s'assit et grimaça lorsque l'homme la coinça contre la table. Il n'y avait plus moyen de s'échapper maintenant.

Miffy sourit au serveur comme si c'était un vieil ami.

— Nous prendrons le gratin de macaronis au homard et la salade automnale.

Génial. Pourquoi ne me demande-t-elle pas si j'ai envie de faire pipi avant qu'on commence à manger ? Un autre serveur leur apporta le champagne. Pendant un instant, Abbie essaya de se calmer. Elle allait devoir supporter ça pendant tout le repas ; elle n'avait pas le choix.

Miffy but une gorgée de champagne et reposa sa flûte sur la table. Elle croisa les doigts et y posa son menton.

— Chérie, dis-moi tout. Je n'arrive toujours pas à y croire. Tu dois être anéantie à l'idée d'avoir perdu William.

Abbie but une gorgée d'eau.

— Je vais bien, en fait.

— Bien ?

Miffy parut horrifiée.

— Comment peux-tu dire une chose pareille ? Vous étiez fiancés depuis le CE1, pour ainsi dire.

— Peut-être que c'était ça le problème.

— Mais William t'adore, et Dolores Dillard est tout simplement bouleversée. Je l'ai vue jeudi au bridge. C'est tout juste si elle pouvait tenir ses cartes.

Abbie faillit s'étouffer en avalant son champagne. Elle avait donc ruiné leur soirée bridge. Elle imaginait très bien la méchanceté ambiante, tandis que ces dames faisaient semblant de compatir.

— C'était la meilleure décision à prendre, Miffy. Honnêtement.

Miffy s'adossa à sa chaise.

— C'est cet homme, n'est-ce pas ? Ce Jack Winter ? C'est lui qui t'a fait ça. Il est beau, je te l'accorde, mais il n'est pas notre genre, je me trompe ?

« Notre genre. » *En voilà une idée intéressante*, se dit Abbie avec un petit frisson. Mais qui donc était « leur genre » ? Kit avait-elle raison ? Était-elle juste une lavette qui laissait sa famille l'écraser ? En fin de compte, Miffy se souciait moins d'elle que de cet ensemble de règles tacites qui régissait la vie de leur famille.

Même si Jack s'était montré arrogant et dominateur pendant la courte période qu'ils avaient passée ensemble, Abbie avait toujours senti que son attention se concentrait entièrement sur elle. Jack l'écoutait comme personne ne l'avait jamais fait, pas même Kit. Abbie réprima un sourire en imaginant une rencontre Jack/Miffy. Ce serait assez proche de *Alien vs Predator*.

— Je ne sors pas avec Jack, dit-elle.

Miffy eut presque l'air déçue.

— Mais il est à New York, non ? J'ai vu son visage en couverture du *Post*.

Le serveur arriva avec leurs plats et remplit leurs flûtes de champagne. Abbie planta sa fourchette dans son gratin et regretta de ne pas se trouver ailleurs.

— Je n'en ai aucune idée.

— Alors, tu n'es pas... Je veux dire...

Miffy la dévisageait, et pas un muscle ne bougeait sur son visage. Abbie soupira. Trop de Botox. Sa sœur ne pouvait plus froncer les sourcils à force de s'en injecter dans le visage.

— Non, je ne couche pas avec Jack Winter.

À la table voisine, une fourchette tomba sur le sol.

— Pas besoin d'être vulgaire, chérie.

Miffy jouait avec sa nourriture. Elle se contentait de la déplacer tout autour de son assiette, ce qui donnait à Abbie une furieuse envie de la gifler. Comment pouvait-elle encore suivre un régime ? Elle faisait à peine une taille 38. Le serveur emporta l'assiette presque intacte de Miffy et rapporta leurs salades.

— Je sais bien que tu ne veux pas écouter mes conseils. Parce que, si c'était le cas, tu ne travaillerais plus pour ce journal et tu cesserais de te mettre dans toutes sortes de situations ridicules pour de simples articles.

Miffy examina la verdure disposée sur son assiette.

— Réconcilie-toi avec William. Je suis sûre qu'il acceptera de te pardonner si tu le lui demandes. Vous pourriez vous marier cet hiver. Dans un endroit tranquille. Mais contacte-le rapidement, chérie, avant qu'il rencontre quelqu'un d'autre.

Abbie faillit s'étouffer avec sa salade. C'était l'humiliation ultime : sa sœur lui donnait des conseils pour mieux gérer sa vie sentimentale.

— Tu ne rajeunis pas, tu sais, dit Miffy en plongeant sa fourchette dans la petite coupe de vinaigrette, avant de piquer dans le cercle de feuilles soigneusement disposé. Si tu préfères tomber sur lui par hasard, William sera au vernissage de l'exposition Van Gogh le week-end prochain. Je t'ai réservé un billet. C'est pour la bonne cause. Tu n'imagines pas combien coûte l'organisation d'une exposition comme celle-là.

Encore des billets. Abbie préférait ne pas connaître leur prix. Si ce n'étaient pas des billets pour le musée, c'était pour l'opéra ou une autre soirée de charité à laquelle Miffy participait. Pourquoi sa sœur se croyait-elle toujours autorisée à lui imposer ces choses ?

Parce que tu la laisses toujours faire. Idiote.

— Je ne suis pas très sûre d'être libre ce week-end...

— Chérie, tu sais que je ne souhaite que le meilleur pour toi. Ne laisse pas ta relation avec cet homme détruire ta seule chance d'être heureuse.

Une fois qu'elle lui eut transmis cet important message, Miffy s'adossa à sa chaise.

— Après le café, nous irons faire un peu de shopping. J'ai vu des chaussures adorables chez Miu Miu. Il faut absolument que tu les essaies.

QUINZE

Cette réception donnée par la Honduras Friendship Society n'était pas le genre de soirées auxquelles Jack Winter avait l'habitude d'assister. Abbie fut donc étonnée de le voir sortir d'une voiture et fouler le tapis rouge.

Betsy l'avait envoyée couvrir l'événement, sous prétexte qu'elle était la mieux placée pour obtenir une interview de Jack Winter. Abbie ne pensait pas vraiment qu'il s'y montrerait.

Lorsqu'elle le vit, Abbie ne put s'empêcher de se délecter de sa beauté. Jack était magnifique en smoking. Elle était partagée entre l'envie de contempler ce visage presque trop beau pour être vrai, avec ses pommettes saillantes qui lui donnaient un air menaçant, et le désir d'imaginer le corps que cachait son costume fait main. Finalement, elle s'arrêta sur ses yeux. Ils étaient si bleus, si vifs qu'Abbie aurait été tentée de prétendre qu'il s'agissait de lentilles de couleur s'ils n'avaient été exactement du même bleu dans la jungle.

Jack s'était fait couper les cheveux, mais rien ne semblait pouvoir donner l'air plus sage à cet homme.

Abbie frissonna. Chaque fois qu'elle le voyait, il lui rappelait le gros félin qui avait rôdé si près d'elle dans la jungle. Ils étaient tous deux magnifiques et redoutables.

À toi de détruire cette image. Quand elle en aurait fini avec Jack Winter, plus un seul fan ne le poursuivrait, carnet en main, pour obtenir son autographe.

Le monde allait bientôt découvrir qu'il était du genre à traîner une femme dans une grotte pour lui donner une fessée.

164

Mais alors qu'elle le regardait se pencher pour parler à une femme âgée, Abbie s'aperçut que son agacement diminuait. À présent, elle ne savait plus très bien ce qu'elle voulait de lui. Une petite partie d'elle souhaitait que Jack l'entraîne de force et lui refasse les mêmes choses. Elle en voulut soudain à C et ses questions de stimuler sans cesse sa libido et de provoquer en elle des choses qu'elle ne voulait pas ressentir.

Jack avança vers le bâtiment, puis la repéra sur les marches. Il s'arrêta, et ses yeux s'écarquillèrent un instant, puis il se dirigea vers Abbie en fixant sur elle un regard d'une intensité terrifiante.

Elle s'efforça de garder un visage neutre et de ne pas bouger. Elle ne se laisserait pas intimider par Jack. En tout cas, pour la première fois depuis leur rencontre, elle était correctement habillée. Abbie n'était pas une adepte des talons hauts et des jupes droites, mais sa tenue était élégante, et son chemisier de soie rouge, à la fois audacieux et confortable.

Elle avait une nouvelle coiffure et avait choisi un maquillage sombre pour ses yeux.

L'expression de Jack lui dit que le résultat lui plaisait, mais, lorsque l'acteur s'approcha, il se montra extrêmement courtois.

— Mademoiselle Marshall. Quel plaisir de vous revoir ! Que faites-vous ici ? Je vous croyais toujours sur l'affaire Tabora.

Abbie lui lança un regard noir, même si elle était contente qu'il se souvienne de son enquête.

— Ce n'était pas mon idée. Ma rédactrice en chef voulait que je vous interviewe.

Ses doigts agrippaient son enregistreur numérique, celui que Jack lui avait rendu.

L'acteur s'inclina.

— Je suis toujours prêt à vous rendre service...

Abbie retint son souffle. Alors même qu'elle se croyait hors de danger, il fallait qu'il prononce ce genre de phrase.

— Mais je ne donne pas d'interviews ce soir. Enfin, vous

risquez de rencontrer quelques personnes intéressantes pour votre enquête.

Abbie tourna le dos à Jack, puis monta les marches, certaine qu'il la suivait du regard, et prit place dans les rangs de la presse.

Les discours durèrent plus longtemps qu'elle ne s'y était attendue. Il semblait que toutes les personnalités politiques liées au Honduras avaient décidé de profiter au maximum de la présence des médias, qui avaient fait le déplacement pour Jack. Mais toutes parlaient pour ne rien dire. Abbie enregistra les discours et prit des notes. C'était certes ennuyeux, mais elle releva quelques informations dignes d'être approfondies.

Plus la soirée s'éternisait, moins Abbie tenait en place. Elle craignait de ne pas pouvoir partir avant vingt-deux heures. Il fallait absolument qu'elle soit devant son ordinateur à l'heure, mais elle ne pouvait se résoudre à quitter la fête tant que Jack y était. Même lorsqu'il se montrait insupportable, son pouvoir d'attraction était tel qu'Abbie détestait l'idée de partir.

Ressaisis-toi, Abbie. Cette obsession n'est pas saine. Elle en était tout à fait consciente, mais le fait de se trouver dans la même pièce que Jack ne l'aidait pas beaucoup. Malgré elle, Abbie l'observa toute la soirée. Elle remarqua que Jack vérifiait l'heure à sa montre aussi souvent qu'elle. Il allait certainement à un autre rendez-vous après cette fête. Cette idée la blessa beaucoup plus qu'elle ne l'aurait imaginé.

Enfin vint le moment pour Jack de prononcer quelques mots. Il se leva, regarda l'assemblée et prit la parole. Abbie se redressa si brusquement qu'elle faillit se déplacer quelques vertèbres. Le Jack de la jungle était imposant.

Le Jack de l'étang était tendre. Le Jack de la grotte était effrayant. Le Jack de sa chambre d'hôtel était sexy. Mais rien ne l'avait préparée à celui-là.

Face à l'assemblée, Jack était ensorcelant. Son discours fut court. Il leur parla des gens qu'il avait rencontrés au Honduras, il leur rappela les causes de leur détresse. Et sa façon de s'exprimer donna à Abbie des frissons dans le dos.

Elle sentait monter une certaine excitation en elle. Jack lui faisait un effet terrible, alors qu'elle se trouvait entourée d'une centaine de personnes et qu'elle ne le touchait même pas. Dieu sait ce qu'elle aurait fait si Kevin O'Malley ne s'était glissé sur le siège à côté d'elle.

— Désolé d'être en retard, mais je suis content que tu m'aies gardé la meilleure place.

Abbie rit surtout parce qu'elle sentait diminuer cette tension sexuelle en elle.

Elle croisa le regard sévère de Jack, qui se trouvait toujours sur le podium, et devina qu'il était furieux. Il conclut rapidement son discours. Abbie vérifia l'heure à sa montre : vingt-deux heures cinq. C n'allait pas être content.

Pourtant, elle était assise à côté d'un charmant Irlandais qui lui tendait sa carte, et elle ne détestait pas non plus l'autre Irlandais en colère qui la fusillait du regard depuis le podium. Il y avait trop d'hommes dans sa vie.

Jack posa ensuite pour les photographes, et Abbie se délecta de cette simple vision, tandis que Kevin faisait des commentaires grivois sur les autres invités. Puis, un photographe demanda à Kevin et Abbie de poser aux côtés de Jack. Elle accepta à contrecœur. Elle détestait être photographiée, surtout après ces rumeurs de batifolage avec Jack dans la jungle. Enfin, c'était plus ou moins de l'histoire ancienne. *À plus d'un égard*, se dit-elle avec un pincement au cœur.

Tandis qu'elle posait, Abbie aurait juré que Jack lui reniflait les cheveux. Il était incroyable. Elle vérifia de nouveau l'heure à sa montre.

— Un autre rendez-vous ? lui murmura Jack. Dis-lui juste que ce petit cul est à moi.

Abbie le fusilla du regard.

— Tu es un emmerdeur.

— Et tu adores ça.

Kev passa un bras protecteur autour d'Abbie et sourit à Jack.

— Tu perds vraiment la boule, mon frère.

Kev se tourna vers elle et dit :

— Viens, je te raccompagne chez toi.

Abbie hocha la tête et prit son sac. Inutile de traîner ici comme une pauvre fille pathétique en attendant de pouvoir lui parler. Cependant, l'idée de partir lui était terriblement éprouvante. Abbie eut très peur en s'apercevant qu'elle désirait plus que tout rester près de lui.

Heureusement, C allait lui changer les idées. Elle se demanda comment il réagirait à son retard.

— Au fait, je me demandais si on pourrait déjeuner ensemble un de ces jours, histoire de se raconter les dernières nouvelles depuis le Honduras ?

Abbie cessa d'observer la circulation et se tourna vers Kevin. Il était vingt-deux heures quarante-cinq. C risquait d'être très en colère s'il avait pris la peine de l'attendre.

— Ce serait sympa, répondit-elle, distraite par le taxi qui venait de leur faire une queue de poisson.

— Super. Samedi, ça t'irait ?

— Samedi ?

Abbie avait imaginé un rapide café en milieu de semaine, quelque part entre deux demandes ultra-urgentes de Betsy. Oh ! pourquoi pas ? Kevin était sympa et on ne peut pas dire qu'elle croulât sous les invitations depuis sa rupture avec William. Ce serait l'occasion idéale de parler de Jack avec lui.

— Samedi, ce sera parfait.

— Super, je passerai te prendre à midi.

La voiture s'arrêta devant l'immeuble d'Abbie, et elle s'apprêta à ouvrir la portière.

— Abbie.

Quelque chose dans le ton de Kevin l'incita à se retourner. Il déposa un léger baiser sur sa joue avant de reculer rapidement.

— À samedi, dit-il avec un petit sourire en coin.

Son baiser avait été purement amical, mais ce sourire sous-entendait autre chose. Abbie secoua la tête. Elle penserait à Kevin plus tard. Pour le moment, elle devait affronter un Dom en colère. Arrivée dans son appartement, elle alluma son ordinateur et attendit qu'il démarre. En chemin vers sa chambre, elle jeta ses chaussures dans un coin, retira son chemisier, ouvrit la fermeture de sa jupe tout en tirant sur ses insupportables collants. Elle n'avait pas le temps de se changer. Oh ! et puis merde, il ne pourrait pas la voir de toute façon.

Abbie se servit un verre d'eau et retourna en hâte sur le canapé pour se connecter à son compte. L'icône de sa messagerie instantanée clignota. Abbie prit une profonde inspiration et se mit à écrire.

<Orchidée sauvage : Salut, désolée d'être en retard. J'avais du travail.>

<Contrôleur : Tu ne m'as pas prévenu. Nous devons établir des règles, sinon cette histoire ne nous mènera nulle part.>

<Contrôleur : Sois à l'heure. Si tu penses que tu vas être en retard, envoie-moi un message pour me prévenir.>

<Contrôleur : Change de police quand tu discutes avec moi. Je préfère Arial.>

<Contrôleur : Lorsque nous discutons, ne pars pas sans ma permission. Demande-moi d'abord si je suis d'accord.>

<Contrôleur : Pas de langage grossier.>

<Contrôleur : Réponds aux questions directes de façon directe.>

<Contrôleur : Je crois que ça suffit pour commencer, non ?>

<Orchidée sauvage : Changer de police ? Pourquoi ?>

<Contrôleur : Parce que j'aime Arial, et parce que c'est moi le Dom. Qu'est-ce qui ne va pas ? Tu ne sais pas comment changer de police ?>

<Orchidée sauvage : Bien sûr que si, mais...>

<Contrôleur : Pourquoi étais-tu en retard ?>

<Orchidée sauvage : Betsy m'a demandé de couvrir une réception à l'ambassade du Honduras. Je ne pensais pas que ça durerait aussi longtemps.>

<Contrôleur : Tu aurais pu m'envoyer un message. Je réglerai ce problème plus tard. Parle-moi de la réception.>

<Orchidée sauvage : Je n'ai pas pensé à vous en envoyer un. Je croyais que je serais chez moi à l'heure. Cette réception n'avait rien d'extraordinaire. On a eu droit à de longs discours, et les différentes factions politiques présentes ont tout fait pour marquer des points grâce à la présence des médias. Comme d'habitude. J'en ai vu des millions de ce genre.>

<Contrôleur : Est-ce que c'est tout ?>

<Orchidée sauvage : Non. Je vous ai parlé de Kevin, vous vous souvenez ? Eh bien, il était là.>

<Contrôleur : Comment as-tu réagi ? Est-ce que tu as mouillé ta petite culotte ?>

<Orchidée sauvage : Je refuse de répondre à cette question. Kevin m'a cherchée, comme d'habitude.>

<Contrôleur : Il t'a fait mouiller ?>

Abbie ne savait pas si elle devait s'indigner ou éclater de rire. Comment faisait-il pour la mettre dans cet état ?

<Orchidée sauvage : Je ne répondrai certainement pas à ça.>

<Contrôleur : Je croyais que tu avais accepté d'être honnête. De dire la vérité, de ne pas mentir par omission.>

<Orchidée sauvage : Il m'excite, comme c'est le cas depuis notre rencontre, mais je déteste me sentir comme ça.>

<Contrôleur : Pourquoi ?>

<Orchidée sauvage : Parce que..., parce que ça ne mène nulle part.>

<Contrôleur : Et tu aimerais que ça mène quelque part ?>

<Orchidée sauvage : C'est impossible. J'ai lu les journaux. Il y a des tas d'autres femmes dans sa vie. Je suis simplement celle qu'il aime torturer.>

Abbie marqua une pause. C'était vrai. C'était juste un jeu pour Jack.

<Orchidée sauvage : Enfin, bref, j'ai décidé d'essayer de tourner la page. J'ai un rendez-vous samedi.>

<Contrôleur : Avec qui ?>

<Orchidée sauvage : Avec Jack, l'ami de Kevin. C'est un mec sympa.>

Abbie ressentit un plaisir pervers en échangeant leurs prénoms.

<Contrôleur : Jack est sympa ?>

<Orchidée sauvage : Oui, il est gentil et il sait écouter. Je l'aime bien.>

<Contrôleur : Plus gentil que William ?>

<Orchidée sauvage : Il n'a absolument rien à voir avec William. Je m'amuse beaucoup avec Jack. Nous allons déjeuner ensemble.>

<Contrôleur : On dirait que tu es une femme très occupée en ce moment.>

Se faisait-elle des idées ou bien y avait-il réellement une pointe d'agacement dans son ton ? Abbie aurait aimé entendre ces mots, pas les voir seulement écrits. Quel genre de voix avait C ? Elle pariait pour une voix profonde, forte et autoritaire.

<Contrôleur : Est-ce que tu en as profité pour explorer ta nature soumise ?>

<Orchidée sauvage : Je n'ai pas eu beaucoup le temps d'y penser. J'ai déjeuné avec Kit aujourd'hui. Nous avons parlé de nos anciens petits amis. Elle dit que je suis toujours sortie avec le même mec. Que seul le prénom différait.>

<Contrôleur : Et aucun d'eux n'était un Dominant. Aucun d'eux ne t'a donné ce dont tu avais besoin.>

<Orchidée sauvage : Comment le savez-vous ?>

<Contrôleur : Si c'était le cas, tu ne serais pas ici maintenant.>

Abbie détestait l'admettre, mais c'était vrai. Kit le lui avait dit, et maintenant C affirmait la même chose. Il était temps de reconnaître qu'elle n'avait jamais voulu tenir compte de cette facette de sa personnalité. Abbie respira profondément.

<Orchidée sauvage : D'accord, admettons que j'aie envie d'explorer ma nature soumise. Que se passerait-il ensuite si je vivais une relation D/s avec vous ?>

<Contrôleur : Je fixerais les règles. Tu t'y plierais. Et tu aimerais ça.>

Des règles. Abbie cessa de respirer. Elle ne savait pas si elle était effrayée ou excitée. Il fallait qu'elle garde un ton léger, qu'elle ne lui révèle pas combien ses mots la touchaient.

<Orchidée sauvage : D'accord, ce jeu me plaît. Quelle est la première règle ?>

<Contrôleur : Tu dois me dire de quelle couleur est ta petite culotte. Tous les jours.>

<Orchidée sauvage : Vous voulez que je vous décrive mes sous-vêtements ?>

<Contrôleur : Oui.>

<Orchidée sauvage : J'imagine que c'est faisable, mais ce ne sera pas très excitant. Je peux vous le dire tout de suite : toutes mes petites culottes sont soit noires, soit couleur chair.>

<Contrôleur : Eh bien, c'est terminé maintenant. Jette-les et achètes-en de jolies.>

<Orchidée sauvage : Je les jette toutes ?>

<Contrôleur : Oui, et envoie-moi un compte rendu chaque matin quand tu t'habilles, afin que je sache ce que tu portes. Première règle : pas de sous-vêtements ternes. De jolies couleurs. Et tu devras me les décrire. Est-ce trop difficile ?>

Abbie contempla l'écran. Était-ce trop difficile ? Il n'avait aucune idée de ce qu'il lui demandait. Le mystérieux C voulait prendre le contrôle de son tiroir à lingerie et s'attendait à ce qu'elle l'y autorise aussi facilement ? Peut-être était-ce un test pour voir si elle était soumise. Les mains d'Abbie planaient au-dessus du clavier.

Elle était partagée entre la colère et une forte envie de rire. D'une certaine façon, c'était flatteur. Personne n'avait jamais témoigné le moindre intérêt à ce qu'elle portait.

William lui disait souvent qu'elle était magnifique, mais il ne la regardait pas vraiment. *Bon, Marshall, est-ce que tu vas vraiment lui obéir ?*

<Orchidée sauvage : D'accord, j'irai faire les boutiques demain.>

<Contrôleur : Bonne petite. Quelle est la couleur de la petite culotte que tu portes en ce moment ?>

<Orchidée sauvage : Noire. Oh ! mais je porte une chemise à bretelles en soie rouge, assortie à la tenue que je portais plus tôt. Miffy me l'a offerte à Noël.>

<Contrôleur : J'aime la chemise. Mais la petite culotte noire doit disparaître. Enlève-la.>

<Orchidée sauvage : Quoi ?>

<Contrôleur : Enlève-la. J'attends.>

Il plaisantait forcément. Jack aurait-il fait la même chose ? Exiger de prendre le contrôle de sa vie ? Abbie glissa les mains le long de ses cuisses nues et joua avec le bord de son sous-vêtement. *Allez, si Jack était là, tu n'hésiterais pas.* Elle retira sa petite culotte d'un geste rapide et la coinça derrière un coussin.

<Orchidée sauvage : OK, c'est fait.>

<Contrôleur : Dis-moi ce que tu ressens.>

<Orchidée sauvage : Certainement pas.>

<Contrôleur : Es-tu excitée ?>

<Orchidée sauvage : Je ne répondrai pas à cette question.>

<Contrôleur : Alors, c'est fini.>

Comment avait-elle pu lui trouver une petite ressemblance avec Jack ? Il était exactement comme lui : sévère, intransigeant, voulant toujours tout faire à sa façon. Si elle refusait, il cesserait probablement de lui parler. Et, bon sang, où trouverait-elle quelqu'un d'autre ? Certains des profils qu'elle avait examinés sur des sites BDSM étaient tout simplement effrayants. Dieu sait ce que ces personnes lui demanderaient de faire.

<Orchidée sauvage : Je me sens bizarre, un peu impudique.>

<Contrôleur : Es-tu excitée ?>

<Orchidée sauvage : Par cette conversation avec vous ou par ma rencontre avec Kevin ?>

Ah ! Voyons ce que tu vas répondre à ça.

<Contrôleur : Par le fait d'être assise cul nu et d'attendre ma prochaine instruction.>

Il allait vraiment très loin. Il ne lui passerait jamais rien.

<Orchidée sauvage : Oui.>

<Orchidée sauvage : Oui, monsieur.>

<Contrôleur : Bonne petite. Ressens-tu un fourmillement dans les fesses ? Espères-tu une autre fessée ?>

Il plaisantait forcément. N'avait-il donc rien écouté de ce qu'elle lui avait raconté toute la soirée ?

<Orchidée sauvage : Comme je vous l'ai dit, Kevin et moi, c'était une histoire ponctuelle. Il n'y aura pas d'autres fessées.>

<Contrôleur : As-tu réussi à ne plus y penser ?>

Le curseur clignota pendant presque une minute avant qu'elle se remette à écrire. Il avait raison. Elle avait été incapable de ne plus penser à Jack, et sa rencontre avec lui ce soir n'avait fait qu'empirer les choses.

<Orchidée sauvage : Non.>

<Contrôleur : Un jour, il y aura d'autres fessées. Avec moi.>

<Orchidée sauvage : Oh !>

Avec lui ? C voulait la fesser ? Le cœur d'Abbie se mit à battre aussi vite que si elle venait d'avaler une douzaine d'expressos. Ils allaient donc se rencontrer. Il fallait qu'elle parle à Paloma avant. Elle ne pouvait pas rencontrer un étranger et le laisser la fesser.

<Orchidée sauvage : Je croyais qu'on ferait seulement les choses de cette façon. En ligne, je veux dire.>

<Contrôleur : Oui, pour l'instant. Comment allait ton cul après les premières fessées ?>

<Orchidée sauvage : Bien, j'avais quelques bleus, mais ils sont partis. Je ne peux pas croire que je vous dise ça.>

<Contrôleur : Et que tu penses à la prochaine fois.>

<Orchidée sauvage : En effet.>

<Contrôleur : La prochaine fois, tu seras préparée. Une jupe, une petite culotte blanche, et tu seras entièrement lisse.>

<Orchidée sauvage : Oh !>

<Orchidée sauvage : Vous voulez que je me...>

Abbie allait parfois au salon de beauté avec Kit, mais l'épilation intégrale n'était pas son truc. Elle ne portait pas le type de vêtements qui l'exigeaient, et ce genre d'entretien était tout simplement impossible quand elle était sur la route ou dans une zone de guerre.

<Orchidée sauvage : Pourquoi ?>

<Contrôleur : Parce que j'aime ça.>

<Orchidée sauvage : Et le blanc ?>

<Contrôleur : Le blanc est la couleur de la soumission.>

<Orchidée sauvage : De ma soumission à vous ?>

Abbie regarda les mots danser sur l'écran.

Contrôleur est en train d'écrire.

Il voulait qu'elle se soumette à lui. Physiquement aussi bien que mentalement. Le cœur d'Abbie battait la chamade tandis qu'elle attendait sa réponse.

<Contrôleur : Oui. À quoi penses-tu ?>

<Orchidée sauvage : Je suis perdue. C'est comme si vous étiez à l'intérieur de ma tête. Mais en même temps, je suis physiquement attirée par Kevin. C'est vraiment bizarre. Bon sang, je ne sais pas comment je me sens. Je crois que je ferais mieux de partir maintenant.>

Contrôleur est en train d'écrire.

<Contrôleur : N'oublie pas de m'envoyer un message demain.>

Abbie éteignit son ordinateur. Il était tard, et elle se demanda comment elle allait pouvoir dormir après cette discussion. Trop de choses lui arrivaient en même temps. Sa rencontre avec Jack, sa conversation avec C.

On aurait dit que quelqu'un avait emporté l'ancienne Abbie Marshall, calme et logique, et l'avait mise sous clé. Celle qui restait avait la tête bouillonnante d'idées confuses.

Quand Abbie était seule, elle voulait Jack. Quand elle était avec lui, il se comportait comme un goujat, et elle avait envie de l'embrasser et de le gifler en même temps. Pour être tout à fait honnête, elle avait bien envie de réessayer les fessées.

Oh ! Abbie, tu t'es vraiment mise dans le pétrin.

SEIZE

Dès qu'Abbie se fut déconnectée, Jack appela Kev. Il avait envie de lui trancher la gorge depuis qu'il savait que son meilleur pote avait dragué sa copine. Certes, Kev se rapprochait souvent de ses anciennes petites amies, leur offrant mouchoirs et compassion, mais ça n'avait rien à voir. Abbie n'était pas une ex. Kev n'avait aucun droit de tenter sa chance avec elle. Kev ne répondant pas au téléphone, Jack se fit un sang d'encre toute la nuit. À six heures du matin, il se dirigea vers la salle de sport. Il avait terriblement besoin de massacrer quelqu'un. Comme la salle était prise, il s'échauffa en sautant à la corde jusqu'à ce que la sueur lui dégouline dans le dos, puis il se défoula sur un pauvre sac de frappe sans défense. Son dos était trempé, ses phalanges, à vif, et il avait mal aux pieds, mais Jack était loin de vouloir s'arrêter. L'énergie générée par sa féroce jalousie refusait de faiblir.

Jack attrapa une paire de lourdes chaînes, les enroula en travers de sa poitrine et alterna d'énormes séries de pompes et de tractions. Il était vaguement conscient d'être observé par d'autres types qui avaient cessé de s'entraîner et pariaient sur le nombre qu'il atteindrait avant de s'effondrer. Jack s'en moquait. Le simple fait d'imaginer Abbie en train de déjeuner avec Kev, de l'embrasser peut-être, le poussait à continuer.

Quand il finit par ne plus sentir ses muscles et dut relâcher la barre, Jack s'effondra, le corps tremblant, en sueur, et lutta contre une forte envie de vomir. Les félicitations fusèrent de tous côtés, et une demi-douzaine de spectateurs l'aidèrent à retirer les chaînes de ses épaules.

— Bien joué, mon pote. C'était spectaculaire.

Kev lui donna une claque sur l'épaule.

Jack se força à se relever.

— Ne touche pas à un seul cheveu d'Abbie.

Ce n'était pas ce qu'il avait l'intention de dire, mais il était trop tard pour se montrer courtois. Kev lui sourit d'un air suffisant sans éprouver le moindre regret.

— Trop tard. Tu as déjà eu ta chance.

Jack chargea Kev, qui sembla pris au dépourvu et tomba par terre. Mais il se reprit rapidement et bondit sur ses pieds pour se défendre contre une nouvelle attaque.

— Mais qu'est-ce qui te prend, bordel ? demanda-t-il.

Jack lui balança un nouveau coup.

— J'ai dit : ne touche pas à un seul cheveu d'Abbie.

Cette fois, Kev était prêt et il s'écarta de sa trajectoire en dansant.

— Tu es fou ?

Il donna un brusque coup de pied à Jack sur le côté et l'atteignit assez fortement pour le repousser. Jack reprit ses esprits et lui envoya un coup de poing, suivi d'un coup de pied frontal. Chacun était assez puissant pour mettre Kev hors d'état de nuire. Mais il riposta en fonçant sur Jack les deux poings en avant, et le combat commença pour de bon. Pendant cinq minutes exaltantes, Jack se défoula sur Kev. Ça faisait du bien.

Kev était habile et en forme, parce qu'il ne s'était pas tapé un stupide enchaînement de tractions ; les deux hommes menaient ainsi un combat à forces égales. Mais Jack n'était pas prêt à baisser les bras et revenait sans cesse à la charge. Enfin, Kev eut de la chance et lui porta un coup fatal. Jack tomba en arrière dans la baignoire de glace.

Il heurta la surface de l'eau en poussant un cri et disparut sous les glaçons. Pendant quelques secondes, il ne remarqua pas le froid, car sa sueur et sa rage lui tenaient encore chaud, mais bientôt il sentit la température atroce de l'eau. Jack remonta à la surface en jurant et projeta de l'eau froide et des morceaux de glace sur tous les spectateurs. Il éclaboussa

largement Kev et se mit à rire. Jack avait beau se ridiculi-
ser parfois, il s'en sortait toujours avec panache, aucun doute
là-dessus. L'acteur se décida à sortir de la baignoire de glace
avant qu'arrive le personnel de sécurité. Se baigner avec ses
chaussures d'entraînement n'était pas autorisé.

Kev lui tendit la main et l'aida à marcher jusqu'au vestiaire.

— Tu te sens mieux maintenant ? demanda-t-il.

Jack réfléchit.

— Oui. Mais j'insiste. Ne touche pas à un seul cheveu
d'Abbie.

*

Kit l'attendait devant la boutique de lingerie Journelle
quand Abbie descendit du taxi.

— Je suis en retard ? demanda-t-elle avec inquiétude.

— Non, je viens d'arriver. Alors, qu'est-ce qui a bien pu
se passer pour que tu aies besoin de me voir aujourd'hui ?

Abbie sentit qu'elle rougissait malgré la fraîcheur de l'air.

— C'est lui, C. Il m'a envoyée acheter de la lingerie et tu
sais que je déteste ce genre d'endroit. La dernière fois que tu
m'as emmenée faire des folies, j'ai dépensé deux cents dollars
pour un soutien-gorge qui a fini en écharpe.

Kit serra les lèvres, essayant de réprimer un rire. Son
visage était hilare.

— Oh ! Abbie.

Elle poussa la porte de la boutique, et le carillon retentit,
annonçant leur arrivée. Abbie contempla le sol en chêne blanc
et les rideaux de soie violette.

Le décor d'une partie de la boutique était censé représenter
une bibliothèque. *Comme si on pouvait avoir envie d'essayer
de la lingerie au milieu des livres.*

— Mesdames.

Une vendeuse chaleureuse vint les accueillir.

— Que puis-je faire pour vous ? Recherchez-vous quelque
chose en particulier ? Il s'agit d'un mariage, peut-être ?

Abbie secoua la tête.

— Non. Non, pas de mariage. J'ai besoin de remplacer toutes mes affaires. J'ai tout perdu. Pendant un voyage en avion, ajouta-t-elle maladroitement.

La vendeuse sourit.

— Aucun problème. Vous trouverez des cabines d'essayage au fond de la boutique et des peignoirs que vous pourrez enfiler. Mais, pour commencer, peut-être pourriez-vous me donner une idée du style que vous appréciez ?

Abbie s'avança sur l'un des tapis en peau de mouton qui ornaient le sol et choisit une petite culotte noire toute simple et sans coutures.

Kit secoua la tête.

— Il t'a parlé de lingerie, tu te rappelles ?

Abbie reposa le cintre à sa place. Kit avait raison : la couleur chair et le noir étaient exclus.

— Si vous aimez les sous-vêtements faciles à porter, je peux vous proposer de jolis shortys Fleur't Lulu et, bien sûr, nous avons les soutiens-gorge invisibles assortis.

Abbie regarda l'étiquette. Trente-cinq dollars pour une petite culotte ? Elle ignora le sourire suffisant de Kit. Il valait mieux se débarrasser rapidement de cette corvée. C détesterait probablement les trucs confortables.

— Très bien, je vais essayer un ensemble en 95C, mais il me faut quelque chose de plus féminin.

Abbie examina les étalages. Des pyjamas en coton égyptien côtoyaient des chemises à bretelles ornées de cristal Swarovski, dont l'étiquette indiquait un prix à quatre chiffres. Pas du tout son genre. Elle aurait l'impression d'être un sapin de Noël. Il était temps de s'en remettre à une professionnelle.

— J'ai besoin de trucs en soie, en dentelle. Le style qui plaît aux mecs. Rien qui gratte, rien avec des perles et absolument aucun string.

La vendeuse la jaugea d'un regard, et Abbie eut soudain l'impression d'auditionner pour le rôle principal de *Pretty Woman*.

— Vous dites que vous avez perdu toute votre lingerie ?
Abbie hocha la tête.

— Absolument toute. Je suis littéralement sans le dessous.

— Parfait. Cabine trois, alors. Vous y trouverez un peignoir pour vous changer. Je vous apporterai tout ce qu'il vous faudra.

La cabine d'essayage était spacieuse. L'éclairage ne la mettait pas trop mal à l'aise, et une coupe de chocolats blancs italiens avait été déposée à côté du peignoir blanc et moelleux. La vendeuse revenait fréquemment et mettait aussitôt de côté tous les articles qui plaisaient à Abbie. C'était presque agréable. Deux heures plus tard, les achats d'Abbie étaient élégamment emballés dans des boîtes fermées par un nœud. Elles étaient les dernières clientes à quitter la boutique.

— J'ai du mal à croire que je viens de dépenser mille deux cents dollars pour de la lingerie.

Kit rit.

— Considère ça comme un investissement. Qu'est-ce que tu as envie de faire maintenant ? On va boire un verre ?

Abbie jeta un œil à sa montre. Elle avait enfin réussi à convaincre quelqu'un du ministère des Affaires étrangères de lui parler de l'affaire Tabora, et cette personne avait promis de l'appeler à vingt heures.

— J'adorerais, Kit, mais j'ai du travail ce soir. On remet ça à plus tard ?

— Pas de problème, mais tu devras absolument me raconter comment tu t'en es sortie avec ta lingerie.

— Tu peux toujours courir !
Abbie gloussa.

Elle souriait encore lorsqu'elle atteignit le carrefour suivant. En attendant de pouvoir traverser, Abbie se dit qu'il lui faudrait sans doute acheter quelque chose à manger. Peut-être qu'elle pourrait passer chez le traiteur avant d'arriver chez elle. Quelques heures de travail, et puis elle parlerait à C.

Alors même que le feu changeait, Abbie reçut un coup brutal entre les omoplates et tomba en avant sur la chaussée. Toute la scène sembla se passer au ralenti. Ses mains heurtèrent l'asphalte, une femme poussa un cri, les boîtes de la boutique Journelle s'éparpillèrent dans la rue, et les roues avant d'un taxi foncèrent sur elle à une vitesse effrayante. Clouée sur place, Abbie ferma les yeux et attendit l'impact.

Des pneus crissèrent. Quand elle rouvrit les yeux, le pare-chocs en chrome du taxi se trouvait à quelques centimètres de son visage. Le chauffeur au turban bleu lui criait des mots qu'elle ne parvenait pas à comprendre. Elle était toujours en vie. Abbie mit un certain temps à le comprendre et, soudain, elle se mit à trembler. Un couple de touristes vêtus de sweat-shirts I LOVE NY ramassa ses achats et l'aida à se relever. Tous deux avaient la même façon de parler que Jack et Kevin, et leur intonation lui donna les larmes aux yeux.

— Je vais bien, je vous assure, dit-elle lorsqu'ils insistèrent pour examiner ses mains et ses genoux égratignés.

Abbie claquait des dents, mais elle parvint tout de même à se faire comprendre.

La femme, âgée d'une cinquantaine d'années, sortit un mouchoir de sa poche et le lui tendit.

— Vous avez fait une chute terrible. Reposez-vous une minute. Voulez-vous aller à l'hôpital ?

Abbie secoua la tête.

— Non, je vais prendre un taxi. J'ai juste envie de rentrer chez moi.

Elle avait besoin d'être seule. Non, elle avait besoin de Jack. Du Jack qui l'avait soignée si tendrement au bord de l'eau. Mais, comme il ne pouvait pas être là, Abbie préférait rester seule. L'homme aux cheveux gris héla un taxi, et tous deux l'aidèrent à monter avec ses sacs. Le taxi était déjà loin lorsqu'Abbie s'aperçut qu'elle ne leur avait même pas demandé leurs noms. Le choc commençait à s'estomper, et la réalité lui apparut froidement. Abbie entrevoyait des choses qu'elle n'avait pas envie d'affronter. Elle n'était pas tombée par hasard. Quelqu'un l'avait poussée dans la rue, juste devant un taxi. Si le chauffeur n'avait pas été aussi adroit, Abbie aurait fini sous ses roues. Encore une piétonne indisciplinée qui s'est fait écraser, aurait-on dit. Elle sentit les larmes lui monter aux yeux et elle chercha un mouchoir dans sa poche. Ses doigts entrèrent en contact avec une sorte de peau cireuse, et elle la sortit avec précaution.

L'orchidée était abîmée. Sa présence dans la poche d'une victime de la circulation aurait pu paraître étrange, mais cela n'avait rien de très extraordinaire. Un médecin légiste n'y aurait pas prêté attention. Il aurait simplement noté que, par une étrange coïncidence, la victime venait de rentrer du Honduras, dont l'orchidée était la fleur nationale.

Abbie paya le chauffeur de taxi et, impatiente de retrouver le calme et la sécurité de son appartement, courut jusque chez elle. Elle tourna la clé dans la serrure et ferma le verrou. Alors seulement, elle se laissa aller à pleurer.

Au bout d'un moment, Abbie se déshabilla et entra dans sa cabine de douche. Alors que l'eau chaude coulait sur elle, elle ressentit des picotements sur ses genoux et ses mains contusionnés, et elle repensa à son reportage. Y avait-il un lien ? Une fois sortie de la douche, elle s'enveloppa dans un peignoir et alla chercher des pansements.

Le voyant rouge qui clignotait sur le répondeur attira son attention, et Abbie appuya sur le bouton de lecture.

« Mademoiselle Marshall, c'est Tom Breslin, du ministère des Affaires étrangères. Désolé de vous avoir ratée. Je ne pourrai pas vous donner cette interview en fin de compte ; on vient de me transférer. »

Les mains d'Abbie se mirent à trembler. Était-ce la fin de son reportage ?

Si elle avait appris une chose au fil de sa carrière de journaliste, c'était bien que les coïncidences n'existaient pas. Abbie allait devoir réexaminer tous ses dossiers et certainement passer la journée du lendemain en salle de rédaction. Il lui serait impossible de retrouver Kevin pour le déjeuner. Au lieu de cela, il faudrait que ce soit un dîner.

DIX SEPT

Il ne pouvait pas laisser tomber. Jack avait réussi à se contrôler tout au long d'un déjeuner professionnel parfaitement ennuyeux, sans cesser de penser qu'Abbie était avec Kev et qu'elle portait une petite culotte de soie rose bordée de dentelle noire. Comme une soumise digne de ce nom, elle lui avait décrit son sous-vêtement le matin même. Jack buvait un expresso et avait failli s'étouffer en lisant son rapport. À présent, il était littéralement obsédé par le petit morceau de soie rose qui moulait ce cul si propice aux fessées. Il se demanda si elle portait un soutien-gorge assorti. Ce soir, il allait ajouter à sa liste d'instructions celle de lui décrire le soutien-gorge qu'elle portait, en plus de sa petite culotte.

Le principal, c'était que personne d'autre ne parvienne à les voir.

Jack s'excusa auprès du maire, se planqua dans un coin et appela Kev.

— Alors, ton déjeuner avec Abbie s'est bien passé ?

Il essaya de paraître désinvolte.

— Oh ! il a été annulé.

Jack se redressa.

— Pourquoi ? Elle a changé d'avis ?

Il fit de son mieux pour ne pas trahir son euphorie.

Kev rit.

— Non, rien à voir. Abbie a eu un empêchement. Elle a dû aller travailler aujourd'hui ; alors, on se voit pour le dîner. Elle m'a parlé de ce petit restaurant italien extraordinaire près de chez elle, Mamma D'Inzeo. Je te dirai plus tard si la soirée s'est bien terminée.

Kev raccrocha avant que Jack puisse réagir.

L'acteur serra les poings. Il était si furieux qu'il parvint tout juste à se contenir. Kev, ce sale traître, sortait dîner avec Abbie. Le déjeuner était un moment de détente, idéal pour des retrouvailles entre amis.

Mais ce dîner dans un « petit restaurant italien extraordinaire » un samedi soir était un rendez-vous. Et Abbie portait une petite culotte de soie rose avec de la dentelle noire.

— Et maintenant, veuillez accueillir notre invité d'honneur, monsieur Jack Winter.

Un assistant du maire vint chercher Jack, le poussa vers le podium et lui fourra un micro dans la main. Eh merde, il fallait en finir avec ça d'abord. Jack leva le micro.

— Je vous remercie de m'avoir invité. C'est avec grand plaisir que je déclare cette...

Il parcourut rapidement la salle du regard. Où pouvait-il bien être ?

— … cette manifestation artistique ouverte.

Il saisit brutalement les fleurs que lui tendait une enfant en robe blanche tout étonnée, l'embrassa sur la joue, posa juste assez longtemps pour qu'on prenne quelques photos de lui, puis se dirigea vers la sortie. Kev ne devait surtout pas s'approcher de la petite culotte en soie d'Abbie.

Lorsque Jack trouva Mamma D'Inzeo ce soir-là, il faisait nuit et le restaurant était déjà complet. Il s'efforça d'examiner les clients par la fenêtre, puis vit Kev se pencher en avant pour parler à l'oreille d'Abbie, et la jeune femme éclata de rire.

C'était une scène qu'il connaissait par cœur. Quand il rompait avec le dernier mannequin ou la dernière starlette à la mode que Zeke avait poussée dans sa direction, Kev était là pour la consoler et lui assurer qu'elle était toujours aussi belle et désirable. Tous deux formaient un duo parfait. Mais pas cette fois. Son histoire avec Abbie n'était pas terminée. Kev ne la toucherait pas.

Jack poussa la porte et se dirigea vers leur table. Une petite Italienne ronde aux cheveux gris acier se plaça devant lui et lui barra le passage.

— Vous avez réservé, monsieur ?

Cela faisait si longtemps que Jack n'avait plus besoin de réserver nulle part qu'il lui fallut un moment pour comprendre sa question. Il essaya de la contourner, mais elle se posta devant lui.

— Votre réservation, monsieur ?

— Je ne dîne pas. J'ai juste besoin d'aller là-bas.

Il désigna la table d'Abbie.

— La table de mademoiselle Marshall ? Je vais voir si elle attend des invités. Patientez ici.

Jack la suivit jusqu'à la table et fut accueilli par deux regards fâchés.

— Qu'est-ce que tu fais là ? demanda Kev.

Jack se délecta de la beauté d'Abbie avant de répondre. Elle avait fait quelque chose à ses cheveux. Elle les avait rassemblés d'un côté, et sa chevelure brillait de santé. Sa bouche était large, rouge et séduisante.

Oh ! les choses qu'il rêvait de faire avec ces lèvres. Les yeux d'Abbie se levèrent sévèrement vers lui. Jack remarqua que la colère faisait gonfler sa poitrine chaque fois qu'elle inspirait. La soie fine de ce chemisier était toute simple, se dit-il, mais, sur Abbie, c'était une invitation à pécher.

Dans le box tranquille de ce petit restaurant odorant, Kevin était assis trop près d'elle à son goût. Il avait trouvé l'angle parfait pour pouvoir regarder dans le décolleté d'Abbie.

— Je suis venu me joindre à vous, expliqua-t-il à la journaliste. Comme je me suis dit que vous parleriez de moi, autant répondre moi-même à toutes tes interrogations.

Jack fut ravi de voir les joues d'Abbie s'empourprer. Elle parlait donc de lui. Elle lui lança un regard à faire fondre l'acier.

— Eh bien, je vois que tu es toujours doté d'un ego démesuré.

Kev le fusilla du regard.

— Oui, va-t'en, Jack. On se verra demain.

Jack voulut s'asseoir à côté d'Abbie, mais l'Italienne inflexible lui bloqua le passage. Alors, il se glissa à côté de Kev.

— Non, c'est bon. Je n'ai pas encore dîné de toute façon. Je vais me joindre à vous.

*

Abbie était sans voix. La maîtresse d'hôtel italienne se tourna vers elle pour lui demander si elle devait apporter un autre menu. Toujours secouée, Abbie ne parvint qu'à hocher la tête. Kevin et elle venaient de commander.

Chacun avait un verre d'eau et un autre de vin, mais leurs plats n'étaient pas encore arrivés. Jack s'était débrouillé pour faire son entrée avant qu'ils aient dépassé le stade de la conversation superficielle.

L'acteur se tourna vers elle.

— Alors, tu t'es bien remise de ton séjour dans la jungle ?

Abbie acquiesça. Elle se demanda si elle finirait par retrouver un jour l'usage de la parole.

— Est-ce que Zeke t'a remboursé ton soutien-gorge ? J'ai adoré te voir sans, soit dit en passant.

Abbie prit son verre d'eau d'une main tremblante. Elle but lentement afin d'avoir le temps de se calmer.

— Je préfère ignorer cette remarque et je vais essayer de faire comme si nous étions des adultes bien élevés, dit-elle enfin.

Elle détestait les scènes, et celle qui se préparait promettait d'être énorme. Jack souriait d'un air mauvais et Kevin semblait furieux.

— Au fait, Kev, tu ne devais pas aller quelque part ce soir ?

— Si, en effet. Ici même, au restaurant avec Abbie. Va-t'en, Jack, tu joues vraiment au con.

— Je croyais que nous avions déjà parlé de ça à la salle de sport ?

Kevin attrapa un morceau de glace dans son verre d'eau et le tint devant lui. Cela signifiait manifestement quelque chose entre eux.

— C'est vrai, dit Kevin. D'ailleurs, si tu veux plus de glace, dis-le-moi. Autrement, va-t'en d'ici.

— Demandons à la dame ce qu'elle préfère. Je parie qu'elle veut que je reste, pas vrai, Abbie ?

Elle avait bel et bien envie de lui (elle était humide rien qu'en le regardant), mais elle était aussi folle de rage. Pour qui se prenait-il ?

— En fait, je suis tentée de vous demander à tous les deux de vous en aller. Kevin a au moins eu la politesse de m'inviter à manger, plutôt que de débarquer à l'improviste et d'interrompre un dîner tout à fait agréable.

Jack prit la main d'Abbie qui agrippait le verre d'eau, sentit son pouls et la regarda dans les yeux.

— Tu ne veux pas d'un homme poli. Tu veux un homme qui te permette d'expérimenter des choses, qui sache qui tu es vraiment.

Abbie retira sa main de la sienne.

— Tu ignores totalement qui je suis vraiment, dit-elle d'un ton qui lui parut trop guindé.

— Je sais que tu aimes porter des petites culottes en soie rose, répondit Jack.

Abbie eut l'impression que son corps tout entier s'empourprait. Comment le savait-il ? *Oh ! mon Dieu, non !* Oh ! bon sang, c'était impossible.

— Tu es C ? dit-elle avec incrédulité. Tu me fais donc marcher depuis le début ?

Jack haussa les épaules.

Abbie eut la sensation de manquer d'air. Le temps semblait s'être arrêté. Jack la regardait simplement, le visage inexpressif. Kevin les dévisagea tour à tour. Abbie s'empara du pichet d'eau, le renversa sur Jack, saisit son sac et sortit en trombe du restaurant. L'acteur la rattrapa avant qu'elle ait atteint le bout de la rue.

— Attends, Abbie, dit-il en essayant de lui toucher le bras.

Elle se retourna et reconnut à peine sa propre voix lorsqu'elle s'écria :

— Ne me touche pas ! Tu n'es qu'un sale menteur et je ne veux rien avoir à faire avec toi.

— Mais tu viens de me renverser un pichet sur la tête.

En effet, Jack avait l'air pitoyable – en admettant que ce soit possible. Abbie eut un bref instant de satisfaction.

— Eh bien, oui. Et je recommencerai si tu m'énerves.

— Mais parlons d'abord.

Jack refusait de la laisser s'éloigner de lui. Il lui tint le poignet jusqu'à ce qu'ils arrivent dans l'entrée de son immeuble.

— Tu ne montes pas avec moi, dit-elle.

— Tu me dois bien une serviette.

Le concierge étant occupé à aider une vieille femme en fauteuil roulant, Abbie ne put l'appeler à l'aide. Elle n'avait pas vraiment le choix. Elle allait devoir le laisser monter pour qu'il puisse se sécher.

Dès que les portes de l'ascenseur se refermèrent derrière eux, Jack l'attrapa, l'attira contre lui et plaqua sa bouche sur la sienne. Non, non, non, ça n'allait pas se passer comme ça. Pendant un instant, Abbie serra fermement les lèvres par défi.

Jack traça le contour de sa bouche avec sa langue, exigeant de pouvoir entrer. Elle le bloqua aussi longtemps que possible, et puis, ce fut la fin. Elle voulait Jack plus que tout. Elle lui rendit son baiser avec la même voracité.

Jack resserra son étreinte. Sa langue et ses lèvres la dévoraient. Abbie s'arqua contre son corps beau et long, et le bout de ses doigts s'enfonça dans ses épaules.

Ils étaient entièrement absorbés par leur étreinte lorsque l'ascenseur s'arrêta. Les portes s'ouvrirent, mais Jack sembla ne pas s'en apercevoir. Il finit par lever la tête, s'écartant de sa bouche de quelques centimètres à peine.

— Quel numéro ?

Abbie était encore étourdie par leur baiser. Sa bouche semblait molle et légèrement contusionnée. Elle dut réfléchir un instant. Quel était le numéro de son appartement ?

— Quatre cent trente-deux.

Les mains d'Abbie tremblaient quand ils arrivèrent devant la porte. Jack prit la clé et l'enfonça dans la serrure.

Dès qu'ils furent à l'intérieur et que la porte fut refermée, il l'attrapa à nouveau.

Cette fois, ils s'embrassèrent à pleine bouche. Jack lui empoigna les cheveux afin de la maintenir immobile et de pouvoir la dévorer. Abbie lutta pour passer un bras autour de son cou et le rapprocher d'elle. Ses lèvres cherchaient les siennes et imitaient leurs mouvements. L'une de ses mains était coincée entre leurs corps, et elle la passa entre les boutons de sa chemise pour pouvoir lui toucher la peau.

Jack glissa une main vers ses fesses, puis se mit à les caresser et à les malaxer, la forçant à sentir son érection. Abbie se mit sur la pointe des pieds et se frotta contre lui.

— Oh ! bon sang, Abbie, dit-il avant d'enfouir son visage dans son cou.

Il suça sa peau, puis y déposa des baisers bouche ouverte, comme pour apaiser la légère douleur. Jack lui laissait des marques, mais elle s'en moquait. C'était ce qu'elle voulait.

Abbie avait l'impression d'être en feu. Elle enfouit ses mains dans les cheveux de Jack, attirant sa tête vers sa bouche. Une fois qu'elle l'eut fait revenir à l'endroit voulu, elle tira sa chemise de son pantalon et glissa ses mains dessous. Elle les fit remonter le long de son dos, puis les passa devant et enfouit ses doigts dans les poils élastiques de son torse.

Jack la mordilla derrière l'oreille, et Abbie gémit. Elle inclina la tête pour lui proposer à nouveau ce point vulnérable. Il recommença, plus fort cette fois, et Abbie gémit encore.

Elle sentait son sexe en érection remuer. Il fallait qu'elle le touche. Elle glissa une main vers sa braguette, mais, avant qu'elle puisse faire quoi que ce soit, Jack enfouit ses mains sous son chemisier de soie et lui caressa la peau. Puis, il les fit descendre vers sa jupe et tira dessus.

— Tu ne m'avais pas parlé de ça, dit-il soudain.

Abbie ignorait totalement de quoi il parlait. Elle était tout simplement hypnotisée par sa bouche.

— Pas de collants, fit Jack. C'est horrible.

Il tira dessus, et Abbie les entendit se déchirer. Il continua à les lacérer. Le bruit était électrisant. Elle voulait qu'il lui arrache tous ses vêtements. Elle voulait le sentir partout sur elle.

Soudain, Jack s'arrêta et regarda autour de lui. Ils étaient dans son salon, une grande pièce sommairement meublée. Il l'attira vers l'extrémité du canapé.

— Penche-toi. Accroche-toi à ce coussin, ne bouge pas les mains.

Jack l'installait dans une certaine position tout en parlant.

— Qu'est-ce que tu fais ? demanda-t-elle.

— Regarde devant toi.

Jack reprenait les choses en main. Abbie avait du mal à s'imaginer à quoi elle ressemblait. Ses collants étaient en lambeaux, mais elle portait toujours ses talons hauts, ce qui l'obligeait à relever les fesses.

Jack prit son temps pour remonter la jupe d'Abbie jusqu'à sa taille. Le bas de son corps était presque entièrement nu ; il ne lui restait plus que sa petite culotte rose.

Jack se rapprocha, se plaça presque entre ses pieds et les lui tapota.

— Plus écartés.

Obéissante, Abbie écarta les pieds. Il recommença.

— Encore.

Elle les déplaça péniblement de quelques centimètres tout en s'efforçant de garder la même position.

— Bonne petite.

Jack lui caressa les fesses, puis, d'un geste impitoyable, il lui arracha sa petite culotte.

— Je t'en achèterai d'autres.

Abbie l'entendit déchirer l'emballage d'un préservatif, puis le sentit tomber sur elle. Le premier coup de reins fut époustouflant. Jack la possédait entièrement ; cela ne ressemblait à rien de ce qu'elle avait connu auparavant. Elle crut que ses terminaisons nerveuses allaient fondre, tant le plaisir était fort. Abbie laissa échapper un cri, ce qui sembla faire hésiter Jack. Elle poussa les fesses en arrière, le suppliant silencieusement de continuer. Jack s'enfonça à nouveau en elle. Il lui tenait les hanches, afin de maîtriser le tempo. Il ne voulait pas la laisser se précipiter vers l'orgasme comme elle le souhaitait.

Abbie ne pensait qu'à une chose : c'était ce plaisir qu'elle avait tant désiré, ce plaisir dont elle avait besoin. Elle supplia Jack de continuer.

Abbie sentit les ongles de Jack lui griffer lentement le dos et elle grogna. Lorsqu'il lui pinça le téton à travers son soutien-gorge de soie et de dentelle, elle retint son souffle et se cabra.

— Reste dans la même position, grogna-t-il. Accroche-toi au coussin.

Obéissante, Abbie se laissa tomber, mais elle serra si fort le coussin qu'il faillit se déchirer.

— Oui, monsieur, dit-elle.

C'était ce qu'il fallait faire, si elle voulait obtenir ce dont elle rêvait. Jack ne put résister à l'envie d'accélérer et lui donna des coups de reins de plus en plus rapides. Il s'enfonça en elle encore et encore, et Abbie se leva pour le sentir contre elle.

— Encore, s'il te plaît ! s'écria-t-elle.

Ce fut la fin. Jack lui donna un violent coup de reins, sans finesse ni habileté, mais elle était déjà trop loin pour s'en soucier. En poussant un gémissement qui s'entendit jusque dans la rue, Abbie jouit.

DIX HUIT

Mon Dieu, que venait-il de se passer ? La main d'Abbie se referma sur un petit tas de plumes sorties du coussin déchiré. Le corps chaud de Jack reposait sur le sien. Il était toujours en elle et respirait bruyamment. Il déposa un léger baiser sur son épaule.

— Ça va, Abbie ?

— Oui..., je...

Elle l'avait vraiment fait. Elle avait fait l'amour avec Jack.

Le cœur d'Abbie se serra lorsque Jack se retira, puis se releva.

— Je vais te mettre au lit, dit-il.

— Non.

Aïe, elle ne voulait pas paraître aussi pleurnicheuse. Jack risquait de la prendre pour l'une de ces femmes collantes qui allait le supplier de rester toute la nuit.

Il l'aida à se redresser et à se mettre debout. Puis, il l'attira contre son torse et lui renversa la tête d'une main.

— Est-ce que je t'ai fait mal ?

— Non.

— Tu aimerais que je le fasse ?

Son expression sérieuse laissa place à un sourire malicieux. Abbie se souvint de la grotte dans la jungle, de sa main frappant sa chair tendre. De la soudaine chaleur provoquée par l'impact.

— Tu sais que tes pupilles viennent de se dilater ?

Jack rit d'une voix grave.

— Je prends donc ça pour un oui.

Il se pencha, passa un bras plié sous ses genoux et la souleva. Abbie se sentait protégée par un mur de muscles solides.

— La chambre ?

— Par là, lui indiqua-t-elle.

Jack la déposa sur le lit et, avant qu'elle puisse le lui demander, il ferma les rideaux et alluma la lampe de chevet. Son regard plein de désir la fit trembler, et Abbie se couvrit d'une main.

— Ne fais pas ça.

Ces mots exprimaient un ordre plus qu'une demande. Elle se sentait comme un lapin dans les phares d'une voiture, tandis que les yeux de Jack la contemplaient de la tête aux pieds.

Abbie ignorait totalement à quel point sa petite culotte était déchirée. Deux boutons manquaient à son chemisier en soie, et son élégante jupe n'était plus qu'un chiffon. Curieusement, elle portait toujours ses nouvelles chaussures à talons, celles que Miffy lui avait fait acheter.

— Je les aime bien, dit Jack d'une voix rocailleuse. Il y a quelque chose d'excitant chez une femme qui porte des talons hauts. Je crois qu'on va les garder.

Les doigts de Jack se déplacèrent lentement le long de son cou-de-pied, jusqu'à ce qu'ils rencontrent un accroc à l'endroit où les collants étaient déchirés.

— Ceux-là, en revanche, on va s'en débarrasser.

Sa jupe et son chemisier finirent sur le sol avec les collants déchirés.

— C'est beaucoup mieux, maintenant.

Jack s'arrêta un instant quand sa main atteignit le soutien-gorge d'Abbie, et il passa l'index sur ses tétons couverts de dentelle. Ce simple contact la fit frémir de plaisir. Abbie gémit et s'arqua sous ses doigts.

— Est-ce que tu te sens sexy quand tu portes ce genre de chose, Abbie ?

— Je...

Bon sang, elle n'avait plus que de la bouillie dans la tête, et, s'il ne cessait de la toucher, elle allait fondre.

— Réponds-moi.

Son ton soudain brutal la fit frissonner.

— Oui.

— Bonne petite.

Ses lèvres se refermèrent lentement sur un téton et l'aspirèrent.

Cette sensation était délicieuse, entre extase et douleur. Jack libéra Abbie, dégrafa son soutien-gorge et le jeta sur le tas de vêtements.

— Tu es magnifique.

Abbie se sentait plutôt affreuse. Elle était à nu, vulnérable et ne portait rien d'autre qu'une paire de chaussures Miu Miu rouge foncé.

Jack était toujours entièrement habillé. Abbie glissa une main sur sa poitrine pour se couvrir.

Ce geste lui valut une tape brutale sur la hanche.

— Les mains au-dessus de la tête, Abbie, et ne bouge plus.

Le ton de Jack étant légèrement menaçant, Abbie obéit.

— Qu'est-il arrivé à tes paumes ?

— Je suis tombée, avoua-t-elle. Je me suis blessé les genoux aussi.

Jack embrassa chacune de ses mains.

— J'embrasserai tes autres blessures plus tard.

Puis, il lui renversa la tête, et son pouce lui caressa le bord de la mâchoire.

— Regarde-moi, Abbie.

Elle cligna des yeux, et sa gorge se serra lorsqu'elle remarqua le regard intense de Jack.

— Tu es à moi pour ce soir.

Jack relâcha la mâchoire d'Abbie, puis ses mains descendirent sur sa poitrine, s'arrêtèrent tendrement sur chaque sein et glissèrent lentement sur son abdomen avant de se poser sur son pubis. Un large doigt s'enfonça en elle, et Abbie retint brusquement son souffle.

Un deuxième doigt rejoignit le premier, et le pouce de Jack effleura son clitoris.

Abbie s'arqua contre lui, cherchant à augmenter la pression sur son sexe. Leurs premiers ébats l'avaient rendue si sensible qu'il en faudrait peu pour la faire basculer à nouveau.

— Vilaine fille.

Jack retira ses doigts et les enfonça dans sa propre bouche.

— Ma chaude, ma douce petite Abbie, je vois que je vais devoir t'apprendre qui commande ici.

*

Jack abandonna Abbie et partit à la recherche de sa cuisine. Il avait failli éclater de rire en voyant l'expression de la jeune femme lorsqu'il lui avait demandé où cette pièce se trouvait. Il avait enfin pu provoquer en elle l'effet voulu et il savait que c'était ce qu'elle souhaitait aussi. Ils avaient toute la nuit devant eux, et Jack allait l'amener au septième ciel. Mais avant cela, Abbie devait manger.

Tout en se promenant dans sa cuisine, il se dit qu'Abbie avait dépassé ses attentes à tous points de vue. Si leur première nuit d'amour était aussi puissante, il osait à peine imaginer les prochaines. Il avait été étonné et plus excité que jamais par la fragilité de sa peau, si pâle et douce. C'était une invitation à lui faire subir le pire. Et ce derrière affriolant qui avait hanté ses rêves pendant deux semaines ! Jack aurait voulu le toucher en permanence. Et ces yeux verts qui brillaient de désir. Il avait très envie de voir ce qu'il pouvait encore faire naître en eux.

Jack avait lutté contre le sombre désir de la déshabiller entièrement, de l'attacher et de la marquer comme sienne. Mais son cri (« Encore, s'il te plaît ») avait été un véritable aphrodisiaque. Ces mots auraient excité la statue d'un saint, et, bon sang, il était loin d'en être un. Abbie était si chaude et humide. Elle était si douce et forte à la fois lorsqu'elle avait pressé ses fesses contre lui. Et quand Jack avait senti ses muscles délicats se refermer autour de son sexe comme un poing, ce moment d'extase avait failli le faire basculer. Si le sexe vanille était aussi intense avec Abbie, il n'osait même pas imaginer ce qui se passerait lorsqu'ils expérimenteraient des choses plus sombres.

Un quart d'heure plus tard environ, Jack finit de tout préparer. Deux verres de vin, d'une bouteille qu'il avait trouvée dans son frigo vide. Et une assiette de pain perdu pour Abbie.

Quand il revint à la chambre, elle se redressa, intriguée.

— Je crois me souvenir que tu as sauté le dîner à cause de moi, dit-il.

Abbie gloussa.

— Et je t'en veux encore. Sais-tu combien il est difficile d'obtenir une réservation chez Mamma D'Inzeo un samedi soir ?

— Je me rachèterai plus tard. D'abord, nous devons avoir une petite conversation au sujet de ton réfrigérateur.

— Quel est le problème ?

— Même un moineau n'y trouverait pas de quoi survivre, et je déteste les femmes maigres.

— Tu veux me faire manger ?

Cette pensée parut lui donner le vertige.

— Alors, quels délices m'as-tu préparés ?

— Je me suis dit que madame aimerait sans doute le pain perdu au sirop d'érable, afin de reprendre des forces.

Abbie tendit la main vers la fourchette.

— Ah ! ah ! On ne touche pas à la nourriture. Bas les pattes. C'est moi qui vais te nourrir.

Jack coupa un morceau de pain perdu et le porta aux lèvres d'Abbie.

— C'est quoi ce parfum ? marmonna-t-elle en mâchant.

Voilà ce qu'il aimait voir : une femme trop occupée à manger pour se soucier des bonnes manières.

— De la vanille, pour ma fille vanille, dit-il en souriant avant de lui proposer une autre bouchée.

Abbie l'avala rapidement.

— Je ne suis pas vanille.

— Vraiment ? demanda-t-il.

Chacun soutint le regard de l'autre en comprenant quel marché était en train de se conclure.

Abbie prit la parole avec hésitation. Elle parut choisir soigneusement ses mots.

— Et si je voulais essayer d'autres parfums ? Si j'étais prête à goûter autre chose ?

Jack coupa une autre bouchée et la déposa dans la bouche d'Abbie.

— Tu n'imagines pas ce que tu me demandes. Tu ne sais pas comment je suis.

Abbie refusa la dernière bouchée, et Jack l'avala à sa place. Elle refoula ses larmes en clignant des yeux.

— Et si je voulais le découvrir ? demanda-t-elle. Si je voulais apprendre à connaître le vrai Jack Winter, celui que tu as si peur de me montrer ?

L'idée de l'emmener dans son monde était tellement tentante. C'était ce qu'il voulait depuis le jour de la grotte. Et pourtant, maintenant qu'elle s'offrait à lui, Jack hésitait. Comprenait-elle vraiment à quoi elle s'exposait ?

Abbie lui prit la main et la posa sur son sein nu. Son téton se durcit aussitôt sous ses doigts.

— Et si je te disais que j'ai envie d'obéir à tes règles ?

Peut-être qu'Abbie savait à quoi elle s'engageait, mais il devait d'abord s'en assurer.

— J'ai un côté beaucoup plus sombre que ce que tu peux imaginer. Ce n'est pas un jeu, c'est une partie de ma personnalité.

Abbie s'assit, tendit les bras vers lui, les enroula autour de son cou et enfouit ses doigts dans ses cheveux foncés. Elle lui mordilla la lèvre inférieure, et Jack grogna. Il ne pouvait pas lui résister. Abbie attira sa tête vers elle et embrassa sa bouche si brutalement qu'ils furent bientôt tous deux à bout de souffle.

— J'ai envie de toi. Montre-moi combien tu as envie de moi.

— Allonge-toi, Abbie.

Jack alla à son placard et fouilla à l'intérieur jusqu'à ce qu'il trouve ce qu'il cherchait. Il revint vers le lit avec quelques foulards de soie.

— Tu es sûre d'en avoir envie, Abbie ? Parce qu'une fois que ce sera commencé, nous nous arrêterons seulement quand je le dirai.

— Oui, j'en suis sûre.

— Bonne petite. Je te suggère d'aller d'abord faire un tour aux toilettes. Tu risques de rester attachée un moment.

Abbie fila.

*

Le miroir de la salle de bains confirma ses pires soupçons. Elle avait les cheveux en pagaille. Son mascara avait coulé et il ne restait plus une trace de son rouge à lèvres.

Elle avait des coupures sur les genoux et une tache dans le cou à l'endroit où Jack l'avait mordillée. Mais elle avait surtout l'air d'une femme qui venait de connaître l'orgasme le plus intense de toute sa vie.

Elle contempla son reflet avec incrédulité. Cette femme ne pouvait être Abbie Marshall. Elle était nue dans sa salle de bains, toujours chaussée de talons hauts, et Jack Winter se trouvait dans sa chambre, où il attendait de pouvoir l'attacher et de lui faire des choses incroyables.

Abbie était si excitée qu'elle en avait presque mal au ventre. Elle était prête à le faire. Elle allait prouver à Jack qu'elle n'était pas une fille vanille. Abbie se gargarisa avec une dose de bain de bouche et recracha le liquide.

Elle ne voulait pas trop tarder. Jack l'attendait.

Lorsqu'Abbie sortit de la salle de bains, elle faillit battre en retraite en voyant son regard. Il était si avide, si impatient qu'elle frissonna. Dans quelle aventure s'était-elle lancée ? Pourtant, il était impossible de faire demi-tour. Si elle reculait maintenant, elle ne se le pardonnerait jamais.

Jack lui banda les yeux à l'aide du premier foulard. L'obscurité n'était pas totale, mais cela suffit à la faire osciller. Abbie frissonna, consciente de sa nudité et de la proximité de Jack. Elle entendait sa respiration, sentait sa chemise effleurer sa peau sensible.

— Détends-toi.

Jack l'attira contre son torse. Il était toujours entièrement habillé, et le contact du jean contre sa cuisse nue lui donna des frissons dans le dos.

— Allonge-toi, Abbie.

Elle se déplaça un peu maladroitement. Elle avait du mal à retrouver l'équilibre maintenant que ses yeux étaient couverts. Elle s'allongea avec obéissance sur l'édredon en lin. Jack prit chacun de ses poignets et enroula autour un foulard de soie avant de les attacher à la tête de lit en bois.

Il glissa ses doigts sous la boucle afin de vérifier la circulation de son sang. Abbie entendit la vaisselle tinter lorsqu'il remporta le plateau dans la cuisine. Puis, le silence se fit.

Abbie n'aurait su dire depuis combien de temps il était parti, mais, à mesure que le temps s'écoulait, sa nervosité augmentait. Finalement, la porte de la chambre s'ouvrit.

— Oh ! mademoiselle Marshall, vous êtes belle à ravir.

Les tétons d'Abbie se dressèrent lorsqu'elle reconnut l'accent irlandais de Jack.

— Je vais goûter chaque centimètre de ta peau.

Abbie sentit son souffle chaud sur sa cheville. Il ne plaisantait donc pas. Avec une lenteur infinie, Jack dirigea ses baisers jusqu'à son mollet, puis s'attarda sur la peau tendre derrière son genou avant d'embrasser l'intérieur de sa cuisse.

— Mon Dieu, gémit-elle.

— Est-ce que je t'ai autorisée à parler ?

— Non, je...

Abbie sentit une claque sur sa cuisse.

— Non, monsieur.

— Bonne petite. Mais, comme tu m'as fait perdre ma concentration, je vais devoir tout recommencer.

Le matelas bougea lorsque Jack se dirigea vers l'extrémité du lit. L'acteur fit subir la même torture à son autre cheville. Abbie sentit ses doux baisers, sa langue qui suçait et léchait doucement sa peau. De temps en temps, une brève morsure lui arrachait un gémissement.

Ensuite, Abbie sentit la bouche de Jack se promener vers l'intérieur de sa cuisse, et elle lutta contre l'envie de se tortiller. Son souffle se fit saccadé. Abbie ressentait des picotements sur chaque centimètre de sa peau.

— S'il te plaît.

— Pauvre Abbie.

Elle crut qu'elle allait chavirer lorsqu'elle sentit la vibration de la voix de Jack sur sa peau.

— Est-ce que tu mouilles pour moi ?

De plus en plus frustrée, Abbie faillit lui dire d'aller le vérifier lui-même. Mais elle sut d'instinct qu'il prendrait cela pour un défi.

— Oui.

Elle parvint à faire sortir ces mots de sa gorge desséchée.

— Oui, monsieur.

— Bien.

Abbie remarqua que le matelas bougeait à nouveau. Jack s'agenouilla près d'elle et pressa des morceaux de glace sur ses lèvres. Elle sentit sa main lui caresser tendrement le front. Puis, elle entendit Jack briser de la glace et ouvrit la bouche.

Mais, au lieu de presser un morceau sur ses lèvres, Jack referma sa bouche pleine de glace sur son téton.

Le froid était si saisissant qu'Abbie arqua le dos et hurla. Jack posa alors sa main sur son autre sein, prit son téton entre ses doigts et tira doucement dessus.

Abbie lutta contre cette soudaine surcharge sensorielle, et ses efforts furent récompensés par une petite morsure. Elle sentait la glace fondre et couler entre ses seins. Jack lécha toute l'eau jusqu'à la dernière goutte.

— Ta poitrine est tellement sensible. Je crois que je vais devoir t'acheter des pinces à seins. Est-ce que ça te plairait ?

Imagine la sensation du sang qui affluera vers tes tétons quand je les retirerai.

Abbie ne put s'en empêcher. Elle gémit à nouveau. La bouche de Jack poursuivit son chemin, descendit le long de son abdomen et s'arrêta pour souffler une brise glaciale sur son pubis rasé. Abbie souleva les hanches afin de se rapprocher de sa bouche.

— Réceptive, hein ? Voyons ce que tu aimes d'autre.

Abbie se tendit quand elle sentit Jack descendre du lit. Où allait-il cette fois ? Chercher plus de glace ?

La sensation de sa main chaude entre ses jambes la fit presque bondir du lit. Elle s'arqua sous ses doigts et gémit de soulagement lorsqu'elle sentit un doigt se glisser en elle.

— S'il te plaît. Je t'en prie, Jack. S'il vous plaît, monsieur.

Ses paroles étaient presque incohérentes. Jack la récompensa en faisant lentement aller et venir son doigt en elle. Juste assez pour l'exaspérer, mais pas assez pour lui faire franchir le cap.

— Salaud.

Le mot lui avait échappé. Abbie entendit un rire grave et sentit la brûlure d'une claque brutale sur sa cuisse.

— Tout juste, Abbie. Mais tu n'as encore rien vu.

Lorsqu'elle sentit la première caresse de la plume sur sa peau, Abbie tira sur ses liens.

— Non, ne fais pas ça. Je t'en prie, je suis vraiment chatouilleuse.

Jack s'assit à califourchon sur ses hanches, et le poids de son corps l'écrasa contre le lit.

— Tu aurais mieux fait de te taire.

Plaisir et douleur. Caresse tendre de la plume mêlée à la douleur aiguë de sa pointe lorsqu'il l'utilisa pour dessiner de lents cercles autour de ses tétons, puis des lignes sur ses seins et le long de son abdomen. Les terminaisons nerveuses d'Abbie ne savaient plus comment réagir. Elles envoyaient des messages confus à son cerveau, si bien qu'elle était incapable de dire si elle détestait ou adorait ce mélange de sensations.

Elle alternait cris de douleur et gémissements de plaisir. Son monde se résumait à Jack et à ses mains. Elle n'avait plus aucune notion du temps.

— Ma douce Abbie. Je crois que tu mérites une récompense.

Elle était incapable de répondre. Il était devenu son monde, la lumière au bout du tunnel. Jack était le seul à pouvoir décider de lui fournir plus de plaisir ou de douleur ; Abbie ne pouvait rien faire d'autre qu'attendre en tremblant. Elle avait l'impression de flotter.

Un frisson de plaisir la parcourut lorsqu'elle entendit le bruit d'une fermeture éclair, et elle se tortilla en frottant ses cuisses humides l'une contre l'autre. Le lit grinça au moment où Jack se hissa sur le matelas et, soudain, ils furent peau contre peau. Son long corps musclé était étendu contre elle.

— Jack.

Abbie avait tant crié que sa voix était rauque.

— Je suis là, chérie.

Sa bouche s'écrasa contre la sienne sans prévenir. Ce baiser n'exprimait aucune tendresse, juste un désir sombre et inflexible. Abbie sentit sa main se glisser dans ses cheveux et lui incliner la tête afin que Jack puisse lui dévorer la bouche aussi violemment qu'il le souhaitait. Des baisers chauds lui couvrirent le cou et les seins. Abbie arqua son corps contre le sien, mais, cette fois, Jack n'eut pas envie de la taquiner.

Au premier passage de sa langue entre ses jambes, Abbie poussa un cri. Jack la lécha comme s'il voulait la manger. Sa langue chaude décrivait de lents cercles autour de son clitoris impatient sans jamais vraiment le toucher.

— S'il te plaît, Jack. Je t'en prie, laisse-moi jouir.

Abbie se fichait de le supplier. Elle savait seulement qu'elle mourrait s'il ne lui offrait pas rapidement la délivrance.

— Qu'est-ce que tu veux ?

— Baise-moi. Je t'en prie, baise-moi.

Elle ne se serait jamais crue capable de prononcer ces mots à haute voix, mais il ne lui restait plus aucune dignité. Comme si ses paroles lui avaient signalé le départ, Jack se déplaça. Il remonta le long de son corps en l'embrassant sans modération, puis lui dévora la bouche.

Jack s'agenouilla entre ses cuisses. Abbie ne cessait de trembler. Avec un lent coup de reins, il se glissa en elle, et Abbie poussa un cri. Elle enfonça ses ongles dans les foulards. Jack se retira peu à peu, puis s'enfonça brusquement en elle.

Abbie balança son corps contre le sien. Comme c'était bon ! Les coups de reins de Jack s'accéléraient à mesure qu'il perdait le contrôle de son désir.

On n'entendait rien d'autre que le claquement de la chair contre la chair et ses grognements. Il ne lui faisait pas l'amour tendrement, il la prenait sauvagement.

Jack la marquait comme sienne, et le corps d'Abbie semblait l'y encourager. Elle ressentait des picotements sur sa peau chaque fois que Jack la touchait, et son cœur s'emballait. Cette union intense se conclut par une véritable explosion de plaisir. Les muscles internes d'Abbie se resserrèrent autour de son sexe, son clitoris palpitait comme s'il était en feu, et des étoiles explosèrent sous ses paupières.

Lorsqu'Abbie revint à elle, elle était étendue entre les bras de Jack, ses liens étaient défaits, et ses yeux, découverts. Elle sentit le cœur de Jack battre contre sa joue et sa bouche enfouie dans ses cheveux.

— Est-ce que ça va, Abbie ?

Il y avait une pointe de nervosité dans la voix de Jack, et cela la surprit. Elle avait réussi à apercevoir une toute petite facette du Jack secret et savait qu'il ne faisait pas allusion au sexe.

Abbie se pelotonna entre ses bras et déposa un baiser sur son torse.

— Je me sens bien. C'était fabuleux.

Au bout d'un moment, Abbie entendit un léger ronflement. Jack Winter s'était endormi dans son lit.

DIX NEUF

Quelque chose réveilla Abbie en sursaut. Elle se retourna et découvrit Jack assis sur le lit, le corps tremblant. Elle se redressa et alluma la lampe de chevet.

— Je ne voulais pas te réveiller. Rendors-toi.

Abbie lui toucha le torse. Sa peau était froide et moite.

— Tu es malade ?

Jack secoua la tête.

— Non. J'ai juste fait un cauchemar.

Abbie lui caressa le bras. Même dans la faible lumière, elle voyait qu'il était pâle. Ce rêve l'avait vraiment effrayé.

— Tu es sûr ? Je peux te préparer du...

Jack chassa son inquiétude d'un geste de la main.

— Tout va bien. Je vais aller boire un verre d'eau.

Il l'embrassa sur le front, éteignit la lampe et quitta la chambre. Restée éveillée, Abbie l'écouta se déplacer dans le salon.

Elle entendit le bruit de la porte du réfrigérateur s'ouvrir et se refermer, puis le silence se fit. Elle s'allongea sur le côté, mais ne parvint pas à trouver le sommeil.

Abbie se fichait bien de dormir, après tout. Elle attrapa sa robe de chambre et sortit à pas feutrés. Le son de la voix de Jack l'arrêta net, et Abbie se posta juste derrière la porte de sa chambre pour écouter ce qui ressemblait à une conversation.

— Non, je vais bien. Je voulais juste entendre ta voix... Comment peux-tu dire ça ? Tu me manques beaucoup, tu le sais bien.

L'estomac d'Abbie se noua lorsqu'elle entendit ses paroles et le ton affectueux de sa voix. Elle eut soudain l'impression de descendre une pente raide sur des montagnes russes. Jack avait quitté son lit afin de pouvoir appeler une autre femme à quatre heures du matin.

— Non, je suis à New York, cette fois. Je fais de la prépromo pour le film. Tu sais comment ça se passe. La routine.

Abbie entendit son rire décontracté. Ce Jack était tendre et à l'aise avec son interlocutrice. Une autre noctambule ? Ou peut-être cette personne se trouvait-elle dans un autre pays ?

— D'accord, passe-la-moi.

Il y eut un bref silence, et Jack se mit à arpenter le salon, le téléphone collé à l'oreille.

— Une boule à neige ? Tu veux une boule à neige ?

Abbie perçut le ton taquin de Jack. Son accent américain avait disparu et il avait la même façon de s'exprimer que lorsqu'il parlait avec Kevin dans la jungle. Il avait baissé sa garde. On aurait dit que Jack parlait à un enfant.

Abbie ignorait que Jack avait une famille. On ne savait pas grand-chose sur l'époque où il vivait encore en Irlande. Peut-être qu'il avait vraiment une famille. Peut-être que Jack avait laissé quelqu'un derrière lui, quand il était parti faire fortune à Hollywood.

La machine publicitaire aimait mettre en valeur son image de fêtard. De célibataire inaccessible qui ne s'installerait jamais.

Mais Jack l'avait peut-être déjà fait, et cela expliquait pourquoi il ne pouvait pas s'engager. Abbie voulait s'éloigner de la porte, mais une fascination maladive la retenait, comme si elle n'avait pas encore assez souffert.

— Je t'achèterai la plus jolie boule à neige de New York, je te le promets. La plus jolie boule à neige pour la plus jolie des petites filles. Maintenant, repasse-moi ta maman.

La voix de Jack changea. Ce n'était plus celle d'un adulte qui s'adresse à un enfant.

— Ciara, il faut que j'y aille. C'est le milieu de la nuit ici et je dois reprendre l'avion pour L.A. demain, enfin, je veux dire aujourd'hui... Peut-être, je ne sais pas.

Le ton de Jack se fit impatient.

— Je t'ai dit que je n'en savais rien. Ne m'embête pas avec ces histoires.

Jack se laissa tomber sur le canapé, ramassa une poignée de plumes et la laissa s'écouler entre ses doigts. Abbie toucha le renflement de ses seins. Les lignes qu'il avait tracées avec le piquant, cette série de faibles marques rouges, étaient toujours là, et l'une d'elles ressemblait à la lettre M.

Abbie se tendit. Jack parlait à nouveau.

— Je vais y réfléchir, d'accord ? Écoute, je dois vraiment y aller... Je t'aime aussi, Ciara.

Jack retourna à la cuisine, et Abbie entendit de nouveau la porte du réfrigérateur s'ouvrir. Elle tourna les talons et retourna vite se coucher.

*

Avant même de se réveiller, Jack prit conscience de la source de chaleur inhabituelle pelotonnée contre lui. Il n'eut pas besoin d'ouvrir les yeux pour savoir qu'il s'agissait d'Abbie. Sa forme et son odeur étaient gravées dans sa mémoire. Ce qui l'ébranlait plus que cette reconnaissance instinctive, c'était le fait d'avoir dormi en tenant Abbie dans ses bras et que cela lui paraisse normal.

Jack Winter ne passait jamais la nuit avec une femme. Il jouait au Dom, baisait, prenait son pied, puis rentrait chez lui. Il n'avait pas besoin de se glisser au lit avec sa soumise, de la câliner toute la nuit et de s'endormir en la tenant dans ses bras. Mais, cette fois, il s'agissait d'Abbie. Il avait beau faire de son mieux pour rester distant, elle le prenait aux tripes.

Jack n'arrivait pas à croire qu'il s'était rendormi. D'habitude, après ce rêve, il restait éveillé toute la nuit. S'il avait été chez lui à L.A., il serait descendu sur la plage et aurait couru pendant des heures pour finir par s'effondrer d'épuisement. Il aurait fait l'impossible pour se débarrasser des souvenirs de cette cellule, de la puanteur de ses toilettes primitives et de cette torture supplémentaire qu'était la claustrophobie. La perspective de passer des années enfermé ainsi le hantait toujours et l'arrachait, tremblant et en sueur, au sommeil le plus profond.

Jack avait prévu de baiser Abbie une fois encore, juste pour évacuer la frustration générée par ses vieilles terreurs, et de sortir courir. Il n'arrivait pas à croire qu'il s'était rendormi.

Peut-être que je devrais la garder. Jack ignorait totalement d'où lui venait cette idée, mais il la chassa immédiatement.

Il ne voulait pas d'histoire à long terme. Il était très doué pour jouer au Dom de passage. Il avait des soumises dans trois villes différentes et pouvait les appeler quand il prévoyait un séjour dans l'une d'elles. Mais, dès que la séance était terminée, il disparaissait.

Jack n'en avait pas fini avec Abbie, tout simplement. La nuit passée, il lui avait offert un avant-goût de la vie du côté obscur, et elle avait adoré ça. Il savait qu'elle en redemanderait, mais qu'elle se déroberait dès qu'il lui permettrait de connaître sa vraie personnalité. Au fond, c'était une fille vanille et plumes, alors qu'il préférait le cuir et les chaînes.

Abbie remua dans son sommeil et se retourna en glissant un bras autour de sa taille.

Curieusement, cette étreinte n'était pas aussi étouffante qu'il s'y attendait. Jack décida de se détendre quelques minutes avant de se lever et d'aller se doucher.

Son téléphone portable sonna dans l'autre pièce. Il l'avait laissé là-bas après avoir parlé à Ciara. Jack rampa hors du lit et se dépêcha de l'atteindre avant que la sonnerie réveille Abbie. Il l'avait épuisée ; elle avait besoin de repos. Il répondit, le sourire aux lèvres.

— Jack, mon vieux, je suis de retour à L.A. Où es-tu ?

La voix de Zeke Bryan était presque aussi discordante que les couleurs de ses cravates.

— Toujours à New York.

— Eh bien, ramène tes fesses ici dès que possible. Je t'ai décroché une audition pour *The African Queen.*

Jack lâcha un cri. C'était le rôle qu'il attendait depuis si longtemps.

— Je prends un vol pour L.A. dans trois heures. Quand doit avoir lieu l'audition ?

— Demain matin à la première heure. J'ai fait en sorte que l'équipe du casting te voie en premier. Comme ça, tu passeras avant le gros de la foule. J'ai bien fait ou pas ?

— Que veux-tu dire par « foule » ? demanda Jack. Combien de personnes vont se présenter pour le rôle ?

Zeke ricana.

— Celui de Charlie Allnut ? Tous les acteurs, confirmés ou débutants, font la queue pour avoir une audition. Celui qui décrochera le rôle sera nommé à coup sûr aux Oscars.

— Je sais. C'est pour ça que je le veux. Je ne tourne que des films d'action débiles. J'ai besoin d'un rôle qui n'exige pas des abdos en tablette de chocolat et une partenaire bourrée de silicone.

— Ne fais pas la fine bouche. Ces rôles permettent de payer les factures, les tiennes et les miennes. N'oublie pas : tu dois te présenter à huit heures demain matin. Ne sois pas en retard.

Zeke baissa la voix.

— Et reste clean.

— T'en fais pas, je suis blanc comme neige, dit Jack avant de raccrocher.

Un rire rauque lui parvint depuis le pas de la porte. Abbie se tenait là, simplement vêtue d'un drap.

— Blanc comme neige ? Après tout ce que tu m'as fait ?

Abbie avait les yeux fatigués, de légers bleus sur la peau et une morsure dans le cou. Elle était si délicieuse que Jack l'aurait bien dévorée toute crue. Il eut envie de la ramener au lit et de marquer sa peau davantage.

— Vu de quoi je suis capable d'habitude, oh oui !

Les yeux d'Abbie s'écarquillèrent. Jack y lut un mélange de réflexion, de peur et d'intérêt.

Il n'avait pas le temps, cependant.

— Je suis désolé, Abbie, je dois y aller.

Le visage d'Abbie se rembrunit. Elle faisait de gros efforts pour ne pas paraître contrariée.

— J'aimerais vraiment rester, mais j'ai une audition à L.A. dans la matinée. Je dois absolument m'y présenter.

— Ça va. Je sais que tu es occupé.

Abbie regardait ses mains qui plissaient, puis lissaient le drap de coton.

— Mais pas au point de devoir annuler notre rendez-vous en ligne à vingt-deux heures ce soir.

Abbie leva les yeux.

— Mais...

Jack garda une voix sévère.

— Tu croyais que je te laisserais tomber ?

— Eh bien...

— Aucun risque. En fait, j'ai un autre compte Yahoo. Dès que tu as envie de discuter avec moi, appelle Michael Delaney et je répondrai.

Jack ne savait absolument pas pourquoi il lui avait donné cet identifiant. C'était son compte personnel.

— Qui est Michael Delaney ?

Il n'avait pas envie d'y penser.

— Personne. C'est juste un nom que j'utilise parfois.

Il changea de sujet.

— Tout est clair ? Je t'attends à vingt-deux heures précises. Et... Abbie ?

Elle le regarda dans les yeux.

— Ne prenons pas cette histoire à la légère.

Elle hocha la tête. Jack s'habilla prestement et l'embrassa avant de repartir pour L.A.

*

Abbie ne pouvait pas attendre le passage hebdomadaire du service de nettoyage. Elle sortit l'aspirateur et fit disparaître toutes les plumes.

Elle en retrouverait probablement pendant des semaines. Elles s'étaient déjà faufilées dans la chambre et dans la salle de bains. Comme autant de petits souvenirs de Jack postés en embuscade.

Abbie lava la vaisselle que Jack avait utilisée la nuit précédente et renversa l'eau glacée dans l'évier. Elle regarda autour d'elle. L'appartement avait retrouvé son état normal, et elle ne s'était jamais sentie aussi malheureuse. Elle avait besoin de caféine et de Kit.

Comme chaque dimanche matin, le café était plein. Les clients savouraient tranquillement leur brunch. Abbie s'effondra sur une chaise en face de Kit, et un serveur vint prendre sa commande.

— Pas de fruits, pas de smoothie bourré de vitamines. J'ai besoin de pancakes aux myrtilles et de café, beaucoup de café.

Kit s'adossa à sa chaise.

— Ah ! ah ! Le menu postcoïtal. Comment s'est passé ton rendez-vous avec Kevin ? Enfin, ai-je vraiment besoin de te poser la question !

Abbie rougit. Elle avait complètement oublié Kevin. Il l'avait emmenée dîner et elle l'avait abandonné. Elle ouvrit aussitôt son téléphone. Il fallait qu'elle l'appelle pour s'excuser.

— Abbie, range ce téléphone immédiatement et parle-moi.

Le serveur revint avec du café, et Abbie savoura sa première gorgée, sa première dose de caféine de la journée.

— Mon rendez-vous avec Kevin ne s'est pas tellement bien passé.

— Laisse-moi deviner. Jack ?

— Comment tu... ?

Kit mélangea son smoothie aux myrtilles à l'aide d'une paille.

— « Jack » est écrit en toutes lettres sur ton front. Tu fais toujours cette tête quand tu penses à lui. Alors, dis-moi ce qui s'est passé exactement et, je t'en prie, ne m'épargne aucun détail. Je suis une professionnelle, je peux tout entendre.

Abbie lui sourit.

— Je suis tellement contente de ne pas te payer deux cents dollars de l'heure. Je serais fauchée en moins de deux.

— Chérie, je suis prête à te payer deux cents dollars de l'heure si tu veux bien me dire à quoi ressemble une nuit avec Jack Winter. Maintenant, crache le morceau.

— Eh bien, je suis allée chez Mamma D'Inzeo avec Kev...

— Saute le dîner, chérie. J'ai déjà mangé. Passe à la partie « Jack ».

Abbie grimaça en repensant au restaurant. Elle n'y obtiendrait plus jamais de réservation.

— Jack est arrivé au restaurant et nous a fait une scène.

Les yeux de Kit s'écarquillèrent.

— L'enfant terrible d'Hollywood débarque à New York. J'aurais aimé être là pour voir ça. Bon, ensuite ?

— Nous nous sommes disputés chez Mamma D'Inzeo et...

— Attends une minute. Dis-moi que je rêve : mademoiselle Bégueule a piqué une crise en public ?

Le rire ravi de Kit se fit entendre trois tables plus loin.

Abbie rougit. Les gens commençaient à les dévisager.

— Tu veux bien parler moins fort ?

— Pardon, pardon. Oh ! bon sang, j'aurais tellement voulu être là.

— En effet, j'aurais apprécié ta présence à un certain moment, afin de pouvoir te dire tes quatre vérités.

— Hein ?

— Jack n'a pas pu s'empêcher de me révéler qu'il était le Dominant que m'avait trouvé ton amie. C'est à lui que je raconte mes secrets tous les soirs et c'est lui qui est censé m'aider à explorer mon côté soumis.

— Oh ! Abbie. Je ne sais pas quoi dire. Paloma est très discrète au sujet de ses Dominants. Je ne savais pas qu'elle le connaissait. Ils ont dû jouer dans les mêmes théâtres avant qu'il parte à L.A. Je suis vraiment désolée.

— C'est bon. Tu es pardonnée.

Sans Kit, elle n'aurait jamais rencontré Jack en ligne.

— Alors, que s'est-il passé quand tu l'as appris ?

— Je lui ai renversé un pichet d'eau glacée sur la tête.

Kit se couvrit la bouche. Elle avait un tel fou rire que le mouvement convulsif de ses épaules faisait sautiller ses tresses africaines. Au bout de quelques secondes, elle retrouva son calme et but une longue gorgée de son smoothie.

Abbie avait elle aussi envie de rire. Avec le recul, elle se disait que la scène avait dû être assez drôle. Elle ne se serait jamais crue capable d'un geste aussi extravagant. Elle surprit les regards curieux du couple à la table voisine.

Impossible de dévoiler à Kit les détails de ses retrouvailles avec Jack dans ce café. Elles devraient se trouver un endroit plus tranquille. Toutes deux bavardèrent de choses et d'autres, puis Abbie paya l'addition, et elles sortirent se promener sous le soleil de novembre. L'air était vif et froid. Abbie enroula son écharpe autour de son cou afin de se protéger de la fraîcheur de la brise.

Finalement, Kit héla un taxi.

— On peut aller chez moi ; c'est plus près que chez toi.

Kit habitait le même petit appartement depuis l'université. Son loft abritait toutes ses trouvailles, une collection éclectique de souvenirs rapportés de voyages au Mexique et en Inde. L'un des murs était recouvert d'un batik de soie colorée, et un rideau de perles cachait la kitchenette.

Kit alla leur préparer du thé, tandis qu'Abbie s'installait sur un canapé couvert de coussins : une autre trouvaille de Kit dans une boutique solidaire.

Abbie poussa une pile de magazines *Psychiatry Now* afin de faire de la place pour le plateau. Le samovar avait perdu ses dorures depuis longtemps lorsque Kit l'avait déniché. Elle versa du thé bouillant dans des tasses dépareillées et alluma une bougie.

Le thé dégageait un arôme épicé qui évoquait Noël. Abbie s'interrogea au sujet de l'enfant (elle était certaine qu'il s'agissait d'un enfant au téléphone) qui avait demandé une boule à neige à Jack. Et si l'acteur avait déjà quelqu'un ? Et s'il était marié ?

Abbie ne voulait pas penser à cela. Elle fut presque soulagée lorsque Kit lui ordonna de parler. Elle s'installa dans son fauteuil et sirota son thé en attendant qu'Abbie se lance.

— Nous avons passé la nuit ensemble. Enfin, nous l'avons passée à baiser.

Abbie esquissa un sourire ironique après avoir employé ce mot.

— En fait, nous avons aussi fait plein d'autres choses. Quand...

La gorge d'Abbie se serra.

— Quand j'ai compris que c'était terminé, j'ai continué à le supplier, tu vois. J'ignorais totalement qu'on pouvait ressentir autant de plaisir en cédant tout le pouvoir à une autre personne, Kit, et j'ai eu une peur bleue.

— Tu as aimé ça, alors.

— « Adoré », tu veux dire. Je le réclamais en hurlant. Je voulais que ça ne s'arrête jamais.

Le tic-tac tranquille de l'horloge de parquet égrenait les secondes dans la pièce, tandis qu'Abbie essayait de mettre de l'ordre dans ses pensées. Sa nuit dans les bras de Jack.

Son corps tremblant au milieu de la nuit. La conversation téléphonique avec la femme et l'enfant. Elle ne savait presque rien du vrai Jack. Hormis le fait qu'elle l'aimait.

Sa relation avec William n'était qu'un miroir d'eau peu profond. Jack, lui, était un océan dans lequel elle rêvait de plonger. Elle voulait explorer tous ses abysses et découvrir l'essence de cet homme : celle du Jack qui aimait la douleur. Celle du Jack qui s'adressait à un enfant avec une telle tendresse. Celle de la star de cinéma arrogante et insupportable. Elle ne savait pas par où commencer.

— Est-ce que tu comptes le revoir ?

La question de Kit interrompit ses réflexions, et Abbie haussa les épaules.

— Il est reparti pour L.A. ce matin, mais nous discutons en ligne ce soir.

— C'est bien, Abbie. Le fait que vous gardiez contact est positif. Essaie simplement de ne pas aller trop vite.

— Je crois que c'est trop tard. Je suis amoureuse de lui.

*

Sa maison n'avait jamais eu l'air aussi grande, ni aussi vide. Jack avait atterri, retrouvé Zeke à l'aéroport pour qu'il lui donne les détails de son audition du lendemain, et avait enfin retrouvé sa belle demeure hollywoodienne.

Ses chiennes, deux bergers allemands nommés Blackie et Brownie (ne jamais laisser sa nièce de trois ans choisir le nom de ses chiens), l'avaient accueilli avec un enthousiasme et une quantité de bave considérables.

Elles avaient aboyé comme des folles en comprenant qu'il était rentré et avaient accouru pour le saluer. Les deux chiennes bondissaient avec une telle excitation autour de lui qu'elles avaient failli le faire tomber. Jack avait ri, leur avait frotté les oreilles, puis les avait laissées chahuter.

Il se demanda si ses chiennes seraient aussi trop vigoureuses pour Abbie. Elle était beaucoup plus petite que lui. Elles risqueraient de la faire tomber.

D'où lui venait donc cette idée ? Jack se renfrogna. Il avait une audition à préparer ; il devait cesser de penser à elle. Abbie était une New-Yorkaise carriériste. Los Angeles n'était pas une ville pour elle, et elle ne rencontrerait jamais ses chiennes.

Bien sûr, une petite voix insistante qui ressemblait beaucoup à celle de Kevin lui rappela qu'il n'était pas non plus fait pour cette ville. Jack avait acheté cette maison cinq ans plus tôt et y avait à peine touché. Son nom avait beau se trouver sur le titre de propriété, il ne s'y sentait pas vraiment chez lui.

Les seules choses qu'il avait ajoutées, c'était la salle de sport du sous-sol et sa salle de jeux.

Cette pièce était strictement réservée aux adultes, et uniquement accessible sur invitation. Jack essaya d'imaginer Abbie dans sa salle de jeux, mais n'y parvint pas. Sa fille vanille s'enfuirait en hurlant dès qu'elle apercevrait sa structure métallique et son banc à fessée.

L'acteur jeta un coup d'œil dans la pièce alors qu'il se rendait à la cuisine. L'ensemble de ses cravaches, cannes, martinets et cordes était soigneusement suspendu, attendant patiemment d'être utilisé. Blackie essaya de se faufiler dans la pièce, mais Jack la tira par le collier.

— Sors de là, chipie.

Blackie se mit à geindre comme un chiot. Jack rit et lui frotta la tête, mais ne la laissa pas entrer. Aucune des chiennes n'était autorisée à pénétrer dans sa salle de jeux, mais ça ne les empêchait pas de se montrer extrêmement curieuses.

Tyrell, son assistant et coach personnel, sortit tranquillement de la cuisine.

— Super, tu es rentré. Je t'ai planifié une séance d'entraînement de deux heures : haltères, cardio et Pilates.

Jack grogna. Tyrell était un entraîneur impitoyable.

L'homme sourit d'un air mauvais.

— Ensuite commencera la vraie torture. Épilation de toutes les zones, puis gommage du visage, épilation des sourcils, coiffure et autobronzant.

Jack jura. C'était ça, la vie palpitante d'une star de Hollywood. Sa sœur trouvait hilarant qu'il passe plus de temps qu'elle à prendre soin de son corps.

VINGT

Si Jack parvint à rester sain d'esprit pendant ces longues heures de transformation physique, ce fut uniquement dû à la perspective de discuter en ligne avec Abbie le soir même. Il compta les minutes jusqu'à ce qu'il soit vingt-deux heures à New York, puis se connecta. Abbie l'attendait déjà.

<Michael Delaney : Bonsoir, Abbie.>

<Orchidée sauvage : Bonsoir, monsieur.>

Ces mots suffirent à faire réagir son sexe. Abbie n'avait qu'à écrire le mot « monsieur » et il avait aussitôt une érection, même après des heures d'entraînement et de torture.

<Michael Delaney : Comment te sens-tu ce soir ? Mal partout ?>

Jack ne pensait pas lui avoir fait mal, mais, au réveil, elle avait des marques sur la peau.

<Orchidée sauvage : Tu as vraiment besoin de me le demander ?>

<Michael Delaney : Dis-moi à quoi tu penses.>

<Orchidée sauvage : Je me sens un peu perdue, j'imagine. J'aurais aimé passer plus de temps avec toi avant que tu repartes à L.A. On est soudain devenus très proches et tu as disparu aussitôt. Ça me fait bizarre.>

<Michael Delaney : Je suis désolé d'avoir dû te laisser comme ça. Est-ce que cette nuit t'a plu ?>

<Orchidée sauvage : Sincèrement ? Oui. Je n'avais jamais rien fait de pareil.>

<Michael Delaney : Rien qui ait nécessité autant de ménage après ?>

Jack esquissa un sourire en repensant à l'état de son appartement au petit matin. Son salon était inondé de plumes, et sa chambre était sens dessus dessous.

<Orchidée sauvage : Ha ! ha ! Ma femme de ménage ne vient pas avant mercredi. J'étais donc de corvée aujourd'hui. Lol.>

<Michael Delaney : Tu as pu avancer dans ton travail ? Où en est l'affaire Tabora ?>

<Orchidée sauvage : Le journal publie une édition spéciale entièrement consacrée à mon reportage ce samedi. Le ministère des Affaires étrangères ne veut pas confirmer le nom de la personne qui a décidé de soutenir financièrement Tabora.

J'ai eu beau proposer à mes contacts de les appeler de chez moi pour une conversation officieuse, impossible d'arriver à les faire parler.

Comme la DEA dit que quatre-vingts pour cent de la cocaïne qui entre sur le territoire passent par le Honduras, toute cette histoire est très suspecte.

Josh en a marre d'attendre ; il veut publier le reportage. Il a même menacé de révéler que le ministère avait refusé de commenter l'affaire. Ça risque de déplaire.>

<Michael Delaney : Ma pauvre. Obligée de travailler un dimanche. Et après une nuit aussi occupée, en plus.>

<Orchidée sauvage : J'ai l'habitude. Mais le fait que tu t'inquiètes pour mon bien-être me touche beaucoup. Heureusement, je suis en congé demain ; alors, je vais m'offrir une belle grasse matinée.>

<Michael Delaney : Tu l'as bien méritée, chérie. Est-ce que ta signature apparaîtra en bas de l'article ?>

<Orchidée sauvage : Oui, bien sûr. Ce qui me permettra peut-être de quitter l'enfer de la mode et de retourner aux informations.>

<Michael Delaney : Mais ça risque de lancer encore plus de trafiquants armés à tes trousses.>

Jack était impressionné par son engagement et son talent. Il n'oublierait jamais la première fois qu'il l'avait vue, grimpant d'un bond dans son avion.

Dans la jungle, Abbie avait admis que son interview n'était qu'un stratagème pour monter à bord et que, cette fois-là, elle avait bien failli se faire attraper par les méchants. Jack était inquiet.

<Orchidée sauvage : Je me débrouillerai.>

<Michael Delaney : Je veux que tu sois prudente.>

Jack était surpris par sa propre inquiétude. Il n'intervenait jamais dans la vie de ses soumises en dehors des séances, mais tout était différent avec Abbie.

<Orchidée sauvage : Écoute, ne t'inquiète pas. La situation n'est pas aussi grave que la fois où j'ai fait un reportage sur le trafic d'êtres humains. Ça, c'était vraiment effrayant. J'ai dû vivre chez Kit pendant des semaines.>

<Michael Delaney : Maintenant, je suis vraiment inquiet. Je ne veux pas que tu abandonnes ton travail. Tu es manifestement douée pour ça. Mais ne fais pas n'importe quoi. Qui veille sur toi ?>

C'était, selon lui, la question la plus importante. Il lui semblait que personne ne veillait sur Abbie. Jack fut surpris de découvrir combien il avait envie de s'en charger.

<Orchidée sauvage : Je suis une grande fille, Jack. Je ne me débrouille pas trop mal quand il s'agit de veiller sur moi-même.>

<Michael Delaney : Je veux avoir le droit de le faire aussi.>

<Orchidée sauvage : Voilà des mots agréables.>

<Michael Delaney : J'aimerais que tu signes un accord avec moi, mais tu dois d'abord y réfléchir.>

<Orchidée sauvage : Quel genre d'accord ?>

<Michael Delaney : Un contrat D/s.>

<Orchidée sauvage : Oh ! J'ai lu des choses à ce sujet. Est-ce qu'il nous en faut vraiment un ? N'est-ce pas un peu trop tôt ?>

<Michael Delaney : Pas nécessairement. Je sais ce que

je veux et je crois que tu le sais aussi. Un accord écrit nous donnera la liberté de tester nos limites en toute sécurité.>

<Orchidée sauvage : Je trouve juste un peu étrange d'établir des règles pour une relation. Les choses sont censées être plus spontanées.>

<Michael Delaney : Est-ce que la spontanéité a vraiment aidé tes relations jusqu'à aujourd'hui ?>

Orchidée sauvage est en train d'écrire.

<Orchidée sauvage : Touché. D'accord. Tu as gagné. Est-ce que j'ai mon mot à dire ou est-ce que ce sont seulement les règles de Jack ?>

<Michael Delaney : Je t'enverrai le contrat. C'est un document court qui établit nos attentes communes. Tu pourras me dire ce que tu en penses.>

<Orchidée sauvage : On s'en fout de ce que je pense. Pourquoi persistes-tu à me demander mon avis ?>

<Michael Delaney : C'est important. Je veux savoir ce que tu penses et ce que tu ressens. Et ce que tu éprouves à l'idée de tout recommencer, mais en repoussant tes limites la prochaine fois.>

<Orchidée sauvage : Pas sûre d'aimer cette phrase. Lol. Mes coussins risquent d'y laisser des plumes.>

<Michael Delaney : Nous procéderons étape par étape. Par exemple, de quelle couleur est la petite culotte que tu portes aujourd'hui ?>

<Orchidée sauvage : Désolée, j'ai oublié de te le dire. Elle est verte, avec un petit nœud blanc.>

<Michael Delaney : Puisque tu as oublié, ta punition consiste à me la montrer. Allume ta webcam, remonte ton chemisier et montre-la-moi.>

<Orchidée sauvage : Quoi ?>

Jack ressentit les vibrations de sa stupéfaction et de son indignation jusque dans son corps. Bon sang, il adorait la bousculer.

<Michael Delaney : Ce n'est pas difficile. Et c'est ce que j'attends de toi. Je serais content de voir ta petite culotte.>

<Orchidée sauvage : Tu es un vrai…>

Jack se demanda quel mot elle avait en tête. Quelque chose de très raffiné, à coup sûr.

<Orchidée sauvage : OK, donne-moi une minute.>

Oui ! Elle allait le faire. Jack retint sa respiration tandis qu'elle bricolait son ordinateur. Une fenêtre s'ouvrit, et Jack aperçut le visage d'Abbie. Sa bouche était entrouverte et elle avait les joues rouges. Cette situation l'excitait.

L'angle changea, et la webcam offrit à Jack une vue panoramique sur le tee-shirt d'Abbie (un vêtement ample avec une écriture en caractères en gras) et sur le haut de son pantalon de yoga. Qu'allait-elle faire ?

Abbie dénoua le cordon de sa ceinture, se dandina et fit disparaître le pantalon noir. Ne resta plus qu'une toute petite culotte verte. Comme prévu, elle avait même un petit nœud blanc, qui tremblait chaque fois qu'Abbie respirait. Le sexe de Jack se dressa, dur et palpitant.

Abbie resta debout un instant, s'exposant à son regard, puis elle éteignit la webcam et écrivit.

<Orchidée sauvage : Satisfait ?>

Elle n'imaginait pas à quel point.

<Michael Delaney : Bonne petite. Je suis tellement content de toi.>

<Michael Delaney : Lis le contrat et contacte-moi demain soir.>

<Orchidée sauvage : Oui.>

Orchidée sauvage est en train d'écrire.

<Orchidée sauvage : Monsieur.>

Jack gémit. Il allait devoir prendre une douche froide avant de se coucher.

*

Abbie fut réveillée par la sonnerie de son téléphone portable. Elle chercha l'appareil à tâtons sur sa table de chevet, puis ouvrit un œil pour regarder l'écran. C'était Kevin, et il était presque midi. Abbie avait essayé de le joindre plusieurs fois la veille, mais il n'avait pas décroché et elle lui devait toujours des excuses au sujet de cette horrible soirée chez Mamma D'Inzeo.

Elle roula sur le ventre.

— Salut, Kevin.

— Enfin réveillée. Tu as dû te coucher tard.

— Euh...

Abbie préférait ne pas avouer à quelle heure, ni pourquoi.

— Comment va Jack ?

Bonjour, la relation secrète ! Enfin, Jack était probablement en contact avec Kevin tous les jours.

— Bien. Il est rentré à L.A. afin d'auditionner pour un grand rôle.

— Pas de bol. Ça reste la partie la plus éprouvante de son boulot. Alors, ça te dirait de me rejoindre quelque part pour prendre un café ? Je ne peux pas t'inviter de nouveau à dîner avec moi. Jack me tuerait.

— À l'heure du déjeuner, ce sera parfait.

Abbie débita l'adresse de son café préféré et sortit de son lit en trébuchant.

Une heure et demie plus tard, elle était assise en face de Kev à la table que Kit et elle avait partagée la veille.

— Je suis désolé, dirent-ils à l'unisson avant d'éclater de rire.

— Pardon, Abbie. Je ne t'aurais pas fait du gringue si j'avais su que tu étais toujours avec Jack. Personne n'a le droit de s'approcher de ses copines.

Ses copines. Était-ce le terme qui la définissait ? Copine de Jack.

— J'ignorais que j'étais l'une d'elles.

Kev la regarda d'un air surpris.

— Oh ! je crois que tu es bien plus que ça. Jack a failli renvoyer Zeke Bryan quand il a découvert qu'il avait raconté aux médias ce qui s'était passé entre vous dans la jungle. Je ne l'ai jamais vu aussi en colère.

Jack le lui avait déjà raconté, mais c'était agréable d'entendre Kevin confirmer le fait que Jack ne l'avait pas trahie.

— Quant aux femmes, Jack ne les regarde même plus depuis son retour du Honduras, et, crois-moi, ça en dit long sur lui.

— Et Kym Kardell ?

Abbie s'en voulut de lui avoir posé cette question. Elle avait conscience de paraître totalement dépendante, mais la pensée de cette magnifique star de cinéma dans les bras de Jack la tourmentait. Jack était bien plus habitué à ce genre de femme qu'aux personnes ordinaires comme elle.

Kevin rit.

— C'est du spectacle. Le studio lui dit de sortir avec elle, alors, il obéit. Il ne la supporte pas et, de toute façon, elle sort avec son maquilleur.

Abbie se cacha derrière son menu dans l'espoir de dissimuler sa confusion.

— Tu connais Jack depuis longtemps ?

— Depuis l'université. Je suis arrivé ici un an avant Jack. Il a joué dans de petites pièces à Broadway pendant un an ou deux, jusqu'à ce qu'on le repère et qu'Hollywood vienne frapper à sa porte.

— Et sa famille ?

Abbie comprit qu'elle n'aurait pas dû poser cette question lorsque Kevin hésita.

— Toujours en Irlande. Mais tu devrais plutôt parler de ça avec Jack. Il tient par-dessus tout à protéger sa vie privée.

— Je peux te poser une dernière question ?

Vu l'expression peinée de Kevin, il aurait préféré qu'elle s'abstienne.

— S'il te plaît, Kevin, juste une et je te promets de ne plus être indiscrète.

— Je ne te garantis pas que j'y répondrai, Abbie, mais vas-y.

Elle prit une profonde inspiration.

— Qui est Ciara ?

— Ciara ?

Kevin rit.

— C'est la sœur de Jack. J'en pinçais pour elle quand nous étions à l'université, mais il n'a jamais voulu me laisser sortir avec elle. Il aimait déjà jouer les protecteurs, à l'époque.

Kit arriva et s'installa sur le siège à côté d'Abbie.

— Qui aime jouer les protecteurs ?

— Oh ! salut, Kit, voici Kevin O'Malley. Nous nous sommes rencontrés au Honduras.

Kevin se leva et lui tendit la main.

— Ravi de te rencontrer. Je peux aller te chercher un café ou quelque chose d'autre ?

Il jeta un coup d'œil à ses tresses et à sa robe imprimée.

— Non, laisse-moi deviner, une infusion ?

Kit se raidit.

— D'ortie, s'ils en ont. Sinon, je prendrai un thé vert.

Leur table étant située près du comptoir, Kevin se leva pour commander, tandis qu'Abbie et Kit parlaient de la pluie et du beau temps.

— Alors, dans quel domaine tu travailles, Kit ? Tu fais quelque chose d'artistique, je parie, dit Kev, alors que Kit soulevait la théière qu'il avait posée devant elle.

— Je suis conseillère conjugale.

— Tu dois avoir plein de boulot. New York est peuplé de gens qui n'ont rien de mieux à faire que d'analyser leurs histoires de couples. Je me demande pourquoi ils ne se contentent pas d'en parler avec leurs amis.

Le doux sourire de Kit cachait une langue acerbe, et Abbie devinait que Kevin allait bientôt en prendre plein la figure.

Kit but une gorgée de tisane avant de regarder Kevin pensivement.

— Peut-être que les gens ont besoin de conseillers parce que leurs amis sont des connards incapables de les écouter.

Aïe ! Kit n'y allait pas de main morte. Abbie s'installa dans son siège et les regarda se bagarrer.

Kevin n'était nullement déconcerté.

— Et ils n'ont pas de problèmes d'argent, bien sûr. Dis-moi, combien demandes-tu habituellement à un pauvre type sans amis pour une séance ?

— Est-ce une demande de renseignement ? Souhaites-tu parler à une personne qui t'apporte écoute et soutien ?

— Pour que tu farfouilles dans mon cerveau ? Non, merci, grogna Kevin.

— Tu as raison. Peut-être qu'il est un peu vide, mais j'aime les défis.

Kit s'adossa à son siège, et Abbie surprit une lueur d'amusement dans ses yeux. La vie ne cesserait jamais de la surprendre. Kit appréciait donc Kev. Kit but les dernières gouttes de sa tisane et se leva.

— Voici ma carte, au cas où tu changerais d'avis.

Elle lança un clin d'œil à Abbie.

— On se voit plus tard.

Le serveur vint chercher la théière et la tasse, et Abbie remarqua que Kevin manipulait toujours la carte de Kit.

— Quelle grande gueule ! marmonna-t-il.

Abbie lui sourit.

— Est-ce que ça veut dire que tu vas l'appeler ?

Kevin rangea la carte dans sa poche.

— Absolument, mais pas pour une consultation.

VINGT ET UN

Abbie fixait l'écran avec incrédulité. Malgré toutes les choses qu'elle avait expérimentées au fil des dernières semaines (et son empressement à devenir la soumise de Jack), elle se sentait vaguement nauséeuse maintenant que son avenir était écrit noir sur blanc. Elle savait que les contrats tels que celui-ci étaient normaux. Elle avait appris leur existence au cours de ses recherches sur Internet. Se renseigner sur ce type d'accord était une chose, mais c'en était une autre de découvrir le document qu'elle était censée signer.

Abbie relut le contrat qu'elle avait sous les yeux. Mais rien n'avait changé.

Protocole d'accord
Cet accord est conclu entre Jack Winter (dénommé ci-après le Dominant) et Abbie Marshall (dénommée ci-après la soumise).
Il est entendu que les deux parties concluent cet accord en toute liberté et en comprennent parfaitement les implications.

But
Cet accord a pour but de recueillir le consentement écrit des deux parties, afin de favoriser l'harmonie entre elles et d'améliorer leur mode de vie. Les deux parties vivront leur relation de manière aimante, attentive et discrète. Les deux parties acceptent de

faire le nécessaire pour que cette relation fonctionne durablement.

Clause de confidentialité
En concluant cet accord, la soumise accepte de ne jamais rendre public, de ne jamais commenter et de ne jamais divulguer un seul détail de cet accord ou de leur relation, sauf en cas de permission expresse de son Dominant. En contrepartie, celui-ci s'engage à faire de même. En cas de non-respect de cette clause, la soumise accepte de verser la somme de dix millions de dollars au Dominant.

Les règles
La soumise consent à se soumettre au Dominant, qui, en contrepartie, accepte d'être son Dominant. Par cet accord, le Dominant s'engage à accepter la soumission de la soumise et à la protéger d'elle-même ou de tout danger extérieur. Ces règles sont destinées à améliorer la qualité de vie de la soumise et varieront de temps à autre en fonction de sa conduite et des circonstances. La soumise accepte de :
- *Ne jamais mentir, directement, indirectement ou par omission à son Dominant.*
- *Se montrer courtoise et aimable en permanence envers lui.*
- *Ne pas utiliser de langage offensant.*
- *S'habiller décemment, sauf en cas d'instruction contraire de la part de son Dominant.*
- *S'efforcer de dormir huit heures chaque nuit.*
- *S'assurer que son réfrigérateur contient de la nourriture en permanence.*
- *Obéir aux ordres de son Dominant sans poser de questions.*
- *Reconnaître que son manquement aux règles lui vaudra une punition.*

Offenses passibles de réprimandes et de fessées
* *Comportement ayant provoqué l'embarras de son Dominant.*
* *Usage abusif d'un langage ordurier ou de jurons.*
* *Non-respect du code vestimentaire convenu.*
* *Non-reconnaissance du bien-fondé d'un compromis, entraînant un comportement raisonneur et désagréable : toute décision appartient au Dominant, que la soumise soit d'accord ou non.*

Offenses passibles de coups de canne ou de cravache
* *Mise en danger de sa propre vie suite à une conduite déraisonnable dans son travail.*
* *Désobéissance à toute nouvelle règle fixée par le Dominant après discussion avec la soumise.*

Les infractions ou écarts de conduite continuels donneront lieu à d'autres formes de punition.

Abbie s'écarta de son bureau. Qu'est-ce que c'était que ces conneries ? S'habiller décemment, remplir le réfrigérateur, ne pas utiliser de mots orduriers ? Eh bien, il pouvait aller se faire foutre. Abbie se fit un plaisir de jurer. Jamais elle ne signerait ce contrat. Il fallait absolument qu'elle parle à Kit.

*

Kit adressa un signe au serveur et commanda une autre infusion d'ortie.

— Il va vraiment falloir qu'on achète des parts de ce café. Qu'est-ce qui était si important que tu ne pouvais pas me l'écrire par e-mail ? J'ai l'impression d'habiter ici.

Abbie poussa les feuilles vers Kit.

— Lis ça et dis-moi que je ne suis pas folle.

Abbie observa le visage de Kit tandis qu'elle lisait

lentement le contrat. Son amie ne paraissait pas choquée. Abbie était même sûre qu'elle se retenait de rire.

Kit finit par lever la tête.

— Eh bien ? Quel est le problème ?

— Le problème ?

Abbie lui arracha les feuilles des mains.

— Tu as vu ce qu'il veut m'obliger à faire ? Le code vestimentaire, la nourriture, mon langage. Qu'est-ce qui ne va pas avec mon vocabulaire ? Jack utilise les jurons comme des virgules.

— Sérieusement, Abbie. C'est un contrat D/s tout à fait ordinaire. Si l'on excepte les dix millions.

Kit siffla.

— Manifestement, cet homme tient à protéger sa vie privée.

Elle se pencha en avant.

— Écoute, ce mec est un Dom et il veut s'occuper de toi. J'ai déjà eu affaire à des couples D/s et, compte tenu de son style de vie, ses exigences ne me paraissent pas excessives. J'ai vu bien plus surprenant. Les principes de base d'une relation BDSM sont la sécurité, le bon sens et le consentement. Il s'agit d'un échange de pouvoirs.

— Mais comment un contrat peut-il profiter à une relation, Kit ? C'est toi l'experte. À toi de me le dire.

— Tu sais, toutes les relations fonctionnent selon des règles, mais, d'habitude, elles ne sont pas énoncées. Une grande partie des personnes qui me consultent n'auraient pas autant de difficultés dans leur couple si elles étaient plus franches. C'est l'une des choses que j'admire dans le monde BDSM : les gens réfléchissent sérieusement à ce qu'ils souhaitent et à ce dont ils ont besoin. C'est un accord, Abbie, pas une sentence. Rien de tout cela n'aura lieu si tu t'y opposes. Si une condition du contrat te dérange, négocie-la avec lui. Par ce contrat, Jack ne cherche pas à prendre le contrôle de ta vie. C'est toi qui l'autorises à en diriger une partie.

Kit poussa les feuilles vers Abbie.

— Quelles conditions te posent problème ?

L'une d'elles énervait particulièrement Abbie.

— Celle sur le travail. Ma famille me demande sans cesse d'abandonner le journalisme pour vivre de mes rentes, et ça m'est insupportable. Je ne peux pas me plier à cet ordre, Kit.

— D'après ce document, Jack souhaite que tu évites toute conduite déraisonnable. Je ne vois pas très bien quel est le problème.

— Mais je le fais déjà. Ce qui m'est arrivé au Honduras était un accident d'avion. Je n'avais aucun contrôle là-dessus.

— Bon, et cet article sur le trafic d'êtres humains l'année dernière ? Tu as dû quitter ton appartement.

— Seulement pendant deux semaines.

Kit fronça les sourcils.

— Abbie, le mec t'avait envoyé le membre d'un corps humain par courrier.

Abbie ne pouvait pas le nier. Kit avait raison. Cette enquête avait été très pénible, mais les coupables étaient en prison maintenant. Enfin, la plupart.

— Écoute, c'est un contrat entre Jack et toi. S'il ne te plaît pas, ne le signe pas.

Kit avait raison. Il suffisait de refuser de le signer. Mais, dans ce cas, Jack Winter disparaîtrait probablement de sa vie, et Abbie ne voulait pas prendre ce risque. Elle n'avait pas le choix. Elle allait devoir lui parler.

*

Jack l'attendait déjà quand Abbie se connecta ce soir-là. Il avait imaginé cet instant tout l'après-midi. La matinée s'était bien passée, très bien, même. Jack savait qu'il n'était pas le seul acteur connu à convoiter le premier rôle de *The African Queen*, mais les trois directeurs de casting avaient paru très satisfaits de son essai avec Maria Richards. Il n'était pas étonnant que cette actrice, déjà lauréate de deux oscars, ait obtenu le premier rôle féminin.

Mais ce qui avait surpris tout le monde (y compris Jack), c'était l'aisance avec laquelle tous deux s'étaient donné la réplique.

Le directeur principal du casting, Hank Lawson, avait dit à Jack qu'il pouvait s'attendre à être recontacté avant la fin de la semaine.

Lawson étant considéré par tous comme un type honnête, Jack était sûr que c'était dans la poche. Avec ce nouveau rôle et sa rencontre avec Abbie, sa vie semblait avoir pris un tournant ces dernières semaines. Évidemment, tout dépendait de ce qu'Abbie avait pensé du contrat. Jack l'imaginait très bien piquer une crise en le lisant.

<Orchidée sauvage : J'ai reçu le contrat. Je crois qu'il faut qu'on parle.>

<Michael Delaney : Bien sûr que nous allons en discuter. Qu'est-ce qui te pose problème ?>

<Orchidée sauvage : Je n'ai jamais fait ça avant et, enfin, certaines choses sont...>

<Michael Delaney : Je ne veux pas t'effrayer, mais rien ne m'a paru si terrible.>

<Orchidée sauvage : Je sais, Jack, mais ça m'a fait un peu peur de voir ce contrat. Est-ce que tu en as déjà signé ? Avec d'autres soumises ?>

<Michael Delaney : Je n'en ai pas eu besoin. Je fais une exception pour toi. En tout cas, quand j'ai une soumise, je tiens à ce que nous sachions tous deux à quoi nous nous engageons.>

<Orchidée sauvage : Et les dix millions de dollars ? Tu fais drôlement confiance aux gens, dis donc. Lol.>

<Michael Delaney : Que ferais-tu à ma place ? Tu es journaliste. Ton instinct te pousse à écrire. Je t'ai vue à l'œuvre : tu es incapable de te reposer tant que tu n'as pas terminé ton article.>

<Orchidée sauvage : C'est sans doute vrai. Je ne te trahirai jamais, Jack, mais si c'est ce que tu penses...>

<Michael Delaney : C'est sans importance, non ?>

<Orchidée sauvage : Il ne s'agit pas que de ça... Enfin, il y a d'autres choses qui me dérangent. Tu veux décider de ma façon de m'habiller ?>

<Michael Delaney : Je ne ferai rien pour te mettre dans l'embarras. Mais je ne te laisserai pas t'habiller comme si tu avais honte de ta féminité. Tu es élégante, intelligente et passionnée. Tes vêtements doivent le refléter.>

<Orchidée sauvage : Oh ! je t'en prie, non. Pas de jupes.>

<Michael Delaney : Tu es magnifique en jupe. Et si séduisante. Tu sais que tu as un cul exceptionnel ? Ce serait un crime de le cacher.>

<Orchidée sauvage : Lol. Vilain garçon.>

<Michael Delaney : T'as pas idée.>

<Orchidée sauvage : Bon, d'accord, une jupe de temps en temps.>

<Michael Delaney : Quand je te le dirai. Lol. Je ne te demanderai pas d'en porter quand tu monteras à cheval ou quand tu feras du patin à glace.>

<Orchidée sauvage : Ça alors, merci ! Bon, au sujet de la nourriture...>

<Michael Delaney : Je refuse que tu te laisses mourir de faim ou que tu n'avales que du café parce que tu ne prends pas le temps de manger correctement. Je ne te dicte pas ce que tu dois manger. Je te laisse en décider.>

<Orchidée sauvage : C'est le problème de tout journaliste. Je dois être prête à sauter dans l'avion à tout moment. Tu sais à quoi ressemble une laitue vieille de trois semaines ? C'est pour ça que ma femme de ménage passe régulièrement.>

<Michael Delaney : Tu vis à New York, la ville qui ne dort jamais. Je suis sûr que tu peux acheter de la nourriture dès que c'est nécessaire. Ou alors tu pourrais t'installer à L.A. Ton journal a des bureaux ici.>

Jack fixa l'écran. Qu'est-ce qui lui avait pris de taper ça ? Il n'avait jamais demandé à une femme d'emménager près de chez lui. Mais, avec Abbie, cela semblait naturel.

<Orchidée sauvage : À Los Angeles ? C'est vraiment ce que tu souhaites ?>

<Michael Delaney : L'idée fait son chemin. Je pourrais te surveiller plus facilement. Qu'en penses-tu ?>

<Orchidée sauvage : Oh ! j'aimerais passer plus de temps avec toi. Le week-end était trop court.>

<Michael Delaney : Et je pourrais te présenter certains de mes jouets préférés.>

<Orchidée sauvage : L'idée est un peu effrayante. Je suppose que tu ne parles pas de figurines de films d'action.>

<Michael Delaney : Eh bien, disons que ces jouets m'aident à passer à l'action !>

<Orchidée sauvage : Là, tu me fais marcher.>

<Michael Delaney : Ils me permettront de tester tes limites. De vérifier si tu es purement vanille.>

<Orchidée sauvage : Je ne suis pas vanille. Enfin, peut-être un peu. Beaucoup. Mais je n'avais jamais rien fait de tel avant de te connaître.>

<Michael Delaney : Je le sais bien.>

<Orchidée sauvage : Y aura-t-il d'autres personnes ? D'autres femmes ? Je ne sais pas très bien ce que je ressentirais si je te voyais avec quelqu'un d'autre.>

<Michael Delaney : C'est ça qui t'embête ? Pas les choses que je risque de te faire dans ma salle de jeux ?>

<Orchidée sauvage : Tu m'as attachée à un lit, torturée avec des plumes et de la glace, et tu m'as fessée. Que peux-tu avoir d'autre en tête ?>

Son cerveau lui criait de s'arrêter, mais Jack écrivit :

<Michael Delaney : Tu sais, il vaut peut-être mieux que tu ne signes pas ce contrat. Je ne suis pas sûr de pouvoir me contrôler si je t'ai pour moi tout seul.>

C'était vrai. Quand il était avec Abbie, tous ses vieux démons ressurgissaient. Le stupide thérapeute qu'il avait consulté avait eu beau lui répéter que ses pulsions sexuelles étaient saines et normales, Jack craignait qu'elles soient trop violentes pour Abbie.

<Orchidée sauvage : Dans ton contrat, tu parles de coups de canne.>

<Michael Delaney : Oui.>

Peut-être que cela lui donnerait à réfléchir. Elle ne devait pas prendre son engagement à la légère.

<Orchidée sauvage : Tu n'utiliseras rien d'autre ? J'ai seulement vu des photos de ces coups de canne sur des sites et..., enfin, ça a l'air de faire mal.>

<Michael Delaney : Eh bien, je me servirai peut-être d'une cravache, d'une ceinture ou d'un martinet. Je suis sûr que tu aimeras le martinet.>

Le sexe de Jack se durcit lorsqu'il s'imagina en train de fouetter légèrement le dos nu d'Abbie. Et puis, sa poitrine, pourquoi pas ? Comment réagirait-elle ? Jack avait terriblement hâte de le découvrir.

<Michael Delaney : Et je me réserve le droit d'inventer d'autres punitions si nécessaire.>

<Orchidée sauvage : Telles que ?>

<Michael Delaney : Admettons que je découvre que ton frigo est vide, alors, je te trouverai une punition basée sur la nourriture.>

<Orchidée sauvage : C'est déjà moins effrayant. Qu'est-ce que tu m'obligeras à faire ? Manger du chou-fleur ? Lol ! (Sérieusement, je déteste le chou-fleur.)>

<Michael Delaney : Tu as déjà entendu parler du *figging* ?>

Il y eut un long silence pendant qu'Abbie cherchait la signification du mot sur Internet. Jack sourit en imaginant sa tête lorsqu'elle découvrirait ce que c'était. Il ne fut pas déçu.

<Orchidée sauvage : Oh non ! Non, non, non, non. Hors de question. Tu veux m'enfoncer un morceau de gingembre dans le derrière ? C'est totalement répugnant.>

<Michael Delaney : Pas de mon point de vue. Ton cul se tortillera tellement que j'aurai une érection permanente.>

<Orchidée sauvage : D'accord, il y aura toujours de la nourriture dans mon frigo.>

<Michael Delaney : Dommage. Mais je suis content que tu te mettes à manger.>

<Orchidée sauvage : Tu es vraiment diabolique ! Alors, où va se produire le duo Jack et Abbie ? Tu es là-bas, je suis ici. Il y a une distance énorme entre nous.>

<Michael Delaney : Oh ! on se débrouillera. Signe le contrat et renvoie-le-moi. Ensuite, nous pourrons commencer. Je repousserai tes limites, et tu en redemanderas. En principe.>

<Orchidée sauvage : Une dernière chose.>

<Michael Delaney : Oui ?>

<Orchidée sauvage : Combien de temps va durer ce contrat ? Enfin, est-ce que je signe pour un mois, pour six ?>

<Michael Delaney : Tu veux une date limite ?>

<Orchidée sauvage : Je ne cherche pas à m'engager, mais tu me demandes de te faire confiance.>

<Michael Delaney : Un contrat D/s est un engagement.>

<Orchidée sauvage : J'ai bien compris que je m'engageais à te laisser diriger une partie de ma vie. Mais ce que je veux dire, c'est que...>

<Michael Delaney : Et je m'engage à veiller sur toi.>

<Orchidée sauvage : Alors, peut-être qu'on devrait sortir ensemble d'abord.>

<Michael Delaney : Sortir ensemble ?>

<Orchidée sauvage : Oui, passer une soirée en tête-à-tête. C'est ce que font les couples habituellement.>

<Michael Delaney : Quand ils vivent dans le même État. Ou partagent le même fuseau horaire.>

<Orchidée sauvage : Un rendez-vous amoureux, si tu préfères. Tu sais, quelque chose qui n'implique pas nécessairement de se faire jeter d'un restaurant ou de regarder un film dans lequel tu joues.>

<Michael Delaney : Je joue dans tellement de...>

<Orchidée sauvage : Lol. Si je signe le contrat, je veux que nous sortions une fois ensemble. Je veux que ce rendez-vous soit mentionné dans notre accord. Peut-être même deux rendez-vous.>

<Michael Delaney : D'accord, on peut tout à fait ajouter cette clause au contrat. Mais c'est moi qui déciderai de ce qu'il adviendra de ta petite culotte au cours du rendez-vous.>

<Orchidée sauvage : Je veux que notre relation ne soit pas seulement basée sur le sexe, Jack. C'est mon côté vieux-jeu.>

<Michael Delaney : Fais-moi confiance, tu apprécieras beaucoup plus ce rendez-vous si tu sais que ta petite culotte est dans ma poche. Imagine la brise qui te caressera la chatte alors que je ne pourrai rien faire.>

<Orchidée sauvage : Arrête ! Es-tu toujours sûr que la soirée se terminera bien pour toi ?>

<Michael Delaney : Quand je suis avec toi, la moindre soirée est une réussite.>

<Orchidée sauvage : Comme tu es gentil !>

<Michael Delaney : C'est juste une façade. En réalité, je suis diabolique. Ne l'oublie pas.>

<Orchidée sauvage : Je prendrai cet avertissement en compte. Maintenant, je dois aller me coucher, sinon je n'aurai pas mes huit heures de sommeil.>

Abbie se déconnecta et Jack rit. Ils allaient bien s'amuser.

VINT DEUX

Le colis fut livré à son bureau à quinze heures. Ce n'était pas une orchidée cette fois, mais une grande boîte noire fermée par un ruban.

— Quelqu'un est amoureux de vous, dit le livreur en lui tendant un bordereau à signer.

Abbie griffonna son nom et souleva le couvercle, mais le referma dès qu'elle aperçut un soupçon de dentelle. Ce colis devait venir de Jack. Abbie se précipita aux toilettes pour dames sans prêter attention au regard intéressé du journaliste qui occupait le bureau voisin. Par chance, l'endroit était désert. La robe était faite de dentelle noire et bordée de soie couleur chair, et les collants étaient des bas autofixants. Jack avait bien choisi la pointure des chaussures.

Elles étaient noires, avec des talons terriblement hauts. La carte qui accompagnait le tout lui intimait d'être prête à dix-sept heures et de ne rien porter d'autre hormis le rouge à lèvres fourni. Elle était signée d'un J. Abbie retourna la carte. Le texte disait : *Tu voulais un rendez-vous, non ?*

Que manigançait-il ? Jack se trouvait à cinq mille kilomètres d'elle. Pourquoi avoir organisé tout cela ?

Abbie essaya péniblement de se concentrer sur son travail pendant l'heure et demie suivante. À seize heures trente, son téléphone portable sonna.

— Tu es toujours assise à ton bureau ?

— Oui, il y en a parmi nous qui ont du travail.

Abbie gloussa.

—Alors, de quoi s'agit-il ? D'un autre cyber-rendez-vous ?

— Tu vas devoir attendre pour le savoir. Va aux toilettes et change-toi. Sois sur le toit de l'immeuble à dix-sept heures.

— Le toit ?

Jack avait déjà raccroché.

La boîte sous le bras, Abbie retourna en hâte aux toilettes. Quelques femmes y retouchaient leur maquillage avant de quitter le bureau. Elle s'enferma dans une cabine, baissa le couvercle des toilettes et s'assit sur le bord.

Toute cette histoire était ridicule. Les hommes se trompaient toujours sur la taille des femmes. Elle était sûre que la robe ne lui irait pas. Et pourquoi donc aller sur le toit ? Une montgolfière viendrait-elle la chercher ?

Abbie rangea sa tenue de travail dans son fourre-tout, puis enfila la robe et remonta sa fermeture. Un point pour Jack. Le tissu était extensible et la robe lui allait. Les collants étaient très fins et, même si les talons des chaussures étaient hauts, elle parvenait à marcher avec. Abbie sortit de la cabine en titubant et contempla son reflet dans le miroir. Sa tenue était sexy, mais pas provocante. Elle reconnut à contrecœur que Jack avait bon goût. Elle ouvrit le tube de rouge à lèvres. « Rouge passion » : tout était dans le nom. *Je retire ce que je viens de dire.*

Abbie resserra la ceinture de son manteau et prit l'ascenseur jusqu'au dernier étage. Un vent léger soufflait là-haut. Abbie se mit à scruter l'horizon. Une petite tache noire au loin se rapprochait d'elle et elle entendait le bruit d'un hélicoptère. Seul le comité de rédaction utilisait la plate-forme d'atterrissage. Jack n'oserait tout de même pas faire une chose pareille.

Il semblait bien parti, pourtant. Le pilote lui fit signe de venir, et Abbie traversa le toit en courant, puis grimpa dans l'hélicoptère. Quel bonheur d'avoir une coupe facile à entretenir ! Les hélices produisaient une véritable tempête. Elle s'installa sur le siège à côté du pilote et referma sa ceinture de sécurité autour de sa taille.

Jack n'était pas à bord. Le pilote décolla, et Abbie tenta de surmonter sa déception en regardant les toits de New York disparaître de son champ de vision. Le pilote était silencieux, mais, de temps en temps, son regard errait du côté de ses jambes et de ses chaussures à talons.

— Je peux vous demander où on va ? l'interrogea Abbie.

— Non, m'dame. On m'a demandé de vous dire que c'était une surprise.

Elle s'enfonça dans son siège.

— Alors, allez-y, surprenez-moi.

La nuit était tombée lorsqu'elle aperçut pour la première fois les chutes du Niagara illuminées. Une vague de plaisir la submergea. Jack s'était donc souvenu de leur brève conversation dans la jungle.

Une limousine noire l'attendait à l'héliport, mais il n'y avait toujours aucune trace de Jack. Le cœur d'Abbie se serra. Alors que la voiture s'arrêtait devant l'hôtel, elle vérifia son téléphone portable, mais elle n'avait reçu aucun message de lui. Abbie fut escortée jusqu'à une suite au vingt-deuxième étage. Les chambres étaient luxueuses et un feu de bois brûlait dans la cheminée du salon. Depuis le balcon, elle avait une vue spectaculaire sur les chutes.

Tout était parfait, mais elle était seule. Que se passait-il ? Pourquoi l'avait-il fait venir jusqu'ici ? Il aurait été plus simple d'être malheureuse et seule à New York.

Comme ses nouvelles chaussures commençaient à lui faire mal, Abbie les jeta dans un coin. Elle hésitait à retirer sa robe et à la jeter du balcon, quand on frappa discrètement à la porte. Abbie se dépêcha d'aller ouvrir.

— Je suis désolé, madame, mais monsieur Winter a été retardé. Il a demandé que le dîner soit servi ici, plutôt qu'au restaurant. Souhaitez-vous commander ?

Jack était en chemin. Abbie sourit.

— Pouvez-vous répéter, s'il vous plaît ? J'ai perdu le fil après le mot « retardé ».

— C'est la première fois que monsieur Winter séjourne chez nous. Aimeriez-vous quelque chose en particulier ? Un menu dégustation, peut-être ?

Abbie fut tentée de commander un accompagnement d'insectes ou de serpent grillé pour Jack, mais elle s'abstint. Il était en chemin. Elle allait le voir ce soir.

— Ce sera parfait, mais sans champignons. Et demandez au sommelier de choisir un vin pour l'accompagner.

— Bien sûr, acquiesça l'homme.

Abbie avait déjà bu la moitié de son verre de vin lorsque la porte s'ouvrit. Les cheveux de Jack étaient mouillés à cause de la pluie, et sa chemise était froissée, mais c'est son expression qui fit bondir le cœur d'Abbie. Sa barbe naissante assombrissait ses joues et lui donnait l'air menaçant, et ses yeux étaient plus foncés que d'habitude. Abbie se jeta à son cou.

— Mon Dieu, tu m'as tellement manqué.

Son odeur, boisée et masculine, provoqua en elle un frisson d'impatience. La bouche de Jack dévora la sienne avec une telle passion qu'Abbie en eut le souffle coupé.

— Désolé, j'avais prévu de te retrouver à l'arrivée de l'hélicoptère, pas de te faire attendre ici toute seule.

— Ça va. Je suis tellement contente que tu sois là.

Abbie l'embrassa à nouveau en caressant ses omoplates et en le griffant légèrement du bout des ongles.

Jack émit un grognement de plaisir, puis la fit doucement reculer d'un pas.

— Tiens-toi bien. Ceci est un rendez-vous amoureux.

— Un rendez-vous ?

Les coins de la bouche de Jack s'étirèrent.

— Tu as dit qu'on devait passer une soirée en tête-à-tête avant de passer aux choses sérieuses. Alors, j'ai prévu un dîner, et puis peut-être un film. Tu sais, comme les gens vanille.

Abbie s'écarta de lui.

— Tu as vu les talons de mes nouvelles chaussures ? Peut-être devrais-je te les présenter ?

Jack leva un sourcil en feignant l'horreur.

— Il n'y aura pas de jeux pervers ce soir. Et maintenant, si on dînait ? Je meurs de faim.

Comme s'ils l'avaient entendu, deux serveurs en uniforme ouvrirent la porte et apportèrent leur dîner. Ils disposèrent la vaisselle sur la table, leur servirent du vin, allumèrent des bougies, puis repartirent. Jack baissa la lumière du plafonnier. Une seule lampe éclairait maintenant la pièce. Dehors, les couleurs de l'arc-en-ciel illuminaient les chutes d'eau.

— Tu t'es souvenu de ce que j'avais dit dans la jungle. À propos des chutes, je veux dire.

Abbie n'arrivait toujours pas à s'en remettre. William oubliait toujours qu'elle était allergique aux champignons, mais Jack s'était souvenu d'une remarque faite par hasard sur les chutes du Niagara.

— Comment l'oublier ? *Niagara* est l'un de mes films préférés. Le pouvoir destructeur du sexe, et tout le reste.

— Le sexe est-il destructeur ? demanda-t-elle.

Une expression ironique traversa le visage de Jack.

— Il peut l'être. C'est pour ça que je veux m'assurer que tu es vraiment prête à conclure un accord avec moi. Nous sommes tous les deux adultes, mais les débuts d'une relation D/s peuvent être très mouvementés d'un point de vue affectif.

Jack était nerveux, lui aussi. Abbie n'avait pas envisagé les choses de cette façon auparavant. Il lui avait toujours paru si confiant, si sûr de tout.

— Combien de soumises as-tu eues avant moi ?

Le rire de Jack résonna dans la pièce faiblement éclairée.

— Je suis loin d'être un ange. Il y a eu beaucoup de femmes dans ma vie, mais la plupart de ces relations ne duraient que le temps d'une séance D/s. Je n'ai vécu que deux histoires sérieuses avant toi. Avec Paloma et avec une femme de chez moi.

Abbie faillit laisser tomber sa fourchette. Le fait que Jack et Paloma aient pu sortir ensemble ne l'avait jamais effleurée. Avec sa silhouette ronde et ses traits quelconques, Paloma était très loin de l'image qu'on se faisait de la compagne d'une superstar.

— Elle ne m'a pas paru être ton type.

Les mots lui échappèrent avant qu'elle puisse les retenir, et Jack fronça les sourcils.

— Il n'est pas question de « type » dans les relations D/s. Ne crois pas que toutes les soumises sont des top models qui se promènent avec du ruban adhésif sur les tétons ou vêtues de combinaisons en latex.

— Je suis désolée. Je ne voulais pas m'exprimer de cette façon. J'étais simplement surprise.

C'était trop tard ; son visage sombre était de retour. Elle l'avait contrarié, et c'était bien la dernière chose qu'elle souhaitait. Abbie essaya de faire revenir sa bonne humeur en abordant des sujets plus légers pendant le dîner, et Jack sembla se détendre. Mais pas totalement. Une fois le repas terminé, Jack repoussa son assiette.

— Aimerais-tu qu'on aille se promener ? Peut-être voir les chutes de plus près ?

— Avec plaisir.

Abbie partit à la recherche de ses chaussures à talons, mais Jack lui conseilla de mettre quelque chose de confortable. Elle enfila ses chaussures de travail.

Tous deux sortirent de l'hôtel dans un silence gêné. Jack avait fait un gros effort pour organiser cette soirée. La robe, le transport, l'endroit.

Tout avait été pensé pour que ce rendez-vous soit parfait, et, d'une certaine façon, elle avait gâché la soirée. Abbie passa son bras sous celui de Jack afin de recréer un lien et se sentit soulagée lorsqu'il posa sa main sur la sienne.

— Je ne voulais pas...

Jack lui serra la main.

— Je sais. J'imagine que chacun de nous a vécu des choses qui risquent de surprendre l'autre. Je te demande juste de me faire confiance quand je te dis que je ne souhaite que le meilleur pour toi.

— Je te fais confiance, Jack.

Il récompensa sa déclaration en lui donnant un baiser vorace.

— Oh ! mademoiselle Marshall, j'espère que vous ne le regretterez pas.

La pluie brumeuse se transforma en averse régulière, et Abbie se félicita d'avoir laissé ses talons hauts dans la suite. Ils revinrent en hâte vers l'hôtel et traversèrent le hall d'entrée sans prêter attention aux regards des clients qui reconnaissaient Jack. Il y avait un miroir dans l'ascenseur, et Abbie vit que ses cheveux mouillés lui collaient au visage. Son rouge à lèvres avait disparu et, à côté de la beauté sombre de Jack, elle avait l'air terriblement ordinaire.

— Je t'ai dit de cesser de te juger.

Abbie tira la langue à son reflet.

— Alors, donne-moi une fessée.

Habituellement, cela suffisait à le provoquer. Abbie désirait plus que tout voir réapparaître son regard sombre, celui qui révélait toutes les vilaines choses qu'il projetait de lui faire. Au lieu de cela, Jack déposa un léger baiser sur sa joue.

— Pas ce soir, Abbie.

Le rez-de-chaussée de la suite avait été remis en ordre pendant leur absence. On avait éteint les bougies et placé un pare-feu métallique devant la cheminée. Abbie jeta un coup d'œil nerveux au visage de Jack. Vu la façon dont les choses s'étaient déroulées lors de leurs précédentes rencontres, il aurait dû la plaquer contre le mur dès leur entrée dans la suite, et sa robe aurait fini en boule sur le sol. Mais Jack restait calme, presque détaché. Abbie crut devenir folle.

— Il y a un problème ?

Jack s'assit sur le canapé et tapota le coussin à côté de lui.

— Bien sûr que non. Viens ici.

Abbie se pelotonna contre lui et essaya de se détendre. Jack passa un bras autour de ses épaules et attrapa la télécommande de la télévision. C'était forcément une plaisanterie ! Il avait parcouru cinq mille kilomètres pour passer la soirée devant la télé ? Jack consulta nonchalamment la liste des films disponibles. Abbie jeta un œil à sa montre. Il était presque vingt-deux heures. Elle devrait se lever tôt pour être à l'heure au travail, et Jack partirait sans doute bien avant elle. Elle n'avait aucune intention de regarder un film en entier.

En manœuvrant un peu, Abbie parvint à se glisser sur les genoux de Jack. Elle ne résista pas à l'envie de passer ses mains sur ses épaules. Si larges et si solides.

La puissance de ses muscles sous ses mains était grisante, mais Abbie était déstabilisée par son immobilité. Jack appuya la tête contre le dossier du canapé et ferma les yeux. Au moins, il ne l'avait pas repoussée. Abbie mordilla le contour de sa mâchoire, là où la peau était fine et sensible.

Jack ne réagit pas. Que se passait-il ?

Abbie ouvrit un bouton de sa chemise, puis un autre, et traça une ligne du bout de la langue sur sa peau nue jusqu'à son téton. Sa bouche se referma dessus, et les yeux de Jack s'ouvrirent brusquement. Ah ! une réaction.

Jack prit la télécommande et éteignit la télévision.

— On dirait bien que tu as mis au point un plan diabolique pour me séduire.

Ces paroles étaient encourageantes, mais Jack semblait étrangement distant.

Abbie essaya de prendre un ton légèrement espiègle.

— Tu n'as pas idée.

Que lui arrivait-il ce soir ? Cette passivité était aux antipodes de son comportement habituel.

Jack lui ébouriffa les cheveux.

— Allons nous mettre au lit, alors.

Ils grimpèrent l'escalier ensemble, mais sans se toucher. Jack alluma la lampe de chevet et déboutonna sa chemise. Abbie contemplait son corps. Son ventre se creusait et se tendait à chacune de ses respirations.

Les muscles de son torse et de ses bras étaient parfaitement dessinés. Abbie ne cessait de s'émerveiller de la beauté de ce corps et du temps que Jack devait passer à s'entretenir.

Elle attendit qu'il prenne les choses en mains, qu'il lui ordonne de se déshabiller, mais rien ne se passa. Elle se démaquilla, enleva sa robe et se glissa dans le lit à côté de lui.

Jack se tourna vers elle et l'embrassa avec une intensité époustouflante. Ah ! on était de retour en terrain connu. Abbie se détendit contre lui, prête à lui confier son corps. Jack la caressa jusqu'à ce qu'elle se tortille d'impuissance contre lui, le suppliant sans bruit d'aller plus loin.

Jack déposa des baisers tout le long de son corps, puis la goûta et la mordilla jusqu'à ce qu'elle gémisse et l'implore de poursuivre. Jack observait toutes ses réactions. Il se montrait parfois tendre, parfois brutal, cherchant à tout prix à la satisfaire. Cependant, il manquait quelque chose.

Le premier coup de reins brutal de Jack l'amena presque jusqu'à l'orgasme. Abbie s'accrocha à ses épaules, et Jack se mit à aller et venir en elle avec une détermination inflexible. Les ongles enfoncés dans son dos, Abbie s'agita frénétiquement sous lui jusqu'à ce qu'un torrent de sensations submerge son être tout entier et que son orgasme explose.

Quand elle rouvrit les yeux, Jack la contemplait.

L'estomac d'Abbie se noua. Quelque chose n'allait vraiment pas. Peut-être qu'il s'agissait d'une nuit de rupture.

— Je t'en prie, dis-moi que tu ne veux pas rompre.

Jack pressa un baiser humide sur son front et sourit.

— Ça n'arrivera jamais.

Abbie resta allongée contre lui en silence jusqu'à ce que l'hélicoptère vienne la chercher. Malgré le bruit, elle se dit qu'elle allait dormir tout le long du trajet de retour. La journée avait été longue, elle avait pris un pied incroyable et devait se remettre au travail dans quelques heures. Au lieu de s'assoupir, elle passa tout le trajet à contempler la nuit dehors, sans cesser de lutter contre un inexplicable sentiment de malaise.

*

Abbie se rongea les sangs toute la journée, incapable de s'expliquer ce qui s'était passé la veille au soir. Elle savait que leur histoire était passée à une autre étape, mais n'était pas sûre d'aimer ça. Elle essaya d'appeler Kit sur son portable, mais se souvint plus tard qu'elle avait décidé de s'offrir une nouvelle retraite New Age et qu'on ne pouvait la joindre qu'en cas d'urgence. Abbie n'avait personne d'autre à qui parler. À l'exception de Jack. Elle allait simplement devoir attendre jusqu'à vingt-deux heures. Au moment de se connecter, Abbie était si lessivée qu'elle ne parvenait même plus à s'inquiéter.

<Orchidée sauvage : Tu es là ?>

<Michael Delaney : Oui, Abbie. Tu as passé une bonne journée ?>

<Orchidée sauvage : Tu souhaites toujours que je sois honnête ?>

<Michael Delaney : Toujours.>

<Orchidée sauvage : Eh bien, j'ai passé une journée épouvantable. J'ai conscience d'avoir fait quelque chose de mal hier soir, mais je ne sais pas comment me rattraper. Il faut que tu me le dises.>

<Michael Delaney : Tu n'as rien fait de mal.>

<Orchidée sauvage : Ne dis pas ça. Je n'ai pas rêvé. Dis-moi simplement ce qui ne va pas.>

<Michael Delaney : Tu voulais un rendez-vous vanille, tu te souviens ? Eh bien, c'était ça, la vanille, Abbie. Je voulais juste que tu perçoives la différence.>

<Orchidée sauvage : Que veux-tu dire ?>

<Michael Delaney : Rappelle-toi : tu m'as dit que notre relation ne devait pas être seulement basée sur le sexe.>

<Orchidée sauvage : Oui.>

<Michael Delaney : Ensuite, tu t'es étonnée que Paloma ait été ma soumise, parce que tu ne la trouvais pas adaptée à ce « rôle ». Est-ce que je me trompe ? Sois franche.>

<Orchidée sauvage : C'est vrai.>

<Michael Delaney : Eh bien, je me suis demandé si tu me comprenais vraiment. Si tu te comprenais toi-même.>

<Orchidée sauvage : Pardon ? Je ne saisis pas.>

<Michael Delaney : Je ne suis pas avec toi seulement pour le sexe. Le sexe est l'expression d'une partie de ma personnalité. J'ai dû l'accepter il y a longtemps et j'en ai payé le prix.

Si tu crois que ce qui s'est passé entre nous n'est qu'une sorte de jeu de rôle, alors, tu ne comprends pas les relations D/s.>

Orchidée sauvage est en train d'écrire.

<Orchidée sauvage : Jack, je suis désolée. Je ne sais pas quoi dire.>

<Michael Delaney : Ça va. Tout cela est nouveau pour toi. Je ne veux pas dire que j'ai toujours besoin de prendre les choses en main quand nous faisons l'amour. Mais, pour moi, passer une nuit entière à tes côtés comme le parfait petit ami vanille, c'est un peu jouer la comédie. Je peux me montrer très convaincant, mais il n'y a rien de réel. C'est ce que tu as ressenti la nuit dernière.>

<Orchidée sauvage : Oh !>

Jack s'était enfin ouvert à elle. Elle se sentait plus proche de lui maintenant que lorsqu'il lui avait fait l'amour la nuit passée. Jack n'essayait pas de rompre avec elle, il essayait de lui montrer la différence entre une relation D/s et une relation vanille. Et maintenant, Abbie savait que ce n'était plus son parfum préféré.

<Orchidée sauvage : OK. Tu m'as donné de quoi réfléchir. J'imagine qu'il n'y aura plus de rendez-vous en tête-à-tête, alors !>

<Michael Delaney : Lol. Nous devons simplement redéfinir la notion de rendez-vous.>

Le rire de Jack rendit Abbie ridiculement heureuse. Elle se sentait aussi à plat que si elle avait été écrasée par un camion, mais tout allait bien maintenant.

Michael Delaney est en train d'écrire.

<Michael Delaney : Une chose encore. Tu regrettais de ne pas recevoir d'ordres hier soir, pas vrai ?>

<Orchidée sauvage : Oui.>

<Michael Delaney : Oui ?>

<Orchidée sauvage : Oui, monsieur !>

<Michael Delaney : Bonne petite. Dors bien.>

VINGT TROIS

Abbie ne savait pas très bien ce qui venait de la réveiller. Elle avait travaillé d'arrache-pied toute la semaine, après son rendez-vous vanille avec Jack, et la pendule posée sur la console indiquait trois heures quinze.

Elle aurait dû dormir à poings fermés. Allongée dans son lit, Abbie tendit l'oreille. Un bruit se fit de nouveau entendre. On aurait dit des tiroirs que l'on ouvrait.

L'espace d'un instant, elle resta pétrifiée de terreur, puis se força à agir. Comment n'avait-elle pas entendu ces gens entrer ? Elle avait sans doute oublié de verrouiller la porte d'entrée. Jack allait la tuer si ces hommes ne la massacraient pas avant. Abbie se glissa hors du lit et se dirigea sans bruit vers la porte de sa chambre. Un son se produisit dans la cuisine cette fois. Elle entendit le bruit du réfrigérateur qu'on ouvrait et refermait. *Bon, calme-toi. Ils sont à l'extérieur et il y a un verrou à ta porte.* Son père avait insisté pour en installer un après le dernier cambriolage dont elle avait été victime. Elle tourna la clé dans la serrure et ferma le verrou.

Il fallait appeler la police. Abbie chercha son téléphone à tâtons à côté du lit. Elle se rappelait avoir relu les messages de Jack avant de s'endormir ; il devait se trouver là, quelque part. Elle n'osait pas allumer la lumière.

Son téléphone bipa en s'allumant. Abbie tenta d'étouffer le son contre sa poitrine et retint son souffle. Elle entendit un bris de verre et une voix masculine jurer.

Abbie composa le 911 de ses doigts tremblants.

— Police-secours, j'écoute ?

— Il y a quelqu'un dans mon appartement, chuchota Abbie

— Pourriez-vous parler plus fort, madame ?

Abbie rampa sur le sol jusqu'à l'endroit le plus éloigné de la porte.

— Il y a quelqu'un dans mon appartement. Venez, je vous en prie.

Elle avait beaucoup de mal à parler calmement.

— Donnez-moi votre nom, votre adresse et je vous envoie une voiture, madame. Où vous trouvez-vous ?

— Dans ma chambre. Je me suis enfermée à clé, chuchota Abbie.

Elle débita son nom et son adresse.

Un autre bruit retentit dans l'appartement. Plus fort, cette fois. Ils devaient bien s'attendre à ce qu'elle ne dorme plus.

— Je vous en prie, dépêchez-vous.

L'opérateur resta en ligne et essaya de la tranquilliser.

— Ne raccrochez pas, madame. Il y a une voiture dans votre quartier ; quelqu'un sera chez vous très bientôt.

Abbie eut l'impression d'attendre une éternité. Elle ne quittait pas des yeux la porte verrouillée. Soudain, la poignée tourna dans un sens, puis dans l'autre. Dehors, elle entendit le hurlement d'une sirène de police. La poignée tourna à nouveau. Ensuite, elle perçut un bruit sourd et des éclats de voix.

— Les flics, grommela une voix rauque.

Abbie entendit une porte claquer.

Son premier réflexe fut d'ouvrir la porte de sa chambre, mais elle eut peur que les hommes soient encore là. Et s'ils avaient seulement fait semblant de partir ? Elle s'assit sur le sol, serra les bras autour de ses genoux et essaya d'arrêter de trembler.

— Madame, vous êtes toujours là ? Madame ?

Abbie rapprocha le téléphone de son oreille.

— Oui, je...

— Les policiers sont dans votre immeuble, Madame. Tenez bon.

— Merci. Merci d'être resté en ligne.

— Je vous en prie, madame.

L'appel prit fin.

Abbie sursauta lorsqu'on frappa violemment à la porte de la chambre.

— Mademoiselle Marshall ? C'est la police de New York.

Les heures qui suivirent furent un véritable cauchemar. Son appartement avait été saccagé. Abbie ne parvenait pas à trouver ce qu'ils avaient pris. Ses disques durs étaient éparpillés sur le sol. On avait éventré ses coussins et jeté ses livres de tous côtés. Leurs pages avaient été arrachées, puis déchirées.

L'un des policiers ramassa un cadre ancien en argent.

— En tout cas, ils ne cherchaient pas vos objets de valeur. Pouvez-vous nous dire s'il manque quelque chose, madame ?

À nouveau, Abbie balaya ses étagères du regard. Deux disques durs externes avaient disparu, mais son précieux ordinateur était toujours dans sa chambre.

Les hommes avaient piétiné quelques photos du Honduras sur le tapis et jeté une orchidée déchirée juste à côté. Le verre cassé du cadre scintillait sur les pétales de la fleur.

Abbie était au bord de la nausée. C'étaient les mêmes hommes, forcément. Maintenant, ils savaient où elle vivait. Elle ne pouvait plus les ignorer. Il fallait en parler à la police.

Abbie observa le visage du policier tout en lui racontant son histoire, et ce que l'homme avait pris pour un cambriolage ordinaire prit l'aspect d'un incident beaucoup plus sinistre.

— Y a-t-il une personne que vous pourriez appeler, madame ? Des amis, peut-être ?

— Oui, je vais chercher quelques affaires. Je ne veux pas rester ici.

Abbie appela Kit et fut soulagée d'entendre sa voix chaleureuse au bout du fil. Kit lui dit de venir immédiatement. Abbie prépara un sac avec ses affaires pour la nuit et se demanda si elle pouvait attendre jusqu'au matin pour appeler Jack. Elle imaginait très bien la terrible punition qui l'attendait si elle ne le faisait pas tout de suite. Non, vraiment, il fallait prévenir

Jack. Abbie prit une inspiration et chercha son nom dans son répertoire en espérant qu'il ne dormait pas encore.

— J'ai été cambriolée, dit-elle rapidement dès qu'il répondit. La police est ici.

— Quoi ? Est-ce que tu vas bien ?

Abbie contempla le désordre autour d'elle.

— La femme de ménage risque de râler, mais je vais bien. Je ne peux pas te parler très longtemps.

— Tu es blessée ?

— Non. Je m'étais enfermée dans ma chambre.

— Quitte cet appartement immédiatement. Je t'avais bien dit que tu prenais trop de risques.

Bon sang, voilà qu'il repassait en mode homme des cavernes. Curieusement, Abbie se sentit aussitôt mieux.

— Je n'avais pas l'intention de rester ici cette nuit. Jack, je crois que ce cambriolage est lié à mon reportage sur le Honduras.

— Le Honduras ?

— Eh bien, c'est la seule affaire sérieuse sur laquelle je travaille en ce moment. À moins que ces hommes se soucient de mes crimes contre la mode.

Abbie entendit un grognement amusé à l'autre bout du fil. Cette remarque lui vaudrait certainement une bonne fessée.

— Abbie, je ne plaisante pas. Tu dois prendre toutes les précautions nécessaires à ta sécurité. Sinon, c'est moi qui m'en chargerai.

Elle resserra son manteau autour d'elle.

— Je te laisse. Je vais aller passer quelques jours chez Kit. Je te préviendrai quand je serai arrivée.

— Si tu prends le moindre risque stupide, je te présenterai un à un tous les outils de ma salle de jeux. Après, tu seras obligée de rester debout pendant un mois pour taper sur ton clavier.

Jack n'avait pas du tout l'air de plaisanter.

— Ça va aller. Je voulais juste entendre ta voix. Je t'appellerai dès que je serai arrivée chez Kit.

— Envoie-moi un message quand tu quitteras ton appartement et un autre à ton arrivée chez Kit. Et ne va nulle part toute seule.

Étrangement rassurée, Abbie descendit l'escalier en courant pour prendre son taxi.

*

Jack jouait au billard quand son téléphone sonna. Il s'était fait un sang d'encre pour Abbie toute la journée, même pendant sa deuxième audition pour *The African Queen*.

Il avait besoin de décompresser. Jack se trouvait dans son bar préféré, qui, malgré la loi californienne antitabac, paraissait toujours sombre et enfumé, même en fin d'après-midi.

Il portait une large chemise de bûcheron et des lunettes à monture métallique, et ses cheveux lui tombaient sur le visage. Si un touriste parvenait jusqu'ici, il aurait bien du mal à reconnaître Jack Winter, la superstar hollywoodienne.

La plupart des clients de ce bar étaient des motards, des routiers et des ouvriers agricoles. C'était un endroit uniquement fréquenté par des locaux. Quand Jack avait demandé aux gens de l'appeler Michael, personne n'avait bronché. La bière était bonne, les femmes, amicales, et les nachos, épicés.

Il y avait vingt dollars sur la table, et Jack s'apprêtait à tenter un coup avec rebond difficile. Il maudit son téléphone, mais le sortit aussitôt de sa poche.

Seule une poignée de gens connaissait son numéro. Il jeta un œil sur l'écran dans l'espoir d'y lire le nom d'Abbie, mais c'est celui de Kev qui apparut. Jack répondit à contrecœur.

— Pas trop tôt, mon salaud, grogna Kev. Tu fous en l'air mon rendez-vous, tu ignores mes appels et tu ne me donnes aucune nouvelle !

— Désolé, Kev, je ne t'ignorais pas. J'avais juste éteint mon téléphone.

Jack ne pouvait pas mentionner son audition pour *The African Queen* dans ce bar.

— Et ton cerveau, tu l'avais éteint aussi quand tu as ruiné mon rendez-vous avec Abbie ?

Jack se passa une main dans les cheveux sans se soucier d'être reconnu.

— Ouais, à ce propos...

— N'essaie pas de te défiler.

Kevin était clairement agacé.

— Il s'est peut-être passé quelque chose entre vous au Honduras, mais tu m'avais dit que c'était terminé. Alors, c'était quoi ce foutu numéro d'homme des cavernes ?

— Changement de programme, Kev. Ce n'est pas terminé. J'aurais dû te le dire, je sais.

Jack baissa la voix.

— Est-ce que tu l'as vue ? Comment elle s'en sort après cette saleté de cambriolage ?

— Abbie va bien. Elle vit chez sa copine, cette tarée de hippie, dans le Village. Quand tu entres chez elle, t'as l'impression d'aller voir ta voyante. Je te jure, y a même des attrape-rêves dans sa cuisine. Combien de temps Abbie va rester là-bas ?

Un gros camionneur cria à Jack :

— Hé ! Mick, tu joues ou tu continues à bavarder avec ta copine ?

L'homme envoya de petits baisers en direction du téléphone, et ses bajoues, presque entièrement cachées sous sa barbe rousse, tremblotèrent.

Jack éloigna un instant le téléphone de son oreille.

— Une minute, c'est important.

Le camionneur lui adressa un geste obscène lorsque Jack porta de nouveau le téléphone à son oreille.

— Continue.

— Cette fille va me rendre fou. Elle embrasse tout le monde à New York. Pas seulement les hommes, mais les femmes aussi. Tu crois qu'elle est lesbienne ? En fait, ce serait cool, j'ai toujours rêvé d'assister à une scène entre filles, mais j'aurais bien aimé être prévenu, tu vois ce que je veux dire ?

Jack n'y comprenait absolument rien.

— Mais de quoi tu parles ? Lesbienne ? Bien sûr que non. Et c'était qui, ces autres hommes ?

— En l'espace d'une heure, quatre hommes sont venus l'embrasser. Et puis trois femmes. Ils ne lui ont pas seulement fait la bise, hein, c'étaient de vrais baisers. Ils y ont peut-être même mis la langue. Et l'un d'eux lui a mis une main au cul.

Qu'est-ce que c'était que ce bordel ?

— Tu es sûr ?

Comment Jack pouvait-il se tromper autant sur les autres ?

— Évidemment, puisque j'y étais, s'indigna Kev. J'ai bien failli filmer la scène pour la poster sur YouTube, mais après, elle m'aurait appelé « monsieur O'Malley » avec sa voix agaçante et, ensuite, elle m'aurait envoyé les flics.

— Mick ! hurla le camionneur. Pose ce foutu téléphone et prends ta queue de billard, ou bien déclare forfait.

— Va te faire foutre, lui dit Jack. C'est important.

Jack tourna le dos au camionneur. Abbie embrassait des inconnus ?

L'instant d'après, l'homme empoigna Jack et le plaqua contre la table de billard. Deux yeux injectés de sang le fixaient.

— Est-ce que tu viens de me dire d'aller me faire foutre ? Tu sais à qui tu parles ?

— À un connard de poivrot qui pue la bière ? dit Jack, trop énervé pour se contenir.

Il eut juste le temps d'entendre le grognement de deux types au bar. Un poing impressionnant s'enfonça dans son ventre, et le coup lui vida instantanément les poumons. Jack se plia en deux en clignant des yeux. Un coup sous le menton lui renversa la tête en arrière. À cause de la rangée de bagues qui ornait les doigts grassouillets de son agresseur, Jack eut l'impression d'avoir été frappé par un coup de poing américain. Lorsqu'il secoua la tête, des gouttes de sang tombèrent.

L'acteur prit appui sur le bord de la table et envoya un coup de pied à l'autre. Sa botte entra en contact avec la cuisse du camionneur, qui fut projeté en arrière et hurla de douleur.

— Espèce de petit connard.

L'homme se jeta sur Jack en rugissant. L'acteur était collé à la table de billard ; impossible de lui échapper.

Il vit bientôt arriver sur lui cent cinquante kilos de chair ivre et envoya un coup de poing au type, ce qui lui coupa momentanément le souffle, mais il se retrouva aussitôt coincé sous son adversaire sur la table de billard.

Vieille et délabrée, la table ne put supporter une telle charge et s'effondra sous leur poids. Jack heurta le sol le premier. Il était écrasé par le corps du camionneur, et les éclats de bois d'un pied de table lui écorchaient la peau.

Il parvint à se dégager, puis se releva, mais le camionneur lui attrapa la cheville et lui fit perdre l'équilibre.

Lorsque le malentendu fut enfin dissipé, il ne restait de Jack qu'un corps contusionné et en état d'arrestation. L'acteur prit son téléphone portable pour appeler Kev.

— Qu'est-ce que c'est que ce bordel ? Comment Abbie a pu embrasser d'autres hommes ?

— Quoi ?

Kev semblait dérouté.

— Pas Abbie. Sa copine complètement cinglée. Tout ce que fait Abbie, c'est traîner à la maison et jouer sur son ordinateur.

*

Ce soir-là, Jack eut beaucoup de mal à attendre qu'Abbie se connecte. Il avait besoin de la voir, de s'assurer qu'elle était heureuse et en sécurité. Enfin, aussi heureuse qu'on pouvait l'être en ayant un sale type redoutable à ses trousses.

Il était toujours étonné par le sang-froid que conservait Abbie lorsque sa sécurité était menacée. Elle encaissait tout et lui reprochait de s'inquiéter pour rien.

Jack jura en repensant au léger tremblement dans sa voix quand elle lui avait raconté le cambriolage qui avait eu lieu chez elle. S'il n'avait pas été attendu à une conférence de presse pour *Jungle Heat* le lendemain matin, il aurait tout laissé en plan afin de la rejoindre. Comme Abbie ne faisait pas plus attention à elle, Jack avait bien l'intention de lui botter les fesses.

Dorénavant, elle n'aurait plus la possibilité de négliger sa propre sécurité. Elle avait signé son contrat et le lui avait renvoyé. *C'est à moi de m'occuper d'elle maintenant. Et je vais le faire, que ça lui plaise ou non.*

Il réfléchissait déjà aux moyens qu'il emploierait pour que sa douce soumise ne soit plus jamais en danger.

À vingt-deux heures précises (heure new-yorkaise), Abbie se connecta.

<Orchidée sauvage : Bonsoir, monsieur.>

Jack avait beau être agacé par son manque de prudence, il ne put s'empêcher de sourire.

<Michael Delaney : Bonsoir, Abbie. Comment te sens-tu ?>

<Orchidée sauvage : Bien. Je suis chez Kit, et il ne s'est rien passé depuis le cambriolage. Cette histoire n'est qu'une tempête dans un verre d'eau. Je vais bientôt rentrer chez moi.>

<Michael Delaney : Hors de question. Je veux d'abord être sûr que tout danger est écarté. Où est Kit ? Je veux lui parler, m'assurer qu'elle prend des précautions.>

<Orchidée sauvage : Elle est partie à un rendez-vous.>

<Michael Delaney : Quoi ? Elle est censée veiller sur toi.>

<Orchidée sauvage : Je suis une grande fille, Jack. Je n'ai besoin de personne pour veiller sur moi. De toute façon, elle est avec Kevin ; alors, ça ne durera pas longtemps.>

Orchidée sauvage est en train d'écrire.

<Orchidée sauvage : D'ailleurs, cela signifie que je suis toute seule dans l'appartement.>

<Michael Delaney : Ne joue pas à ce petit jeu avec moi. Enfin, tu as réussi à me distraire. Prouve-le. Allume ta webcam.>

VINGT QUATRE

A bbie se demanda si elle allait lui désobéir. Il ne pourrait pas lui faire grand-chose, puisqu'elle était à New York, et lui, à Los Angeles. Mais cela pouvait être amusant de le taquiner. Elle attendit un peu avant d'allumer la webcam, juste pour l'agacer. Puis, elle lui sourit.

La voix de Jack, légèrement déformée par les mauvais haut-parleurs de son ordinateur portable, suffit à lui donner des frissons. Cet accent irlandais était incroyablement sexy. Ensuite, elle prêta attention à ses paroles.

— Tu ne m'as pas envoyé de compte rendu au sujet de ta lingerie, ce matin. Tu sais ce que ça signifie.

Eh mer... Abbie bloqua le mot avant même qu'il lui traverse l'esprit. Elle avait assez de problèmes comme ça. Elle se demanda ce qu'il allait lui faire ce soir.

— Oh ! arrête. J'avais plein de soucis.

Ouais, aucune chance que ça marche. Le visage sévère de Jack était bloqué sur l'expression « C'est moi le Dominant », celle qui lui donnait toujours des frissons de nervosité.

— Moi aussi. J'attendais ton rapport. Je me suis même demandé si la raison de ton silence, c'était que tu ne portais pas de petite culotte. Cette pensée m'a fait bander pendant ma deuxième audition. Je jouais une scène avec Maria Richards et elle y a été très sensible.

Abbie ne put s'empêcher de glousser en imaginant la reine d'Hollywood prête à sauter sur Jack. Parce que c'était elle, Abbie Marshall, qui dialoguait avec lui par webcam interposée, et c'était à elle qu'il projetait de faire des tas de choses perverses. Jack ne la déçut pas.

— Allez, tu sais ce qu'il te reste à faire. Enlève ta petite culotte et montre-la-moi.

— L'enlever ? protesta-t-elle. La dernière fois, j'ai seulement dû te la montrer sur moi.

— Comme tu n'as pas retenu la leçon, la sanction se durcit. Enlève-la et pose-la sur le bureau.

Abbie ne pouvait nier que cette pensée lui donnait des frissons d'excitation. Ses cuisses se tendaient d'impatience, mais elle ne le lui dirait certainement pas.

— Tu es un méchant garçon.

Comment l'empêcher d'être aussi prétentieux ? Abbie s'écarta de l'ordinateur et réfléchit. Il voulait sa petite culotte. C'est vrai qu'elle ne lui avait pas envoyé de compte rendu. Mais elle pouvait le prendre à son propre piège.

Abbie enleva sa culotte et se glissa devant l'ordinateur. Elle la tint devant elle. Le sous-vêtement était en dentelle bleue, il ne pouvait qu'approuver.

— Satisfait ?

Bien sûr, elle n'allait pas s'en sortir aussi facilement.

Jack dit :

— Non, je pense que tu devrais aussi retirer ta jupe.

— Tu as perdu la tête ?

Elle avait envie de le tuer.

— Je ne te demande pas de me montrer que tu l'as fait. Le bureau cachera tout.

Voilà qu'il se montrait presque raisonnable.

— Je veux juste te savoir assise là, nue et accessible. Mon imagination se chargera du reste.

Malheureusement, Abbie avait elle aussi l'imagination fertile. La pensée d'être assise devant Jack à moitié nue fit battre son cœur plus vite. Elle fut surprise de trouver l'idée aussi tentante.

— Si tu insistes, dit-elle en essayant de paraître réticente.

Elle se leva, ouvrit la fermeture de sa jupe et l'enleva en se tortillant, puis parvint à se positionner de façon à ce que Jack ne voie rien lorsqu'elle revint devant l'ordinateur. Avant qu'il puisse lui demander la preuve de son obéissance, elle laissa tomber sa jupe noire sur le bureau.

— Satisfait maintenant ?

Le rire de Jack était diabolique. Et séduisant.

— Non, mais je le serai très bientôt. Qu'est-ce que ça te fait d'être assise comme ça ?

Abbie aurait préféré qu'il ne lui pose pas la question. Elle faisait de son mieux pour ignorer les sensations qui la perturbaient, mais Jack venait de lui poser une question directe. Elle devait lui répondre.

— J'ai un peu froid. Et un peu peur. Et si quelqu'un entrait et me surprenait dans cette tenue ? Je suis très excitée. L'air bouge autour de moi ; c'est un peu comme si quelqu'un soufflait sur ma peau.

— Sur quoi ?

Oh ! le méchant.

— Sur ma chatte.

Abbie eut beaucoup de mal à prononcer ces mots.

Jack lui sourit... d'un air peu fiable qui l'alarma aussitôt.

— Enroule tes jambes autour des pieds de ta chaise.

Abbie obéit et gémit. Cette position, si inoffensive en apparence, la forçait à écarter les jambes, et elle se sentait totalement à nu.

— Voilà. Tu ne peux plus croiser les jambes, ni serrer les cuisses.

Abbie essaya de rapprocher ses cuisses l'une de l'autre et découvrit que c'était impossible. Dans cette position, elle avait une conscience aiguë de sa nudité.

À son grand embarras, Abbie sentit un soupçon d'humidité entre ses jambes. Kit allait la tuer. Cette chaise était un meuble ancien.

— Bonne petite. Je suis très content de toi. Est-ce que le fait de te soumettre à mes ordres t'a rendue toute crémeuse ?

Abbie aurait juré que ses paroles l'excitaient encore plus. Elle n'avait jamais eu conscience d'être aussi humide. Elle hocha la tête à contrecœur.

Jack poursuivit, implacable :

— Comment sont tes tétons ? Est-ce qu'ils sont durs ? Ouvre ton chemisier pour voir.

Oh ! qu'il était vilain. Ses seins étaient lourds, gonflés de désir, et ne demandaient qu'à être touchés. Abbie passa une main sous son chemisier et les caressa, taquinant ses tétons sensibles jusqu'à ce qu'ils deviennent encore plus durs. Mais, cette fois encore, elle se positionna de façon à ce que Jack ne puisse pas voir ce qu'elle faisait sous son chemisier de soie.

Abbie lui sourit.

— Non. Ça ne me fait aucun effet. Je suis aussi paisible qu'une nonne. Tout ça m'ennuie. J'ai même un peu froid.

Voyons comment il allait réagir à cela.

— Alors, il va falloir qu'on arrange ça. Va chercher de la glace dans le congélateur.

— De la glace ? Pour quoi faire ?

— D'après toi ? Dépêche-toi. Je ne te demande quand même pas d'aller cueillir des orties.

Des orties ? L'espace d'un instant, le cerveau d'Abbie s'embruma. Que pouvait-il vouloir faire avec des orties ? Abbie se rappelait vaguement avoir lu quelque chose à ce sujet, quand elle cherchait la signification du mot *figging*.

Il s'agissait pour le Dominant d'obliger sa soumise à mettre des orties dans sa petite culotte. Non, oh non, jamais de la vie. Elle préférait encore la glace.

Abbie se leva en faisant bien attention de ne pas lui montrer ses fesses nues. Tant pis si Jack les avait déjà vues, fessées, embrassées, décorées ; elle ne les lui montrerait pas ce soir. Abbie profita de ce petit moment de répit, loin de l'ordinateur et du regard autoritaire de Jack, pour essayer de retrouver une respiration normale et de faire ralentir les battements de son cœur. Elle chercha le distributeur de glaçons dans le congélateur de Kit et remplit une coupe de glace. Puis, elle se dépêcha de retourner dans le salon et de s'asseoir face à Jack. Pour quelle raison était-elle aussi impressionnée chaque fois qu'elle le voyait ? Même depuis le petit écran de son ordinateur, Jack dominait la pièce, il dominait Abbie. Il était inutile de se mentir.

— Bonne petite. Maintenant, passe un glaçon sur tes tétons. Juste assez pour qu'ils se dressent.

Comme si ce n'était pas déjà le cas. Abbie sourit.

— Oui, monsieur.

Elle dégrafa lentement son soutien-gorge, dont l'ouverture était située sur le devant, prit ses seins dans ses mains et se mit à les caresser. Elle fit tout cela sans rien montrer à Jack, histoire de le taquiner. Elle se débrouilla pour garder un visage neutre lorsqu'il se pencha en avant, désireux d'en voir plus.

Abbie prit un glaçon et le posa sur sa peau. C'était si froid qu'elle ressentit presque une brûlure sur son sein. Elle souffla et respira profondément plusieurs fois afin de s'habituer à cette sensation. Elle s'efforçait de garder son chemisier en place pour que Jack ne voie rien. Elle avait tous les atouts en main ce soir. Elle savait que Jack lui ferait payer son audace, mais l'idée de le tourmenter ainsi était délicieuse.

— Ils sont très durs maintenant, monsieur.

Jack le lui ferait payer, et elle s'en moquait. Portée par un élan de témérité, Abbie eut envie de l'appâter encore plus. Peut-être cela suffirait-il à le faire revenir à New York.

Jack mit un certain temps à répondre, et sa voix était rauque.

— Bravo. Bonne petite. Maintenant, retire le glaçon et imagine que mes mains sont posées sur tes seins.

Abbie y avait pensé avant lui.

— Je prends tes seins dans mes mains, ils sont lourds, ils sont pleins. Et si beaux. Retire ton chemisier pour que je puisse les admirer.

Abbie avait pensé le tourmenter plus longtemps, mais le bleu vif de ses yeux et l'âpreté de sa voix lui dirent d'obéir. Elle défit les derniers boutons de son chemisier en tremblant.

— Maintenant, repose les mains sur le clavier. Ne te touche plus. C'est mon boulot. Dis-moi ce que ça fait de sentir mes mains sur tes seins.

Mais que faisait-il ? Obéissante, Abbie reposa les mains sur le clavier, comme si elle s'apprêtait à taper un message. Dans cette position, elle prit immédiatement conscience de la nudité de ses seins.

Ses bras effleuraient leurs côtés, ses tétons se dressaient pour attirer l'attention de Jack. Abbie frissonna de désir. Elle voulait quelque chose de plus.

— Oh ! c'est une sensation étrange, murmura-t-elle.

Jack poursuivit.

— Maintenant, mes mains glissent vers ton ventre. Si doux. Si chatouilleux. Et tu ne peux pas m'en empêcher, car tes mains sont sur le clavier.

Abbie remua sur son siège et lutta contre l'envie de croiser les jambes. Trop excitée et impatiente pour rester immobile, elle s'agita de plus en plus, balançant sa chaise d'un côté sur l'autre.

— Arrête ça, Jack.

Abbie émit un gloussement nerveux qui n'avait rien à voir avec un rire.

— C'est bizarre.

— À présent, je pense à ta jolie chatte. Si douce, nue et sans défense. Si ouverte et humide. Non, ne serre pas les cuisses. Qu'est-ce que tu ressens ?

Abbie ne voulait pas le lui dire. Heureusement qu'elle n'avait pas besoin de taper sur son clavier, sinon elle n'aurait écrit que du charabia.

— Tu es vraiment très méchant, dit-elle.

Abbie s'étonna d'avoir l'air aussi essoufflée.

— Tu te balances beaucoup sur ta chaise, Abbie.

Aucun détail ne lui échappait. Il était impitoyable.

— Tu as un problème ? Où est passée la fille calme comme une nonne ?

Abbie réprima un fou rire. Si on surprenait une pauvre

nonne dans cet état, elle pourrait dire adieu au couvent. Jack attendait sa réponse.

— Non, je n'ai pas de problème.

Abbie était fière d'avoir pu aligner quelques mots cohérents.

— Tu ne dois plus bouger, maintenant. Je glisse un doigt dans ta jolie chatte et je vérifie à quel point tu es mouillée. Vilaine fille. Tu aimes ça, pas vrai ? Tu es essoufflée.

Abbie avait envie de le tuer. Il avait raison. Elle était si humide qu'elle ne cessait de penser à l'état de la chaise de Kit. Elle allait devoir lui en acheter une nouvelle.

Mais tout ce qui comptait pour le moment, c'étaient les mouvements de chaleur dans son ventre qui l'empêchaient totalement de penser.

— Bonne petite. Tu te débrouilles tellement bien. Ne bouge pas, je glisse un doigt en toi.

Abbie respirait avec peine. Elle sentait ce doigt invisible s'enfoncer et bouger en elle. Ses cuisses se tendaient. Abbie tentait désespérément de maîtriser les sentiments contradictoires qui la tiraillaient. Elle avait terriblement envie de bouger, mais gardait les mains sur le clavier.

— Si chaude et si humide.

Son excitation monta encore d'un cran.

— Oh oui ! gémit-elle.

— Prends un morceau de glace et passe-le dans ton cou.

Enfin l'occasion de bouger, de redevenir maîtresse d'elle-même. Le morceau de glace était affreusement froid. Abbie en eut le souffle coupé. Des gouttes d'eau coulèrent dans son cou et le long de son épaule. La voix de Jack poursuivit :

— Maintenant, plaque-le contre ton sein et décris des cercles autour de ton téton.

Mon Dieu, c'était si froid qu'elle était incapable de dire si l'effet était agréable ou insupportable.

— Oui, exactement comme ça.

Abbie retint son souffle ; sa propre soumission l'excitait encore plus.

— Bonne petite. Tellement obéissante. Maintenant, frotte

ton téton avec le glaçon tandis que je suce l'autre. Savoure le contraste entre le chaud et le froid.

Les mains d'Abbie étaient sur ses seins, l'une chaude et tremblante, l'autre glacée et dégoulinante. Elle frissonna. Ce contraste l'empêchait totalement de penser.

— Prends un autre glaçon et passe-le lentement sur ton ventre. Tu vois comme ces gouttes d'eau sont jolies sur ta peau ? Fais-le descendre maintenant, passe-le une fois sur ton clitoris.

Sans réfléchir, Abbie obéit à ses instructions. La voix seule de Jack provoquait des choses en elle qu'elle n'avait jamais ressenties. Le froid était si vif qu'il la faisait sursauter et pousser de petits cris perçants. Abbie ferma les yeux. Elle ne pouvait plus faire face à la surcharge sensorielle provoquée par le visage et la voix de Jack, et par le froid sur sa peau brûlante. Elle avait du mal à respirer, mais, malgré son immense excitation, elle n'essaya pas de refermer les jambes.

— Oui, douce Abbie. Exactement comme ça. Fais-le encore.

Incapable de savoir elle-même si elle le suppliait de continuer ou de s'arrêter, Abbie laissa échapper un cri, un son incohérent.

— Maintenant, enfonce le glaçon en toi. Tout au fond. Et imagine ma bouche chaude sur ton clitoris. Je l'embrasse et je le suce. Oui, c'est parfait...

Ce mélange de chaud et de froid foudroya ses terminaisons nerveuses. Abbie ignorait totalement si elle ressentait de la douleur ou de l'extase, elle avait uniquement conscience de ne plus maîtriser son corps.

— Oui, oh oui. Jack. J'ai envie de toi.

Sa chaise était trempée de glace fondue et de ses propres sucs.

Alors même qu'elle allait jouir, Jack dit :

— Stop. Enlève tes mains.

Non, non, non, ce n'était pas ce qu'il voulait dire. Non, c'était forcément une erreur.

Abbie se força à ouvrir les yeux et fixa l'écran.

— Quoi ?

— Éloigne tes mains. Je ne t'ai pas dit que tu pouvais jouir.

— Je ne peux pas jouir ? Mais tu...

L'expression de Jack était sévère. Elle devait obéir à ses ordres.

Abbie hésita pendant quelques instants. Finalement, elle se redressa sur sa chaise et joignit les pieds sur le sol. Elle fusilla Jack du regard.

— Tu trouves ça drôle ?

Abbie espérait qu'il ne voyait pas les tremblements agitant toujours son corps. Dominant ou pas, elle allait l'étriper.

Une clé tourna dans la serrure de la porte d'entrée. Abbie entendit le verrou s'ouvrir. Mon Dieu, c'était Kit. Il ne fallait surtout pas qu'on la voie comme ça.

Elle s'occuperait de Jack Winter le lendemain. Pour le moment, elle avait surtout besoin d'une douche froide. Abbie attrapa ses affaires et courut dans sa chambre.

Lorsqu'elle les laissa tomber sur le lit, elle s'aperçut qu'il lui manquait sa petite culotte.

Elle l'avait laissée sur le bureau. Bon sang, si Kevin ou Kit tombait dessus, elle ne pourrait plus jamais les regarder en face. Elle retourna discrètement dans le salon de Kit.

— Je me demande simplement pourquoi tu passes ton temps à toucher tout le monde.

Abbie entendit Kevin réprimander son amie dans le couloir.

— Tu es psy, il me semble, pas masseuse.

Kit rit.

— Je ne sais pas quoi te dire. C'est comme ça que je suis. Pourquoi ? Tu es jaloux ?

Kevin répondit par un rire jaune. Ils étaient toujours dans le couloir et ils ne l'avaient pas remarquée. Abbie s'approcha petit à petit du bureau. Sa petite culotte bleue était parfaitement visible.

— Et si je l'étais ? Jaloux, je veux dire.

Abbie s'arrêta net. Kevin et Kit ? C'était forcément une

blague. Kit était insolente et n'hésitait jamais à dire tout ce qu'elle pensait. Tout bien réfléchi, le courant avait l'air de passer entre eux depuis leur rencontre quelques semaines plus tôt. Mais Abbie n'avait jamais vu Kit s'engager dans une relation sérieuse et elle était prête à parier que Kevin était du même genre. Abbie s'approcha du bureau, tendit la main et saisit le petit bout de soie entre ses doigts. Maintenant, il fallait sortir de là sans se faire repérer.

— Peut-être que ça me plaît de te rendre jaloux.

La voix de Kit était rauque.

Non. Abbie se figea. Cela ressemblait si peu à son amie. Kit et Kevin ensemble ? Fascinée, elle s'arrêta un instant pour les écouter. *Tu finiras en enfer, Marshall.*

— Et si tu me montrais combien tu es jaloux ?

— Bonne idée.

Ils s'embrassaient, aucun doute là-dessus. Abbie entendit le bruissement de leurs vêtements et le rire rauque de Kit. Elle s'accroupit et fila vers sa chambre.

*

Le lendemain matin, Kevin était toujours là. Abbie n'eut pas besoin de leur demander comment s'était passé leur rendez-vous. Kit souriait d'un air satisfait derrière le bar, comme un chat qui vient d'attraper une souris. Kevin bavardait joyeusement avec Abbie en prenant son petit-déjeuner, mais ne cessait de regarder Kit.

Tous deux attendaient visiblement qu'elle parte travailler pour entamer le troisième round. Ou bien était-ce déjà le quatrième ? Abbie avala son café, bredouilla quelques excuses et partit. En gros, tout le monde prenait son pied, sauf elle. Si l'on exceptait ses séances sur Internet.

Abbie n'arrivait pas à croire que Jack l'avait empêchée de jouir. Pourquoi vouloir torturer à ce point sa libido ? Avant ce séjour au Honduras, Abbie pensait rarement au sexe, mais maintenant elle était comme une chatte en chaleur.

Elle avait bien l'intention de lui faire subir deux ou trois choses, le jour où elle lui mettrait la main dessus.

Il y aurait entre autres des menottes, de la glace et de l'huile de massage. Jack avait fait d'elle une vraie chatte enragée et il allait le payer très cher.

Abbie respira profondément pendant que l'ascenseur montait jusqu'au vingt-troisième étage. Il était huit heures quarante-cinq et elle n'avait reçu aucun message de Betsy.

La terre avait-elle été envahie ? Peut-être qu'une race de zombies *fashionistas* avait pris le contrôle de la planète pendant son sommeil.

Les portes de l'ascenseur s'ouvrirent. L'assistante de Betsy l'attendait justement là.

— Elle veut te voir.

Abbie prit juste le temps de poser son manteau sur le dossier de sa chaise avant de se précipiter dans le bureau de Betsy. Cette femme ne dormait-elle jamais ? Elle était encore assise à son bureau quand Abbie était partie à dix-neuf heures la veille.

La porte était ouverte. Betsy donnait des ordres à deux hommes quelconques qui l'écoutaient attentivement. Un paquet de photos en noir et blanc était étalé sur la table ronde. Betsy les examinait soigneusement, telle une connaisseuse savourant un vin délicat.

— Celle-ci me plaît. On garde le cliché sur lequel ils quittent l'hôtel ensemble. On ne voit pas son visage quand elle est dans la voiture. Bon travail.

D'un bref signe de tête, Betsy congédia les deux hommes. Au bureau, on appelait ces types l'« équipe de nuit ». Ils étaient les paparazzis personnels de Betsy. Chaque soir, elle les lâchait sur la proie qu'elle convoitait.

— Vous vouliez me voir ? demanda Abbie.

— Pas la peine de t'asseoir. Je veux que tu rentres chez toi et que tu fasses tes bagages.

— Mes bagages ? Pour aller où ?

— À Los Angeles.

Betsy examinait toujours ses photos.

Abbie se pinça.

— Y a-t-il une raison particulière à cela ?

Elle faisait de son mieux pour paraître désinvolte.

— Le remake de *The African Queen* fait beaucoup parler de lui. Et on aimerait que tu couvres d'autres événements importants.

— Mais on a déjà un journaliste là-bas, non ?

Toute cette histoire commençait à lui sembler un peu suspecte.

Betsy reposa les photos sur son bureau et regarda sévèrement Abbie.

— Je suis allée déjeuner avec Josh Martin. Il m'a parlé du cambriolage de ton appartement et de tous ces autres trucs.

— Il n'avait aucun de droit de...

Betsy fronça les sourcils.

— Il en avait tout à fait le droit. Pourquoi ne pas m'en avoir parlé ? On a commencé à recevoir ces fleurs, ici aussi.

Abbie avait remarqué que les livraisons avaient cessé pendant quelques jours. Mais, visiblement, c'était reparti.

— Écoute, ce n'est peut-être qu'un cinglé obsédé par les fleurs, mais je ne peux pas prendre le risque de te garder ici. Tu es transférée à L.A. Ne t'inquiète pas, tu seras de retour pour Noël. Maintenant, va faire tes valises.

Abbie avait presque atteint la porte quand Betsy la rappela.

— Et, Abbie, je n'ai pas oublié Jack Winter. Si tu tombes sur lui, essaie donc de lui soutirer des infos sur *The African Queen*.

VINGT CINQ

Lorsque son téléphone sonna, Jack était sous la douche après un entraînement éreintant à la salle de sport. Le temps qu'il décroche, l'appel avait déjà été redirigé vers sa messagerie. C'était Abbie.

Depuis qu'elle lui avait parlé de son cambriolage et des menaces qu'elle recevait, Jack était à cran. Il éprouvait le besoin d'être près d'elle pour la protéger.

Toujours nu et dégoulinant, Jack rappela Abbie.

— Qu'est-ce qui se passe ? aboya-t-il sans se présenter.

Abbie eut l'air surprise. Il y avait beaucoup de bruit autour d'elle.

— Je voulais t'annoncer qu'on me transférait à Los Angeles pour suivre les rebondissements de l'affaire *The African Queen*.

— Tu viens ici ?

Malgré lui, Jack se mit à bander.

— Oui, enfin, à L.A., dit Abbie d'un ton hésitant. Ça ne te dérange pas ?

Oh non, ça ne le dérangeait pas le moins du monde. Les autres types du vestiaire se mirent à pointer du doigt la bosse sous sa serviette. Jack leur tourna le dos et baissa la voix.

— Est-ce que tu es contente de venir me voir ?

— Oui, monsieur.

Jack pensait être au maximum de son érection. Mais il se trompait.

— Alors, prouve-le. Tu es toujours excitée après la soirée d'hier ?

Il y eut un silence. Abbie devait être en salle de rédaction, entourée de ses collègues.

— Oui, monsieur.

Sa voix n'était plus qu'un souffle rauque.

— Bonne petite. Maintenant, va aux toilettes, enlève ta culotte et fais-toi jouir. Je veux t'entendre.

L'espace d'un instant, Abbie resta muette de stupéfaction. Bon sang, il adorait provoquer cette réaction chez elle.

— Tu veux dire...

— Oui, c'est ça. File aux toilettes. Immédiatement.

— Mais je risque fort de ne pas être seule là-bas.

Abbie ne s'opposait pas à son ordre, nota Jack, elle se contentait de négocier. Et sa voix avait changé. Cette situation l'excitait. Son orchidée sauvage était peut-être vanille, mais elle avait un côté bien plus sauvage qu'elle ne l'imaginait.

— Alors, tu devras simplement faire très attention, non ? Tu devras jouir assez fort pour que je t'entende, mais assez discrètement pour que personne d'autre ne s'en rende compte.

— Oui, monsieur.

Ces mots faillirent avoir raison de Jack. Il était toujours nu, mais il avait beaucoup plus chaud maintenant. Impossible de trouver un endroit tranquille pour savourer cet appel.

Le téléphone toujours collé à l'oreille, Jack entendit Abbie sortir de la salle de rédaction, longer un couloir et entrer dans les toilettes. De son côté, il parvint enfin à se trouver une petite cabine. Ce n'était pas grand-chose, mais au moins, il serait tranquille. Jack s'installa à l'intérieur, ferma la porte et fit glisser le loquet.

— J'y suis, chuchota Abbie.

Sa voix était faible, presque essoufflée.

— Maintenant, enlève-moi cette culotte.

Jack l'entendit poser le téléphone et se déshabiller. Il adorait le bruissement de ses vêtements. Jack perçut un juron étouffé, puis Abbie reprit le téléphone.

— C'est fait.

— Bien. Maintenant, remonte ta jupe.

Un bruissement d'étoffe à nouveau.

— Remonte-la complètement. Jusqu'à ta taille.

— Elle sera toute froissée après, dit-elle.

— Et alors ? Tu rentres chez toi dans une heure, non ? Personne ne s'attend à ce que ta tenue soit parfaite en fin de journée.

Encore un bruissement.

— Je l'ai remontée jusqu'à ma taille.

Jack ferma les yeux afin de savourer cette image. Abbie debout dans les toilettes, la jupe remontée jusqu'à la taille, exhibant ces longues jambes que des talons aiguilles ultra-sexy allongeaient encore plus.

— Tes jambes sont nues ou tu portes des bas ? demanda-t-il.

Jack lui-même remarqua que sa voix était rauque.

— Des bas.

— Ça me va. Maintenant, fais glisser ta main jusqu'à ta jolie chatte rose et caresse-la. Est-ce qu'elle est toujours lisse ?

— Oui.

— Est-ce qu'elle est humide ?

— Oui.

La voix d'Abbie n'était plus qu'un gémissement.

— Alors, c'est parti. Plonge tes doigts dans ce jus crémeux. Baisse ton téléphone pour que je puisse les entendre bouger.

Jack avait envie d'être là-bas. Il avait l'impression de sentir la chaleur et l'humidité d'Abbie sous ses doigts. Il referma la main autour de son sexe et la fit lentement aller et venir en imaginant que c'était celle d'Abbie.

Bientôt, ce ne serait plus seulement un fantasme. La bouche d'Abbie. La chatte douce et humide d'Abbie. Jack s'en réjouissait déjà.

— Fais glisser tes doigts humides autour de ton clitoris. Est-ce que c'est agréable ?

Abbie gémit d'une voix chevrotante. Une porte claqua et elle avala sa salive. Quelqu'un avait dû entrer dans les toilettes. Quelques secondes plus tôt, Abbie haletait, soupirait et marmonnait des paroles incohérentes. Maintenant, elle était silencieuse.

Jack entendit un faible bruit de pas, puis la porte d'une cabine se refermer. Il y avait quelqu'un d'autre dans les toilettes.

— Tu t'es arrêtée, dit-il à Abbie. Vilaine fille. Je ne t'en ai pas donné la permission.

Abbie se taisait toujours, obstinément silencieuse.

— Alors, c'est moi qui vais le faire. Je vais tremper un doigt dans le jus qui mouille tes cuisses et l'enfoncer en toi. Et peut-être un deuxième. Je crois que tu es assez humide pour deux doigts, non ? Et puis, je pourrais m'agenouiller devant toi et souffler sur ton clitoris. Je me souviens que tu as aimé ça, une fois.

Abbie haletait, incapable de rester silencieuse.

Jack sourit. Il parvenait à l'exciter autant que lui-même. Il continuait à parler tout en faisant aller et venir sa main sur son sexe. Abbie l'excitait terriblement et elle allait le payer très cher. Le bruit d'une chasse d'eau, d'une porte qu'on ouvrait, de l'eau qui coulait, d'un sèche-mains électrique. Enfin, la deuxième porte claqua à nouveau.

— Bon, tu as un travail à terminer, n'est-ce pas ?

La respiration d'Abbie était saccadée.

— Tu es diabolique.

— T'as pas idée.

Abbie se remit au travail avec enthousiasme. Jack écouta les bruits qu'elle faisait, les gémissements qu'elle poussait, la façon dont sa respiration accélérait. Enfin, lorsqu'elle eut atteint le point de non-retour, il lui dit :

— Arrête-toi, maintenant.

— Non ! gémit-elle. Tu ne peux pas me faire ça encore une fois.

— Je n'en avais pas l'intention. Mais tu m'as désobéi et tu t'es arrêtée tout à l'heure. Alors, c'est à mon tour de t'arrêter, maintenant.

— Je t'en prie...

La voix de Jack était aussi ferme que son sexe.

— Non, Abbie. Peut-être la prochaine fois.

— La prochaine fois ?

— Rappelle-moi dans une heure et nous recommencerons. Si tu es sage, je t'autoriserai à jouir.

Les gémissements d'Abbie étaient comme une douce musique à ses oreilles. Elle referma brusquement son téléphone, et Jack s'autorisa à jouir.

*

Abbie attacha sa ceinture et contempla la ville de Los Angeles à travers son hublot. Un léger frisson d'excitation lui parcourut le bas-ventre. Elle allait bientôt se trouver dans la même ville que Jack. Ce soir, ils seraient de nouveau ensemble.

Jack risquait d'être fâché contre elle. Elle n'avait pas eu le temps de le rappeler après l'épisode des toilettes, et Betsy lui avait lancé un drôle de regard en voyant ses joues rouges.

Juste après, elle avait filé chez Kit pour y récupérer ses affaires et était repartie chez elle tout aussi vite afin de faire ses bagages. Elle avait bien failli rater son vol.

Dans le compartiment juste au-dessus de sa tête se trouvaient son ordinateur portable et ses précieuses notes sur le Honduras. En dépit de tous ses efforts, elle n'avait pas réussi à joindre Tom Breslin. La seule information qu'elle avait obtenue, c'était qu'il se trouvait quelque part en Europe.

L'avion atterrit à l'heure. Quelques instants plus tard, Abbie récupéra son sac et prit un taxi pour se rendre à l'hôtel.

En chemin, elle observa la ville avec enthousiasme et savoura l'air chaud entre deux apparitions de l'océan.

Sa chambre d'hôtel était rudimentaire. Le *New York Independent* ne trouvait pas utile de dorloter son personnel. Abbie défit ses bagages rapidement et appela le bureau local pour informer son rédacteur en chef de son arrivée. Elle hésitait un peu à appeler Jack. *Ne sois pas aussi trouillarde,*

Marshall. Quelle est la pire chose qu'il puisse te faire ? Elle appuya sur le bouton d'appel.

Jack répondit presque aussitôt.

— Où es-tu ?

Abbie ressentit un frisson d'excitation en l'entendant parler. Pas de « Bonjour, Abbie », ni de « Tu m'as manqué ». Juste ce soupçon de menace dans sa voix qui faisait bondir son cœur.

— Je suis arrivée. Mon hôtel est le Canterbury. C'est sur...

— Je sais où ça se trouve. Tu ne logeras pas là-bas.

— Mais je...

— Pas de mais, et ne prends pas la peine de défaire tes bagages. Je vais t'envoyer une voiture. Tu habiteras chez moi.

Habiter chez lui, dormir avec lui dans son lit ? Qu'allait-on dire au bureau ? Elle était censée travailler sur un reportage.

— Jack, je...

— Est-ce que ça te pose problème, Abbie ?

— Non, monsieur.

Bon sang, elle n'arrivait pas à croire qu'elle venait de prononcer ces mots. De l'appeler à nouveau « monsieur ».

— Bonne petite. Maintenant, je veux que tu te changes. Tu vas mettre une jupe, des chaussures à talons et un joli haut. Pas de soutien-gorge, ni de petite culotte. Sois dans le hall de l'hôtel dans vingt minutes. Une chose encore : tu m'as désobéi ; il y aura des conséquences.

Là-dessus, Jack raccrocha.

Abbie s'assit lourdement sur le lit. Elle allait donc franchir une nouvelle étape. Tout ce qu'ils avaient fait jusqu'à maintenant ressemblait à un jeu. Les coups de téléphone, le cybersexe. Tant qu'ils vivaient dans deux régions très éloignées, Abbie se sentait relativement en sécurité. Maintenant qu'elle était sur son territoire, plus rien ne la protégeait.

Pour la première fois depuis leur rencontre, l'angoisse la tenaillait. Jack avait un côté sombre. Abbie l'avait toujours su, mais que se passerait-il si cela ne l'amusait pas ? Si elle décevait Jack ?

Abbie lança son sac sur le lit et retira ses vêtements du placard. Elle avait apporté une seule jupe. Elle était en soie légère et s'arrêtait au genou. Abbie avait pensé la mettre pour sortir un soir avec Jack. Le haut assorti avait des bretelles et semblait trop élégant pour la journée. N'importe qui verrait qu'elle ne portait rien en dessous.

Abbie décida de mettre son pantalon de lin préféré, mais finit par le laisser tomber dans le sac. Mieux valait ne pas désobéir à un autre ordre. Jack en profiterait pour trouver une façon très créative de la punir.

Dix-sept minutes plus tard, Abbie attendait dans le hall d'entrée. Le réceptionniste l'avait regardée bizarrement lorsqu'elle avait réglé sa note une heure seulement après être arrivée. Elle se ferait sans doute rembourser par le journal, de toute façon. Ses tétons se dressant à cause de la climatisation, Abbie ajusta son châle afin de les couvrir.

Un homme aux cheveux foncés, vêtu d'un uniforme de chauffeur, entra dans le hall et examina les clients avant d'arrêter son regard sur elle.

— Mademoiselle Marshall ?

— Oui, c'est moi.

L'homme se pencha et prit son sac.

— Mon nom est Ben, mademoiselle Marshall. Monsieur Winter m'a envoyé vous chercher. La voiture est juste dehors.

Sans savoir pourquoi, Abbie était déçue. Jack ne lui avait jamais dit qu'il viendrait, mais elle aurait adoré qu'il soit là. Elle traversa le hall derrière Ben et sortit sous le soleil. Jack avait dit qu'il enverrait une voiture. Elle ne s'attendait pas à voir une limousine. Aucun doute que c'était Jack qui l'avait choisie : elle était longue et brillante, avec des vitres teintées qui maintenaient les occupants à l'abri des regards indiscrets. Ben rangea son sac dans le coffre et ouvrit la porte arrière.

— Bonjour, Abbie.

Envolée, sa jolie désinvolture. Elle trébucha presque lorsqu'elle bondit sur la banquette arrière de la voiture pour le toucher. La beauté de Jack la stupéfiait chaque fois, mais la sombre détermination de son regard la fit frissonner. La portière se referma derrière elle, et le chauffeur s'installa à l'avant. Sans qu'on ait besoin de le lui demander, il ferma la cloison derrière son siège, les laissant seuls dans leur cocon.

Jack tira Abbie sur ses genoux. Elle retint son souffle, impressionnée par sa force et son odeur familière. Il lui avait tellement manqué. Il y avait des photos de Jack partout. Elle croisait son regard sur la moindre affiche de cinéma, mais aucune ne reflétait le magnétisme de sa présence physique. Le simple fait d'être près de Jack lui coupait légèrement le souffle. Abbie frissonna en imaginant qu'avec elle, l'acteur s'exerçait à exprimer cette intensité stupéfiante.

Jack la repoussa juste assez pour créer un petit espace entre eux et contempla intensément son visage.

— Ton comportement m'a donné plus d'insomnies cette semaine que pendant tout notre séjour au Honduras. Tu vas me le payer.

Jack pencha la tête et l'embrassa avec lenteur. La puissance de son baiser provoqua des étincelles dans le corps d'Abbie. Elle se tortilla entre ses bras dans l'espoir de le toucher, de se rapprocher de lui et de sentir la chaleur de sa peau sous le coton de sa chemise.

Jack interrompit leur baiser et enfouit son visage dans son cou.

— Ton odeur m'a manqué.

Cet écho à ses propres pensées la fit sourire.

— Quoi d'autre ? demanda Abbie, grisée par le plaisir d'être à nouveau dans ses bras.

— Oh ! il y a bien deux ou trois choses qui me viennent à l'esprit.

Lentement, Jack fit glisser ses fines bretelles sur ses épaules et tira sur son haut pour dénuder sa poitrine.

Abbie était tiraillée entre le désir de sentir ses mains sur ses seins nus et la crainte d'être observée. Elle jeta un coup d'œil furtif à la cloison qui les séparait du chauffeur.

— Mais il ne va pas nous entendre ?

— Sans doute que si. Alors, si tu es timide, tu ferais mieux de ne pas faire de bruit.

Jack pencha la tête pour prendre un téton charnu entre ses lèvres.

Abbie poussa un cri en sentant la chaleur de sa bouche et ses petits coups de langue sur sa peau tendre.

Jack releva la tête. Il la regarda d'un air amusé.

— Vous n'êtes pas si timide, finalement, mademoiselle Marshall.

Du bout des doigts, il traça le contour de son mollet, et les orteils d'Abbie se recroquevillèrent. Lorsqu'elle serra les genoux, Jack lui donna une claque brutale sur la cuisse.

— À qui appartient ce corps ?

Abbie ne put lui répondre. Les mains de Jack lui caressèrent légèrement le mollet, remontèrent vers son genou, et sa bouche se referma à nouveau sur son téton. Il enroula délicieusement sa langue autour, puis le mordilla brusquement. Le plaisir qu'elle ressentit alors était à la limite de la douleur. Le souffle saccadé d'Abbie était plus bruyant que le doux ronronnement du moteur.

Jack glissa une main sous sa jupe et caressa l'intérieur de sa cuisse.

— Est-ce que tu mouilles pour moi ?

Abbie était totalement désarmée. Elle ne put articuler qu'un gémissement rauque. Elle écarta les cuisses et geignit lorsqu'un long doigt la pénétra et se mit à aller et venir en elle.

— S'il te plaît, Jack.

Abbie ne savait même pas pourquoi elle le suppliait. Elle ne parvenait qu'à se concentrer sur un tout petit point de plaisir. Jack lui donna à nouveau un baiser brutal et possessif. Chaque mouvement de sa langue l'emmenait plus loin. Elle voulait sentir son corps sur le sien, son sexe en elle. Elle voulait qu'il la baise jusqu'à ce qu'elle tombe sans connaissance.

Le klaxon d'une voiture la fit sursauter. Elle était à cheval sur les genoux de Jack à l'arrière d'une limousine, les jambes écartées, les seins nus, alors qu'il était toujours entièrement habillé. Jack lui prit la main et la posa sur son sexe en érection. Son regard était taquin.

— Je m'étais promis d'attendre qu'on soit arrivés à la maison, mais regarde ce que tu as fait de moi. Je ne suis pas sûr de tenir jusque-là.

Jack lissa la jupe d'Abbie et remit en place les bretelles de son haut.

— Voilà, tu es presque présentable. Mais il suffit de voir ton visage pour deviner ce que tu trafiquais dans cette voiture.

— Mais non.

Abbie se redressa et attrapa son sac. Le miroir de son poudrier lui révéla que Jack disait la vérité. Ses lèvres étaient rouges, et elle était tout ébouriffée.

— Mon Dieu, c'est vrai.

Abbie se passa les doigts dans les cheveux et, sous le regard amusé de Jack, appliqua du rouge à lèvres sur sa bouche.

— Je plaisantais, Abbie. Il n'y aura personne à la maison. Rien que toi et moi.

D'une main tremblante, Abbie rangea son poudrier dans son sac. Jack Winter et elle, seuls tout le week-end. Son cerveau frôlait la défaillance complète.

Un portail électronique s'ouvrit, et la voiture remonta l'allée jusqu'à la maison de Jack. Abbie se redressa. Elle était curieuse de voir où il vivait. Sa belle demeure était de taille modeste, selon les critères hollywoodiens.

C'était une maison moderne aux lignes épurées ; il y avait sans doute une piscine juste derrière. Le détail qui interpellait Abbie, c'était l'immensité du terrain par rapport à la taille de la maison. Le moyen idéal de se protéger des longs objectifs des paparazzis. Jack tenait vraiment à sa vie privée.

— Tu vis ici depuis longtemps ?

Jack haussa les épaules.

— Je l'ai achetée il y a cinq ans, mais j'y ai sans doute passé moins d'un an en tout. Je travaille beaucoup.

— C'est ce que j'avais cru remarquer.

Abbie se sentit soudain intimidée. Ils étaient amants, amis virtuels, mais elle ne savait presque rien de lui. Elle ignorait où il avait grandi. Ce qu'il aimait faire ou manger. Jack Winter était toujours un mystère pour elle. Quand ils parlaient, c'était toujours d'elle et de ce qu'ils faisaient.

Jack l'attira à lui.

— Tu réfléchis encore. Je le devine. De quoi s'agit-il cette fois ?

Elle lui avait promis d'être franche.

— Je sais si peu de choses sur toi.

Une ombre traversa le visage de Jack, puis il sourit.

— J'ai bien l'intention de t'en apprendre plus à mon sujet ce week-end.

La voiture s'arrêta devant la porte d'entrée. Jack aida Abbie à sortir avec un air de galanterie surannée, comme s'il n'avait pas eu les mains glissées sous sa jupe quelques instants plus tôt. L'acteur prit son sac dans le coffre, et Ben partit ranger la voiture.

— On dirait bien qu'il n'y a plus que toi et moi, Abbie. Entrons, je vais te faire visiter. Nous commencerons par le haut.

Comme Abbie hésitait, Jack lui lança un clin d'œil.

— Je vais juste te faire visiter la maison. Je promets d'être sage.

Abbie ne savait pas si elle était déçue ou soulagée.

La maison était parfaite. Chaque pièce était une vraie splendeur. Abbie avait l'impression de parcourir un magazine de décoration. Mais cette demeure manquait d'âme. Jack n'y avait ajouté aucune touche personnelle. Sauf dans la chambre principale. Une collection de photographies ornait un mur.

— Ta famille ? demanda-t-elle.

— Oui.

Mais Jack ne s'étendit pas sur le sujet et la fit pénétrer dans un couloir. De chaque côté, une porte donnait sur un dressing, et tout au bout se trouvait une gigantesque salle de bains.

— Ouah ! s'exclama-t-elle. On doit pouvoir tenir à six dans cette baignoire.

— Huit, en se serrant un peu.

Lorsque Jack vit son air désapprobateur, il éclata de rire.

— C'est ce que m'a dit l'agent immobilier, mais je n'ai pas essayé.

En bas, il lui fit visiter sa cuisine ultramoderne, son bureau, sa salle de sport et son salon multimédia.

— Et derrière cette porte ? demanda-t-elle.

Elle n'arriverait jamais à trouver son chemin dans cette maison. Jack avait une pièce pour tout.

— C'est la salle de jeux. Tu veux visiter ?

Le ton de Jack était espiègle, mais Abbie voyait que son corps était légèrement tendu.

Elle avala sa salive. Avait-elle envie de visiter cette pièce ? Un mélange d'excitation et de terreur s'empara d'elle. Elle voulait le connaître, découvrir le vrai Jack. Elle se hissa sur la pointe des pieds et effleura sa bouche de la sienne.

— Je te suis.

C'était une grande pièce éclairée par de nombreux spots encastrés. Un treuil électrique était fixé au plafond. Abbie vit quelques chaises à la forme bizarre, une structure métallique avec des points d'attache, une croix de Saint-André, deux bancs matelassés et quelques objets qu'elle ne reconnut pas. *C'est comme dans ces salles de sport où l'on trouve toutes sortes de machines terrifiantes pour se muscler les biceps ou les cuisses*, se dit-elle. Cependant, elle ne parvenait pas tout à fait à se convaincre que tout cet équipement n'était pas si effrayant.

En revanche, Abbie n'eut aucun mal à reconnaître les objets accrochés en rang sur le mur. Il y avait tout un choix de palettes, de sangles et de cravaches, dont la taille allait de trente centimètres à un mètre de long. Le cœur d'Abbie fit un bond. Mon Dieu, il n'allait quand même pas utiliser l'une de ces choses pour la punir ? Au fond de la pièce, un gigantesque lit à baldaquin occupait presque tout l'espace. Les colonnes de bois étaient pleines de marques et d'éraflures. Abbie se demanda combien de femmes y avaient été attachées.

— Je lis en toi comme dans un livre. La réponse est aucune, jusqu'à maintenant. Ce lit est une récente acquisition. Il vient de la maison close d'une célèbre maquerelle, qui vivait quelque part dans le Sud. Sa famille s'est tournée vers la religion et a fermé la maison. Tout le mobilier a été vendu.

Jack caressa les colonnes de bois.

— Je viens de le faire restaurer, mais j'ai tenu à ce que les marques restent intactes. Elles sont là pour nous rappeler qu'on peut aussi tirer du plaisir de la douleur. Tiens, à ce propos, il me semble que tu devais recevoir une punition.

Abbie avait une drôle de sensation au niveau de la langue. Elle semblait avoir oublié comment former des sons.

— Une punition ?

Jack traversa la pièce et examina sa sélection de cravaches. Il en choisit une longue, qui se terminait par une petite boucle, et caressa la tige de cuir.

— Tu mérites d'être punie, parce que tu as pris des risques inconsidérés pour ce reportage sur le Honduras et parce que tu as omis de me rappeler l'autre jour. Tu vas souffrir, Abbie. Autant que j'ai souffert à cause de ta désobéissance.

Abbie recula de deux pas. Il plaisantait forcément.

— Tu vas me fouetter avec ce truc ?

— Non. Pas cette fois, Abbie. Nous allons commencer par autre chose.

Malgré sa légère appréhension, Abbie ressentit un frémissement d'excitation. La puissance de ses derniers orgasmes n'avait jamais égalé celle du jour où Jack l'avait fessée.

— Je vois à la taille de tes pupilles que j'ai réussi à éveiller ton intérêt. Ne t'inquiète pas, nous allons commencer par quelque chose de facile. Bon, et si tu te déshabillais ?

VINGT SIX

Sans quitter des yeux le visage de Jack, Abbie retira son haut à bretelles. Ses seins rebondirent librement et ses tétons formèrent deux petits pics.

— Bonne petite. Maintenant, enlève ta jupe. Je veux te voir nue.

Abbie ouvrit la fermeture de sa jupe et laissa la soie glisser le long de ses jambes. Elle s'efforça de rester immobile pendant que Jack la contemplait. Mais son regard sexy et implacable la faisait trembler.

— Nerveuse ? demanda-t-il.

Abbie se lécha les lèvres. Elles étaient sèches.

— Tu sais bien que oui. Je n'ai aucune idée de ce que tu vas me faire.

Abbie dut éclaircir sa voix qui tremblait pour pouvoir prononcer ces mots. Dans quelle galère s'était-elle laissé embarquer ?

— Je crois que tu le sais parfaitement et que tu en as très envie, presque autant que moi.

Jack avait raison. D'un côté, Abbie en rêvait. Elle voulait atteindre les sensations, les émotions extrêmes que seul Jack pouvait lui offrir. Mais, de l'autre, elle manquait totalement de courage. Elle était terrifiée à l'idée de ce qu'elle allait ressentir. Peut-être pouvaient-ils remettre cela à plus tard ?

Jack la prit dans ses bras, et les pensées d'Abbie s'éparpillèrent. Il posa ses mains sur ses hanches et l'attira contre la bosse dure qui grossissait dans son pantalon.

— Tu vois quel effet tu me fais ? Je n'ai plus les idées en place depuis que je t'ai rencontrée. J'ai besoin de me calmer avant de...

— Laisse-moi faire.

Les doigts d'Abbie tirèrent sur le bouton de son pantalon et firent descendre sa braguette.

— J'en ai envie.

Jack gémit lorsqu'elle s'agenouilla. Elle n'avait pas fait cela depuis une éternité. William n'étant pas un fan de sexe oral, Abbie avait longtemps cru ne pas l'être non plus.

Mais, à ce moment précis, son monde se résumait au sexe de Jack. Elle voulait le sentir, le lécher, le sucer et le faire jouir dans sa bouche. Abbie caressa Jack à travers le coton de son boxer, puis fit glisser ses doigts le long de son sexe dur et épais avant de tirer sur l'élastique de son sous-vêtement.

Elle prit le temps d'admirer sa puissante érection, puis s'inclina pour le goûter. Jack grogna à nouveau.

Les mains de Jack s'enfouirent dans ses cheveux. Abbie referma ses lèvres autour de son sexe et fut surprise par sa longueur. Elle ouvrit la bouche un peu plus largement et l'enfonça au plus profond de sa bouche. C'était délicieux. Son sexe avait un léger goût de savon et de mâle excité.

Abbie posa les mains sur ses hanches, et Jack lui donna un petit coup de reins involontaire.

— C'est tellement bon...

Abbie passa la langue sur l'extrémité de son sexe et fut récompensée par un nouveau grognement. Puis, elle le sortit de sa bouche, et, le léchant de la base à l'extrémité, sa langue entreprit une lente exploration des alentours. Jack laissa échapper un petit cri d'angoisse.

— J'ai besoin de ta bouche, Abbie. Prends-moi dans ta bouche.

Elle obéit. Cette fois, elle suça son sexe avec plus de force, puis passa ses lèvres et sa langue sur son extrémité sensible, ce qui le rendit fou. Abbie sentait son corps se tendre tandis qu'il essayait de se contenir.

— Non, pas tout de suite.

Abbie lui donna un petit coup de langue pour le taquiner, et Jack frissonna. Pour une fois, c'était elle qui avait le contrôle de la situation. Elle empoigna son sexe à la base et, savourant son goût musqué, l'enfonça plus profondément dans sa bouche. Jack grogna de plaisir.

Il s'agrippa à ses cheveux et fit aller et venir son sexe entre ses lèvres. Abbie enroula légèrement sa langue autour du gland, puis l'enfonça plus loin dans sa bouche. Plus elle le suçait, plus elle sentait l'orgasme de Jack approcher.

— S'il te plaît...

Jack perdait le contrôle de lui-même. Ses coups de reins devenaient plus forts, et son gland heurtait le fond de sa gorge. Abbie eut un haut-le-cœur et enroula ses doigts autour de la base de son sexe afin de ralentir le rythme.

Jack lui caressa tendrement les cheveux.

— Pardon, Abbie. Pardon...

Elle se détendit et recommença à le sucer après avoir pris une profonde inspiration. Jack essaya de se retirer, mais elle en avait envie, elle voulait le sentir tout près de l'orgasme.

Jack retint son souffle.

— Ne fais pas ça. Je...

Abbie adorait le rendre aussi vulnérable. Elle avait beau être agenouillée devant lui, c'était elle qui contrôlait la situation. Elle ouvrit les yeux. Ceux de Jack étaient fermés.

Sa mâchoire se tendait tandis qu'il essayait de se maîtriser. Abbie l'attira un millimètre plus loin dans sa gorge, et Jack jouit en poussant un cri étranglé. Un torrent chaud et salé s'écoula dans le fond de sa gorge.

Abbie resta agrippée à ses hanches jusqu'à ce qu'il cesse de trembler. Elle n'entendait rien d'autre dans la pièce que son souffle rauque. Jack la prit dans ses bras, la porta jusqu'au lit et s'allongea sur le dos pour qu'elle s'étende sur lui.

Abbie sourit, contente d'elle. Elle avait été stupéfaite de voir Jack gémir et la supplier. Soudain, son regard se posa sur la rangée de cravaches et elle se souvint. Ce n'était qu'une trêve. Elle se trouvait dans la salle de jeux de Jack et devait toujours recevoir une punition.

Elle posa la tête sur le torse de Jack et écouta les battements de son cœur reprendre un rythme normal.

— Je crois vraiment que vous avez des talents cachés, mademoiselle Marshall, dit Jack.

Abbie leva la tête et vit l'expression de satisfaction sur son visage.

— Tu le penses vraiment ?

Jack déposa un léger baiser sur le bout de son nez.

— Mmmm, mais je n'en oublie pas pour autant ta punition.

Ah ! cette bonne vieille punition à nouveau. La collection de cravaches de Jack aurait impressionné n'importe quel sellier. Il n'allait quand même pas les utiliser sur elle ! Abbie devait travailler et, sans s'asseoir, ce serait impossible.

Il fallait qu'elle puisse poser les fesses sur une vraie chaise, non sur une pile de coussins. Ses collègues risquaient de lui faire vivre un enfer s'ils soupçonnaient un seul instant ce qu'elle avait fait.

Jack se redressa et l'emmena. Il la conduisit de l'autre côté de la pièce vers ce qui ressemblait à un prie-Dieu ancien, agrémenté d'un coussin de velours rouge.

— Une autre relique de la maquerelle ?

Jack sourit.

— Et si tu l'essayais ?

Abbie s'agenouilla sur le prie-Dieu avec un petit frisson d'excitation et se pencha au-dessus de l'accoudoir. Ses seins reposaient sur le velours rouge, et son menton était appuyé contre le bord. Jack sortit deux cordons satinés d'un petit tiroir encastré dans la base du prie-Dieu et les noua autour de ses poignets. Il attacha solidement leurs extrémités à l'accoudoir, afin qu'Abbie ne puisse bouger que de quelques centimètres. Jack allait donc vraiment la punir.

— Nerveuse, Abbie ?

— Non, répondit-elle d'un air bravache.

— Je peux arranger ça.

Abbie tourna la tête, la seule partie de son corps qui pouvait encore bouger, et vit Jack s'emparer d'un tissu blanc. Il le plia et le plaça sur ses yeux. L'odeur du chanvre, forte et exotique, lui emplit les narines, masquant le parfum caractéristique de Jack.

Abbie se tortilla. Quand on était privé de la vue, le monde changeait. Elle était extrêmement consciente de la proximité de Jack, du bruit de sa respiration, du contact de ses mains. Il était toujours habillé, et Abbie sentit le tissu de sa chemise contre son dos lorsqu'il se pencha pour vérifier la solidité de ses liens. Le velours du petit banc lui protégeait la peau.

— Ce bandeau est-il vraiment nécessaire ?

Abbie espérait que le fait de discuter avec lui rendrait la situation plus normale, mais sa propre voix semblait changée. Avait-elle toujours été aussi rauque ?

Jack lui répondit par un éclat de rire.

— Certaines personnes aiment avoir les yeux bandés. Elles disent que l'attente devient plus forte. Que va me faire ce méchant Dom à présent ? Va-t-il se servir d'une cravache, d'un fouet ou d'un martinet ? Mais peut-être aimerais-tu faire la connaissance d'une palette ?

Abbie ne dit rien. Elle avait vu la taille de la palette. Cet objet lui paraissait redoutable.

— Ou bien préférerais-tu ma main ?

Abbie reçut une violente claque sur les fesses et elle poussa un cri perçant.

— Putain !

Elle avait oublié à quel point c'était douloureux.

Jack rit.

— « Putain » ne fait pas partie des mots d'alerte, tu sais.

Trois autres fessées suivirent, ponctuées de caresses. Abbie cria chaque fois. Les suivantes furent de plus en plus fortes et elle s'efforça de rester silencieuse. Elle retint son souffle en tentant de prévoir l'endroit où atterrirait le prochain coup.

La main de Jack se posa sur sa peau en feu. Ce contact était tellement apaisant.

— Tout va bien jusque-là ?

— Oui, dit-elle.

Abbie ne savait trop si elle aimait être attachée, mais le fait de céder le pouvoir à Jack l'excitait légèrement.

— Parfait, c'était juste un échauffement.

La voix de Jack semblait lointaine. Abbie tourna la tête pour essayer de deviner où il se trouvait. Elle perçut le claquement sourd du bois sur une paume et frissonna. Il était allé chercher la palette.

Le coup suivant ne fut pas aussi douloureux que les fessées, mais la sensation de brûlure était plus profonde, plus forte. Abbie gémit chaque fois que retombait la palette et s'abandonna à la douleur. Elle inspirait rapidement entre chaque coup et sentait de petites étincelles jaillir sous sa peau.

Elle se tortilla, afin de diriger les coups. Malgré la douleur, des picotements d'excitation commencèrent à se manifester dans son bas-ventre.

— Tu aimes ça, pas vrai ?

Jack lui parlait à l'oreille. Elle ne l'avait pas entendu approcher. Il se plaça derrière elle, ses genoux posés de chaque côté des siens. La chaleur de son corps étourdit Abbie. Elle sentit son sexe en érection se presser contre ses fesses brûlantes. Jack lui caressa les cheveux.

— Bonne petite, je vais te faire quelque chose d'agréable maintenant. Ça va te plaire.

Jack s'écarta d'elle et recommença à la fesser. Abbie avait la tête qui tournait. Obsédée par le désir qui montait dans son bas-ventre, elle cessa de compter les coups. Elle se remit à agiter les hanches et fut récompensée par le contact d'une main fraîche sur sa peau.

— Du calme, Abbie. C'est pour bientôt, je te le promets.

Une nuée de papillons atterrit sur son dos. Abbie sursauta. Bon, ce n'était sans doute pas tout à fait des papillons. Elle ressentait des picotements sur la peau, mais ce n'était pas aussi douloureux que les coups de palette. Des bandes molles lui caressaient les mollets et le dos en évitant ses fesses brûlantes.

Cette sensation était presque relaxante. Il fallait qu'elle soit folle : comment pouvait-elle aimer ça ? Abbie haletait et se sentait grisée, comme si son corps appartenait à quelqu'un d'autre.

— Bonne petite.

Elle sourit en entendant ces louanges.

Jack s'éloigna d'elle, et Abbie entendit le bruit d'une fermeture éclair. Le sexe de Jack se fraya un chemin jusqu'au point central de son désir. L'homme s'enfonça en elle d'un coup de reins habile. Plaisir et douleur se mélangèrent, et Abbie poussa un cri. Ces sensations étaient si fortes que c'en était presque insupportable.

Le coup de reins suivant faillit lui faire perdre la tête.

— S'il te plaît, encore, plus fort.

Abbie peinait à croire que cette voix rauque était la sienne. Son orgasme approchait à mesure que Jack s'enfonçait en elle. Chaque coup de boutoir déclenchait quelque chose au plus profond de son être. Elle avait l'impression d'être stimulée par un aiguillon électrique.

Cette sensation était si intense qu'elle ne maîtrisait plus du tout son corps. Une main de Jack lui empoignait les cheveux, l'autre lui cramponnait la hanche. Abbie ne s'était jamais sentie à la fois aussi bridée et aussi libre.

Ses muscles internes se resserrèrent autour de son membre en mouvement. Son monde se résumait à l'odeur du sexe et au corps tout-puissant de Jack. Incapable d'attendre l'orgasme plus longtemps, Abbie poussa à nouveau un cri.

— Pas encore, Abbie. Pas encore. On y est presque.

Le rythme des coups de reins de Jack devint plus frénétique. Abbie accueillit avec joie cette force qui la plongea dans une sublime extase et une délicieuse obscurité.

Elle prit conscience du corps de Jack pesant sur le sien. De son souffle saccadé qui effleurait la peau humide de son cou. Des paroles douces, apaisantes qu'il prononçait, la bouche enfouie dans ses cheveux. Abbie était à lui : elle était sa fille préférée, son amour.

Jack défit les liens autour de ses poignets et lui embrassa les mains avant de la prendre dans ses bras et de la porter jusqu'au lit. Abbie appuya son visage contre son torse humide et écouta les battements de son cœur.

— Tu es incroyable, Abbie. Carrément sensationnelle.

Elle se sentait plutôt pathétique, pourtant. Chaque parcelle de son corps frémissait d'extase ou de douleur, et elle semblait incapable d'enchaîner deux paroles cohérentes.

Au bout d'un moment, Jack sortit du lit et revint avec un verre d'eau fraîche. Il aida Abbie à se redresser et porta le verre à ses lèvres.

— Bois, maintenant.

Abbie obéit, puis bâilla et ferma les yeux.

Lorsqu'elle se réveilla, Jack la regardait. Il passa un index le long de sa mâchoire.

— Tu es tellement belle.

Abbie grogna.

— J'entends très bien ce que me dit le miroir, Jack, et « belle » ne fait pas partie de son vocabulaire.

— Tu es naturelle. Tout est absolument vrai, chez toi. Aucune trace de Botox, ni d'extensions capillaires.

La main de Jack erra vers son sein et se posa tendrement sur lui.

— Et ta poitrine aussi est naturelle.

— Un peu trop volumineuse à mon goût.

L'expression de Jack se durcit.

— Il me semble que je t'ai demandé d'être plus indulgente envers toi-même, non ?

Jack retourna Abbie sur le ventre, et une demi-douzaine de claques brutales atterrirent sur son derrière endolori.

Abbie se hissa sur les coudes et le fusilla du regard.

— Mais qu'est-ce que tu fous ?

— Voilà ce qui se passera chaque fois que je t'entendrai te rabaisser.

Le ventre d'Abbie gronda bruyamment.

— Quand as-tu mangé pour la dernière fois ?

Elle avait failli oublier que le fait de bien se nourrir figurait tout en haut de sa liste de règles à suivre. Elle resta évasive.

— Hier, je ne sais plus très bien quand.

Jack fronça les sourcils.

— Quel est ton aliment préféré ? Et je t'en prie, ne me réponds pas la salade.

— La glace, déclara-t-elle.

— Très bien, allons-y pour de la glace. Enfile quelque chose de chaud. On va prendre la moto.

*

La moto de Jack était en fait une Harley. Abbie l'examina d'un air dubitatif. Elle aurait préféré un engin à quatre roues. Ce truc avait l'air dangereux. Néanmoins, c'est l'apparition de Jack Winter vêtu d'un jean, d'un tee-shirt foncé et d'une veste en cuir râpé qui lui procura le plus de frissons. Il était tout simplement irrésistible.

Jack mit ses lunettes de soleil, lui tendit un casque et sourit.

— Votre carrosse vous attend.

Abbie ressentait toujours des picotements dans les fesses et ne savait pas très bien si elle pourrait supporter un long trajet à moto. Elle avait déjà eu beaucoup de mal à enfiler son jean. Elle grimpa sur la moto derrière Jack.

Le siège en cuir épousa la forme de ses fesses. Elle n'allait peut-être pas trop souffrir, finalement. Jack fit vrombir le moteur, puis ils descendirent l'allée, franchirent le portail et sortirent dans la rue.

Lorsque Jack accéléra sur l'autoroute et commença à se faufiler entre les voitures, Abbie s'accrocha solidement à son corps. Elle détestait l'admettre, mais il était bon conducteur. Ils atteignirent bientôt Pasadena.

Abbie entra chez le glacier derrière Jack. Il faisait frais à l'intérieur du petit salon aux murs jaune pâle. Jack retira ses lunettes de soleil et parcourut le menu.

— Alors, qu'est-ce que ce sera ?

Déroutée par le large éventail des parfums proposés, Abbie contemplait la liste. Myrtille et thym, fraise épicée au vinaigre balsamique, sorbet au concombre. Il y avait trop de choix.

— Pourquoi pas une glace à la Guinness ? suggéra-t-elle.

— Non, je l'ai déjà essayée. J'aime la nouveauté.

— Miel et lavande ?

Jack lui lança un regard sombre.

— Je ne suis pas du genre à aimer la lavande. Tu ne l'avais pas remarqué ? Peut-être que je devrais te ramener dans ma salle de jeux et te rafraîchir la mémoire.

Abbie s'agita sur son siège.

— Non, merci. Mes fesses s'en souviennent très bien.

— Je suis content de l'entendre. Bon, je te recommande-rais bien la glace vanille et cassonade.

— De la vanille ?

Abbie fit la grimace. Après tout ce qu'ils venaient de faire ensemble, elle était encore trop vanille pour Jack ?

L'acteur se pencha vers elle et lui prit la main.

— Hé ! il se trouve que j'aime la vanille. On pourrait en rapporter chez moi, et puis je la lécherais sur tes seins.

Abbie jeta un regard autour d'elle en espérant que personne ne l'avait entendu.

Jack lui adressa un sourire nullement embarrassé.

— Si la vanille ne te dit rien, que dirais-tu d'un pot de Phish Food[1] ? Tu sais, la guimauve, les petits poissons, l'amour sur la plage ? J'aimerais tellement te voir nue, te roulant dans les vagues.

Jack n'avait aucun complexe et se fichait qu'on l'entende.

Rouge de honte, Abbie essaya d'ignorer les regards du couple installé à la table voisine.

— Il me semble que c'est illégal. En plus, je crois que tu me sous-estimes. Je suis plutôt du style Rocky Road[2].

---

1. Crème glacée au chocolat au lait, avec de la guimauve, du caramel et des poissons en chocolat. *Phish food* signifie « aliments pour poissons ». (NDT)

2. Glace au chocolat, aux noisettes et à la guimauve. *Rocky Road* signifie « route rocailleuse ».

— Rocky Road, hein ?

Jack n'avait pas l'air convaincu.

— Peu de gens comprennent le réel intérêt de cette glace. D'après eux, le plus important, ce sont les morceaux croustillants, mais ce n'est pas le cas. La guimauve joue un rôle très important.

— Moi ? Enfin, la guimauve ?

— Bien sûr.

Jack lui caressa la main et le contour de ses doigts en massant tendrement la peau entre chaque articulation.

— Quand les noisettes et la guimauve se mélangent au chocolat, ils ne savent pas ce qui va se passer. Ils doivent faire confiance à l'autre. Rocky Road, c'est un parfum qui exige une immense dose de respect, de confiance et de sentiments l'un pour l'autre. Mais si le mélange fonctionne, eh bien, le résultat peut se révéler assez spectaculaire.

Même si tout était exprimé de façon indirecte, c'était la conversation la plus personnelle qu'ils aient jamais eue au sujet de leur relation. Abbie posa à Jack la question qui la tourmentait :

— Alors, que dirais-tu de partager une glace Rocky Road ? Avec moi, je veux dire.

Abbie retint sa respiration en attendant sa réponse.

— Je crois que ça me plairait.

Jack porta la main d'Abbie jusqu'à sa bouche et l'embrassa. Tous deux semblaient plus proches qu'ils ne l'avaient été au cours de cette journée, malgré tout ce qu'ils avaient fait ensemble. Le regard de Jack était sexy, c'était presque celui d'un prédateur, et Abbie frissonna en se demandant sur quelle « route rocailleuse » il allait l'entraîner.

Jack lui adressa son fameux sourire, celui qui lui coupait le souffle à tous les coups. La serveuse vint prendre leur commande et Jack ignora son regard curieux. Elle se demandait visiblement si elle ne l'avait pas déjà vu quelque part. Il commanda deux coupes de Rocky Road, qu'ils dégustèrent peu après en silence. Même s'ils avaient choisi le même parfum, Jack insista pour lui faire goûter la sienne. Abbie ne comprit pas pourquoi, mais la glace était meilleure dans sa cuillère.

Plus tard, Jack passa un bras autour de ses épaules tandis qu'ils se dirigeaient vers sa moto. Il lui donna un tendre baiser avant de lui remettre son casque.

Quand Jack se comportait de cette façon, Abbie avait l'impression d'être une pierre précieuse, un bijou de valeur qu'il fallait protéger. Sa prévenance était réconfortante et un peu troublante. Abbie se demandait toujours un peu ce qu'elle avait fait pour mériter toutes ces attentions, et combien de temps cela allait durer.

— Hé ! Fais-moi un sourire. J'ai une surprise pour toi.

Abbie frémit d'impatience.

VINGT SEPT

Abbie lisait les journaux lorsque Jack entra dans le salon. Vu son sourire, il manigançait quelque chose.

— Qu'est-ce que tu mijotes ? Tu ne m'inspires pas confiance quand tu as l'air aussi joyeux. Ce sourire angélique est traître.

Le sourire de Jack s'élargit.

— Angélique ? Moi ?

Il se pencha et l'embrassa furtivement.

— Tu dois te tromper. Je suis un vrai démon. Mais je n'ai rien prévu de démoniaque pour cette fois. Je me suis dit que tu aimerais ça.

Jack lui tendit deux billets.

Abbie les examina longuement pour être sûre qu'elle ne rêvait pas. *Roméo et Juliette*. Jack l'emmenait voir une pièce de théâtre. Elle poussa un cri perçant et se jeta à son cou.

— Tu m'emmènes au théâtre ? C'est fabuleux.

Jack resserra ses bras autour d'elle.

— Je t'avais promis qu'on sortirait ensemble, pas vrai ? Une soirée au théâtre, c'est pas mal comme rendez-vous, non ?

Abbie lui lança un regard sévère.

— Tu as beaucoup de choses à te faire pardonner après ton petit numéro chez le glacier. Je ne savais plus où me mettre.

— Je ne risque pas de l'oublier. Tu rougis comme une petite fille quand tu es embarrassée. Ou excitée. Tiens, à ce propos..., est-ce que tu as des bleus après notre séance d'hier ?

Le visage d'Abbie s'empourpra. Elle avait eu l'intention

de le vérifier dans le miroir, mais, quand elle s'était réveillée pelotonnée contre lui le matin, Jack lui avait fait l'amour si tendrement qu'elle en avait eu les larmes aux yeux et avait tout oublié. Abbie ne comprenait pas comment Jack pouvait être à la fois ce Dom agressif, qui repoussait ses limites, et un amant aussi tendre. En tout cas, elle était vraiment accro à lui. Jack Winter était devenu son obsession. Mais elle ne se risquerait jamais à le lui dire.

— Non, ça va.

— Montre-moi.

Les yeux d'Abbie s'écarquillèrent.

— Quoi ?

Le Dom était de retour.

— Montre-moi. Je veux vérifier moi-même.

Abbie le dévisagea, déconcertée, mais Jack ne céda pas. Ils n'étaient pas dans la salle de jeux. C'était la fin de l'après-midi, et tous deux se trouvaient dans le salon qui donnait sur la piscine ; il y avait d'autres personnes dans la maison : la bonne, le jardinier, l'assistant de Jack, n'importe qui pouvait passer par là. Mais la demande de Jack était un défi autant qu'un ordre.

— Bon, très bien, marmonna-t-elle avec mauvaise humeur.

Abbie lui tourna le dos, souleva sa jupe et dévoila une toute petite culotte bleue.

Jack se rapprocha d'elle et ignora son cri de protestation lorsqu'il baissa sa petite culotte et passa les mains sur ses fesses. Malgré elle, sa respiration s'accéléra et elle se mit à trembler. Elle ne pouvait ni maîtriser ni lui cacher sa réaction.

— Tu es un peu rouge ici. Et ici aussi.

Jack pressa un point entre sa cuisse et sa fesse ; Abbie retint un cri.

— Ta peau risque d'être un peu sensible à cet endroit, mais je ne crois pas que tu auras un bleu.

Le doigt de Jack glissa entre les lèvres de sa vulve et la taquina. Il longea ses plis délicats et donna de petits coups à son clitoris. Abbie se tortillait et sursautait. Mon Dieu, les doigts de cet homme étaient des armes redoutables. Abbie était fesses nues, exposée aux yeux de tous, mais ne pouvait s'écarter de ces doigts ensorcelants.

— Mmm, tu mouilles pour moi, murmura-t-il.

Abbie remua un peu, le suppliant implicitement d'augmenter la pression sur son sexe, et s'offrit plus ouvertement à lui. Jack finit par faire remonter ses doigts humides le long de la raie de ses fesses. Abbie sursauta et poussa un petit cri de protestation. Jack lui donna une claque légère sur les fesses.

— Va t'habiller. Tu ne peux pas aller au théâtre dans cette tenue.

Abbie le dévisagea avec incrédulité.

— Tu m'autorises à m'habiller ? Avec une petite culotte et tout le reste ?

Jack fit semblant de réfléchir.

— Oui, une petite culotte et tout le reste. Je ne voudrais pas que tu te retrouves les fesses à l'air s'il arrivait que la brise soulève ta jupe.

— Et si je mettais un pantalon ?

Abbie ne résistait jamais à l'envie de le taquiner. De jouer les petites morveuses, selon les termes de Jack.

— Pour aller voir du Shakespeare ? Je suis choqué.

Une heure plus tard, Abbie avait revêtu sa robe portefeuille en soie préférée et était prête à partir. Cette robe n'était pas toute récente, mais elle était confortable et seyante. Abbie enfila un léger trench-coat (à Los Angeles aussi, il faisait frais dans la soirée).

— Tu es magnifique. J'ai envie de te faire toutes sortes de choses indécentes, lui dit Jack. Bon, baisse ta culotte et penche-toi en avant. J'ai un cadeau pour toi.

— Tu plaisantes. Tu ne vas pas encore me faire des trucs farfelus, non ?

Abbie ne put pourtant s'empêcher d'éprouver une pointe de curiosité et d'impatience.

— Bien sûr que si. Autrement, tu serais déçue.

Jack avait un objet dans la main.

Abbie l'observa avec curiosité. On aurait dit un petit godemiché bleu. Il mesurait sept ou huit centimètres et était assez fin.

— Pas mal.

Ce truc n'avait pas l'air menaçant.

— En effet.

Jack lui demanda de se pencher sur le dossier de son canapé moelleux. Ainsi, sa position était parfaite. Abbie se demanda s'il avait choisi ce canapé exprès. La tête penchée, elle ne pouvait pas voir ce que faisait Jack, mais ne fut pas surprise lorsqu'il lui baissa sa culotte jusqu'à mi-cuisse. Abbie sourit. Jack faisait une fixation sur ses fesses.

Elle était déjà convaincue qu'elle arriverait au théâtre le derrière bien réchauffé. Mais pas une seule claque n'atterrit sur ses fesses. Abbie tenta de se retourner pour voir ce que faisait Jack et le surprit en train d'enrober le petit godemiché de lubrifiant.

— Qu'est-ce que tu... ?

Ses yeux s'écarquillèrent lorsqu'elle comprit.

— Non, non, hors de question.

La grande main de Jack la maintenait en place.

— Trop tard, lui dit-il avant d'enfoncer l'objet en elle.

Abbie fut d'abord surprise par le froid du lubrifiant, puis par la sensation d'un corps étranger enfoncé dans son derrière, là où elle ne l'attendait pas. Elle se tortilla et poussa de petits cris, mais fut incapable d'arrêter Jack.

— Espèce de salaud. Tu...

Abbie jura jusqu'à ce que Jack pose un doigt sur ses lèvres en la regardant d'un air désapprobateur.

— Ton langage.

Abbie le fusilla du regard, mais le laissa remonter sa petite culotte et l'aider à se relever. Ce simple mouvement fit bouger le petit gode.

— Qu'est-ce que tu ressens ?

— Exactement ce que tu crois, espèce de sadique.

Jack la regarda d'un air interrogateur.

— C'est ça, pour toi, le sadisme ? Tu vas avoir besoin d'une leçon ou deux.

Abbie leva les mains.

— Non, non, je suis sûre que tu es seulement un demi-sadique.

Jack rit.

— Ne t'en fais pas, il n'est pas très gros, tu vas t'y habituer.

— J'en doute.

Cependant, Abbie le suivit dehors et monta dans sa limousine. Lorsqu'elle se baissa, le petit jouet bougea en elle, et Abbie retint son souffle. Jack rit à nouveau.

Tout le long du trajet, elle essaya de l'ignorer. Jack et elle discutèrent de son travail, surtout de son enquête sur Tom Breslin. Mais le gode tressautait dès que la limousine freinait ou prenait un virage serré.

Avec ses fontaines, ses immenses colonnes et son architecture moderne, l'Ahmanson plut beaucoup à Abbie. Jack aurait pu l'emmener voir une petite pièce, mais il s'agissait de *Roméo et Juliette*, jouée par des acteurs talentueux. Chacun prit place dans la grande salle, et la lumière baissa. Jack mit la main dans sa poche. Le petit plug enfoncé dans le derrière d'Abbie se mit à vibrer.

Abbie sursauta et poussa un cri. Elle n'avait jamais rien ressenti d'aussi étrange.

— Qu'est-ce que c'est que ce bordel ? chuchota-t-elle.

Jack lui montra sa petite télécommande.

— Je ne t'ai pas dit que c'était un vibromasseur ?

Abbie lui lança un regard mauvais.

— Non, tu as omis de mentionner ce petit détail.

— Oh ! d'accord. Je l'ai simplement programmé de façon à ce qu'il s'allume à intervalles variables. Mais il fait très peu de bruit ; personne ne l'entendra dans le théâtre.

Abbie était bouche bée.

— À intervalles variables ? Pendant la pièce ? Oh non, tu ne peux pas me faire ça.

Jack posa un doigt sur ses lèvres.

— Tant que tu resteras discrète, personne ne soupçonnera rien.

Abbie lui lécha perfidement le doigt et rit lorsqu'il gémit.

L'orchestre commença à se préparer, et Abbie s'efforça de rester silencieuse. Mais elle n'avait aucune intention de passer l'éponge. Elle avait si peur que le gode se remette à vibrer qu'elle était incapable de se détendre.

Abbie fut éblouie par les comédiens. Elle n'était pas allée voir de pièce traditionnelle depuis des années et avait oublié la puissance du théâtre. L'acteur qui jouait Roméo était un peu plus âgé que son personnage, mais il était si doué que cela n'avait aucune importance. Au moment où la tragédie s'acheva, Abbie reniflait dans son mouchoir malgré la vibration intermittente du godemiché.

— C'était incroyable. Je n'avais jamais rien vu de pareil.

Abbie se leva.

— Allons rencontrer les comédiens en coulisse.

Jack se leva avec moins d'empressement.

— Je ne suis pas sûr que ce soit une très bonne idée.

Son expression était un peu étrange. Une ombre inquiétante traversa son visage, mais Abbie essaya de l'ignorer.

— Je suis journaliste et je travaille pour la section « Style de vie » en ce moment. Je suis censée couvrir ce genre d'événement. Ce spectacle mérite bien cinq étoiles. Et il faut que j'interviewe Roméo. Viens.

Abbie se dirigea vers les coulisses. Jack la suivit en silence. Sa carte de presse leur permit de franchir les portes et d'accéder à la loge de Roméo. Le nom KIERAN O'DWYER était inscrit sur la porte. Abbie frappa, et une voix répondit. Elle ouvrit la porte et passa la tête à l'intérieur de la loge. Le comédien se démaquillait. Il grimaça, leva les yeux, puis sourit et lui fit signe d'entrer. Jack la suivit.

Kieran O'Dwyer était grand, blond et distingué. Un modèle de beauté masculine et d'élégance. La moitié de son visage était couverte de démaquillant, mais il avait tout de même l'air très classe.

Le comédien se leva, s'inclina et embrassa la main d'Abbie avec une grâce surannée.

— Madame, à qui dois-je l'honneur ?

Abbie ne l'avait pas remarqué sur scène, mais son accent ressemblait beaucoup à celui de Jack.

Le plug tressauta, et Abbie se raidit. Elle lança un regard noir à Jack. À quoi jouait-il ? Elle se tourna vers le comédien.

— Je suis tellement contente de vous rencontrer, monsieur O'Dwyer. Abbie Marshall, du *New York Independent*. Et voici...

O'Dwyer leva les yeux de son décolleté et regarda Jack.

— Mick. J'aurais dû m'en douter.

Abbie les regarda tour à tour avec perplexité. Jack appuya à nouveau sur le bouton de sa télécommande, et Abbie tressaillit en retenant un cri. Elle avait envie de le tuer.

Jack s'appuya contre la porte.

— Kieran, ça fait un bail.

Les deux hommes se connaissaient. Et ne s'appréciaient pas beaucoup, visiblement : ils s'efforçaient de sourire, mais l'animosité entre eux était réelle. O'Dwyer sourit à Jack.

— Tu as l'air de te sentir comme un poisson dans l'eau à Hollywood, Mick, je suis ravi. Tu es devenu l'incarnation de la virilité et du raffinement. George Clooney n'a qu'à bien se tenir.

C'était la deuxième fois qu'il l'appelait « Mick ». Que se passait-il ?

— Mick ?

Abbie les regarda tour à tour.

— Qui... ?

Jack appuya à nouveau sur le bouton. Abbie fronça les sourcils, mais parvint à rester maîtresse d'elle-même et se tourna vers Kieran.

— Pourquoi l'appelez-vous Mick ? Depuis quand vous connaissez-vous ?

Abbie était passée en mode journaliste, et aucun petit vibromasseur de pacotille ne pourrait l'arrêter.

O'Dwyer lui adressa un sourire radieux.

— Oh ! Mick et moi sommes de vieux amis. On se connaissait déjà à l'époque où il s'appelait Michael Delaney. C'était bien avant... Enfin, inutile de ressasser le passé, hein, Mick ?

Abbie avait sorti son calepin.

— Racontez-moi votre rencontre avec Mick, monsieur O'Dwyer.

Elle insista sur le prénom et ignora la vibration du plug.

Kieran eut un geste de dédain.

— Cette histoire n'a rien d'extraordinaire. Mick et moi étions ensemble à l'université. Nous étions tous très impressionnés par le talent de ce p'tit gars de Fairview, venu étudier à Trinity après avoir décroché une bourse. Tout le monde le voyait déjà accomplir de grandes choses, mais le destin en a décidé autrement. Enfin, il a fait carrière ici ; alors, tout est bien qui finit bien, comme le disait Shakespeare lui-même.

Le comédien se tourna vers Jack alors qu'Abbie griffonnait dans son carnet.

— J'ai vu une partie de *Steel Jacket 3* dans l'avion qui m'a amené ici. Toutes mes félicitations. C'est vraiment le genre de film capable d'attirer le chaland et de le divertir. Du pain et des jeux, comme on dit. Bon travail ! Mais, dis-moi, tu ne regrettes jamais l'époque où tu jouais des rôles plus intéressants ? Tu sais, ceux qui ne reposaient pas seulement sur ton physique et qui exigeaient que tu entres vraiment dans la peau de ton personnage.

Jack répondit en serrant les dents.

— Je me mets toujours dans la peau de mon personnage.

— Bien sûr, bien sûr. À quoi pensais-je ?

O'Dwyer se montrait condescendant, comme s'il parlait à un enfant. Il se tourna vers Abbie, lui tendit sa carte et dit :

— Si vous avez besoin de quelque chose, quoi que ce soit, appelez-moi. Je suis entièrement à votre disposition.

Abbie examinait l'écriture cursive sur la carte aux bordures dorées lorsque Jack lui prit soudain le bras.

— Viens, Abbie, il est temps d'y aller. Tu l'intervieweras demain.

Une nouvelle vibration rapide confirma à Abbie qu'il s'agissait d'un ordre.

Elle lui jeta un regard mauvais, mais referma son calepin et demanda à O'Dwyer s'il était disponible pour une interview le lendemain. Elle s'apprêtait à partir, quand O'Dwyer s'adressa de nouveau à Jack.

— Au fait, Mick, je suis tombé sur Sarah récemment. Tu seras heureux d'apprendre qu'elle s'est enfin remise du fameux incident. Ton père ne l'a jamais digéré, cependant. Je me trompe ?

Jack poussa Abbie vers la sortie, puis se retourna.

— Espèce de connard, tu n'as pas pu t'en empêcher, hein ?

*

Abbie réussit enfin à dégager son bras du sien, alors qu'ils attendaient l'arrivée de Ben devant le théâtre.

— Pourrais-tu avoir l'amabilité de m'expliquer ce qui s'est passé ? Pourquoi t'appelait-il Mick ? Qui est Sarah ? Et de quel incident parlait-il ?

Jack serra les dents.

— Ça ne te regarde pas.

— Mais si, ça me regarde, je suis ta...

Abbie s'interrompit brusquement et détourna les yeux. Qu'était-elle après tout ? Elle ne savait pas comment nommer son statut, ni ce qu'elle pouvait attendre de Jack.

— J'ai besoin de savoir de quoi il parlait. J'ai besoin de savoir des choses sur toi.

— Cette histoire n'a aucun intérêt.

Le ton de Jack était dur.

— Laisse tomber, Abbie.

— Non.

Abbie ne voulait pas céder.

— Nous en reparlerons une fois arrivés chez toi.

Pour la première fois depuis leur rencontre, sa carapace se fissurait ; elle apercevait enfin le vrai Jack.

— Certainement pas. Il vaut mieux que tu ailles à l'hôtel ce soir.

Abbie le dévisagea, stupéfaite. Puis, elle retrouva sa voix.

— Ils ont peut-être donné ma chambre à quelqu'un d'autre.

— Tu n'iras pas au Canterbury. Je vais demander à Ben de t'emmener dans un hôtel convenable.

— Je n'ai pas apporté mes affaires.

Abbie était abasourdie. Que venait-il de se passer ? Quelques instants plus tôt, il faisait tout pour l'exciter et, maintenant, il voulait l'envoyer à l'hôtel.

— Commande tout ce dont tu as besoin au service d'étage et envoie-moi la note.

Abbie le dévisageait toujours sans comprendre.

— Pourquoi ? Je pensais... Je pensais qu'on vivait quelque chose de fort, tous les deux.

— C'est le cas. Mais tu ne peux passer la soirée avec moi. Tu seras plus en sécurité à l'hôtel.

— En sécurité ? Mais de quoi parles-tu ?

Abbie crut qu'il n'allait pas répondre, mais il le fit lorsque la limousine arriva.

— Je ne peux pas rester avec toi ce soir. Sinon, je te ferai subir des choses trop difficiles et tu ne me le pardonneras pas. Je te verrai demain, quand j'aurai retrouvé mon sang-froid.

Jack la poussa dans la voiture, lui souleva les jambes et attacha sa ceinture comme si elle était une enfant. Abbie l'entendit à peine dire à Ben de la conduire au Four Seasons.

VINGT HUIT

Jack courut jusqu'à ce que ses jambes flageolent et que ses poumons lui fassent mal.

Mais il ne parvenait pas à effacer le souvenir du regard blessé d'Abbie au moment où il avait refermé la portière de la limousine. Son expression le hantait. C'était la chose la plus difficile qu'il ait jamais faite, mais il avait agi dans son intérêt. Il ne pouvait pas rester avec elle ce soir.

Jack revint en titubant chez lui. Il éprouvait toujours une rage impuissante qui nécessitait un exutoire. Il envisagea de chercher une fête ou un événement quelque part à L.A. qui lui permettrait de trouver une soumise consentante et expérimentée. Mais il savait que ce serait une perte de temps. Si cette fille n'était pas Abbie, il ne ferait que simuler. Jack se dirigea vers sa salle de sport et se défoula sur son sac de frappe.

Soudain, la sonnerie de l'interphone retentit. Quelqu'un était au portail. Jack avait donné une soirée de congé au personnel, car il avait prévu d'être avec Abbie. Personne, donc, n'était là pour répondre. La sonnerie retentit à nouveau.

Le visage nerveux d'Abbie apparut sur l'écran de contrôle.

— Qu'est-ce que tu fais là ? Il y a un problème avec le Four Seasons ?

Jack garda un ton neutre, mais son cœur battait la chamade. Abbie était venue le voir.

— Je..., j'ai envie d'être avec toi.

Abbie paraissait nerveuse, mais ne cédait pas.

Jack prit une profonde inspiration.

— Abbie. Si tu entres, tu sais ce qui va se passer ? Ce soir, il n'y aura ni plumes ni velours. Ce sera du cuir, des bleus et de la baise violente. Si ce n'est pas ce que tu veux, va-t'en immédiatement. Reviens demain.

— Jack.

La voix d'Abbie tremblait.

— J'en ai envie aussi.

Jack ne la croyait pas, mais il lui ouvrit tout de même le portail et la retrouva devant la porte d'entrée. À peine Abbie eut-elle franchi le seuil que Jack l'attrapa et lui donna un baiser vorace, profond et sans fin. Il voulait prendre le temps de savourer le goût sucré de sa bouche, la douceur de ses lèvres, mais il ne parvenait pas à se calmer. Au lieu de ça, il enfonça sa langue dans sa bouche en lui tenant la tête. Il plaqua son corps contre la porte d'entrée, se pressa contre ses courbes douces et s'imprégna de son goût et de son odeur.

Abbie lui répondit doucement, l'accueillit en lui suçant la langue et en caressant son dos. Le bout de ses tétons s'enfonçait dans son tee-shirt trempé de sueur. Jack baissa les yeux.

— Qu'est-ce que tu portes ?

Le trench-coat d'Abbie s'était ouvert, dévoilant son corps nu. Abbie était délicieusement, adorablement, extraordinairement nue.

Elle s'empourpra, mais réussit à sourire.

— Cette vieille chose ? Je l'ai depuis une éternité.

Jack s'esclaffa. Abbie avait réussi à le faire rire en plein cœur d'une bataille dominée par ses vieux démons. Il la serra fort dans ses bras, puis recula et dit d'un ton sévère :

— Bon, ta tenue convient parfaitement à la situation. C'est bien ; je me montrerai peut-être plus cool avec toi.

Il esquissa un sourire qu'il savait plein de menaces.

— Enfin, peut-être pas.

Abbie frissonna, mais tint bon.

— Alors, vas-y.

Jack l'emmena dans sa salle de jeux. Ses muscles se tendaient d'impatience et son sexe enflait déjà. Ses mains tremblaient légèrement. Abbie se tourna vers lui, tout aussi tremblante. Sa bouche, enflée et déjà meurtrie après son fougueux baiser, esquissa un sourire nerveux.

Abbie portait toujours son trench-coat. Il était ouvert sur une langue de peau virginale, douce comme celle d'un bébé. Jack avait envie de lui laisser des traces, de la marquer comme sienne, afin de garantir qu'aucun autre homme ne poserait jamais la main sur elle.

La force de cette envie le choqua. Il avait pensé ne plus jamais signer de contrat, quel que soit l'engagement éternel que lui suggérait son désir pour Abbie. Jack fit un pas en arrière.

— Tu es sûre ?

Il se força à lui laisser une dernière chance.

— Va te coucher maintenant. On parlera demain matin.

Jack se demanda comment il avait réussi à lui faire cette offre : son vieux démon lui hurlait de l'attraper, de l'attacher et de la baiser jusqu'à ce qu'elle ne puisse plus marcher. Jack gardait les mains le long de ses flancs, les poings serrés pour lutter contre l'envie de l'attraper.

— Dernière chance, Abbie.

Elle se rapprocha de lui. Il était coincé contre la porte. Elle se hissa sur la pointe des pieds, afin de déposer un doux baiser sur sa bouche.

— J'ignore ce qui t'arrive ce soir. En revanche, je sais que je veux être avec toi. Et que tu ne me feras aucun mal.

La confiance aveugle d'Abbie déclencha en Jack un élan de rage et de désir qu'il ne put maîtriser. Il la hissa contre lui, força sa bouche à lui céder et la domina de son baiser.

Abbie renversa la tête pour lui offrir sa gorge, et Jack l'embrassa avec voracité. Sa langue jouait impitoyablement sur sa peau, comme pour montrer à Abbie ce qu'il avait l'intention de lui faire plus tard. Elle s'agrippa désespérément à lui.

Abbie en savait déjà trop sur lui. Il ne pouvait plus faire semblant d'être un homme civilisé. Ce soir, Abbie allait découvrir le vrai Jack Winter.

Lorsqu'il leva la tête, elle haletait d'un air hébété.

Jack l'entraîna vers le centre de la grande pièce.

— Déshabille-toi, ordonna-t-il.

Abbie garda les yeux fixés sur lui, tandis qu'elle faisait lentement glisser son trench-coat de ses épaules et le laissait tomber à ses pieds. Il ne lui restait plus que ses chaussures à talons noires. Il y avait un soupçon de rébellion dans son regard, mais ce petit numéro de soumission était un véritable aphrodisiaque.

— Donne-moi tes mains.

Abbie obéit et les tint paume contre paume, comme une enfant récitant ses prières. Parfait. Jack attrapa un morceau de corde et l'enroula autour de ses poignets, deux, trois fois, puis ferma le nœud en passant l'extrémité de la corde entre eux. Dernière vérification : tension parfaite. Aucun danger pour sa circulation sanguine, mais Abbie ne pourrait jamais se libérer.

— Qu'est-ce que tu... ?

Jack ne lui laissa pas le temps d'en dire plus. Il leva les mains d'Abbie au-dessus de sa tête, les accrocha au treuil et tira jusqu'à ce qu'Abbie soit obligée de se hisser sur la pointe des pieds. Ses talons ne touchaient plus tout à fait terre.

Nerveuse, Abbie le suivit du regard lorsqu'il se dirigea vers le râtelier où étaient rangés ses cravaches et ses martinets. Il choisit un martinet élégant avec ses douze rubans de cuir, ainsi qu'une cravache. Abbie le regarda pleine d'appréhension, mais ne protesta pas.

— Ce soir, tout est différent. Il n'y a plus de limites. Nous allons faire ce que je veux. Tu as choisi de venir ici ; tu vas en assumer les conséquences.

Jack ne faisait pas seulement semblant de l'effrayer. Il savait qu'il allait la perdre, et quelque chose le poussait à essayer de la décourager.

La respiration d'Abbie était trop rapide, son sang battait dans son cou, mais elle le regardait dans les yeux.

— Je te fais confiance. Je sais que tu ne m'infligeras rien d'insoutenable.

— Alors, tu es une idiote.

Sans prévenir, Jack lui fouetta la hanche avec le martinet, afin que les rubans épousent ses formes et lui frappent les fesses. C'était un coup direct et dur. Il voulait la faire réagir.

Abbie tressaillit en retenant un cri, mais lui sourit.

— Je te fais confiance.

Nom d'un chien ! Comment pouvait-elle lui faire ça ? Toujours vêtu de ses vêtements de sport humides de sueur, Jack se plaça derrière elle et se pressa contre son corps nu.

— Qu'est-ce que ça te fait d'être aussi vulnérable ?

Il passa lentement la main le long de son corps.

— Si ouverte à tout ce que je te fais ?

Il plongea une main dans la chaleur de son entrejambe.

Abbie gémit, incapable de l'en empêcher, et ses cuisses tremblèrent. Elle était si humide que la main de Jack était luisante. Il ne put résister à l'envie de presser sa vulve. Abbie gémit et agita les hanches contre lui.

Jack recula, prit le martinet et l'abattit sur ses fesses. Abbie retint à nouveau son souffle. Ce coup traître l'avait prise au dépourvu, et elle se mit à tirer sur ses liens. Sans lui laisser de répit, Jack recommença, déterminé à faire affluer le sang sous sa peau, afin qu'elle prenne un ton rouge rosé. Abbie haletait, essayant désespérément de reprendre son souffle.

Jack ne lui en laissa pas le temps. Il souhaitait – non, il voulait – lui faire dépasser cette zone de confort et lui faire perdre le contrôle. Il abattit le martinet un peu partout sur son corps en écoutant les sons qu'elle émettait chaque fois qu'il frappait un nouvel endroit.

Les cuisses d'Abbie étaient sensibles, et elle laissa échapper un râle lorsqu'il la frappa à cet endroit. Il recommença, juste pour entendre ce son une deuxième fois.

Son dos semblait mieux supporter les punitions que ses mollets, mais, s'il alternait coups forts et coups légers, Abbie paraissait déroutée et presque folle.

Ensuite, Jack se plaça face à elle. Quand le premier coup atterrit sur son ventre, Abbie tressaillit et protesta.

— Tu ne peux pas...

— Bien sûr que si.

Jack frappa encore, un peu plus haut cette fois, tout près de ses seins nus. Il la taquina en abattant le martinet un peu partout sur son corps avant de le laisser retomber sur ses seins.

Abbie retint un cri, puis tenta désespérément de reprendre son souffle. Ses tétons se durcirent encore plus, leurs pointes prenant un ton rouge vif alléchant. Jack ne put résister à l'envie de se pencher pour en attraper un entre ses dents et le mordre doucement. Abbie émit un son étranglé qui réchauffa brusquement son pénis.

Bon sang, il aurait voulu que ça dure toute la nuit.

— Est-ce que ça va ?

Jack se demanda comment il avait réussi à lui poser une telle question. Ou ce qu'il ferait si elle répondait non.

Abbie prit quelques profondes inspirations avant de répondre.

— Je crois.

— Bien. Alors, il est temps de passer aux choses sérieuses.

Jack recommença à abattre le martinet tout le long de son corps, derrière et devant, essayant de voir ce qui l'excitait le plus, ce qui provoquait sa plus forte réaction.

Sans prévenir, l'acteur abandonna l'instrument et prit la cravache. Il l'abattit une fois sur elle sans l'avertir, puis frappa plus fort. Abbie gémit et agita les jambes, mais ne lui demanda pas de s'arrêter. Il recommença et regarda deux marques sombres se former sur son cul parfait.

Il avait besoin de la marquer. Il frappa encore, un peu plus bas cette fois, et Abbie poussa un cri strident. Un autre coup, un autre cri, et Jack ne put résister plus longtemps.

Il jeta la cravache, baissa son pantalon sur ses chevilles et la souleva.

— Attrape la corde, lui dit-il.

Sans la détacher, il la positionna afin qu'elle soit juste au-dessus de son sexe et la fit lentement descendre. Abbie hurla plus fort que jamais, mais la crème qui recouvrait l'intérieur de ses cuisses prouvait qu'elle avait besoin de cette pénétration autant que lui. Jack n'avait plus aucune patience, ni maîtrise de lui-même, et il s'enfonça en elle de plus en plus violemment. Impatiente d'obtenir sa délivrance, Abbie s'agitait sur son sexe en s'accrochant désespérément à la corde.

Jack voulait se retirer, la tourmenter et la taquiner, mais sa chaleur l'attirait en elle. Il sentit le jus monter dans le bout de sa queue et ne put rien faire pour l'en empêcher. Il positionna le corps d'Abbie, afin que son clitoris soit sous pression, et glissa une main vers ses fesses pour les agripper.

Cela suffit à faire basculer Abbie. Elle plongea dans l'orgasme en gémissant. Ses muscles internes pressaient impitoyablement son sexe. Jack arqua le dos lorsqu'il atteignit lui aussi l'orgasme, projetant des jets successifs de sperme dans son vagin chaud et accueillant.

Littéralement épuisée, Abbie s'affaissa contre lui. Jack parvint à la libérer de ses liens et à la porter jusqu'au lit avant de s'écrouler à côté d'elle.

Au bout d'un moment, Abbie remua.

— C'était... stupéfiant. Pourquoi n'avions-nous encore jamais fait ça ?

Jack se souleva sur un coude et la regarda.

— Tu es sérieuse ? Tu vas avoir des bleus partout demain. Tu ne pourras même plus t'asseoir devant ton ordinateur.

Abbie laissa échapper un petit rire.

— Il est peu probable que quelqu'un regarde mes fesses ; alors, leur couleur ne m'inquiète pas.

— Tout le monde ne réagit pas comme ça.

— C'est vrai ?

Abbie sourit d'un air légèrement suffisant, ce qui fit sourire Jack à son tour.

L'acteur avait projeté de la tourmenter toute la nuit, mais ses démons s'étaient endormis. Abbie était épuisée, et lui aussi. Il tira une couverture sur eux et éteignit la lumière.

*

Abbie essaya mollement de s'arracher à l'étreinte de Jack. Il était toujours en robe de chambre, alors qu'elle était déjà habillée. Enfin, presque.

Elle ressentait toujours une brûlure sur la peau de ses fesses et n'était parvenue à enfiler aucune de ses petites culottes. Jack lui avait prêté l'un de ses boxers en soie.

L'acteur enfouit à nouveau la tête dans son cou.

— Tu es sûre de ne pas pouvoir rester jouer encore un peu ?

La bouche d'Abbie effleura la sienne.

— Ne me tente pas. Je sais qu'il s'agit juste d'une mission temporaire, mais je ne peux pas manquer ma première journée simplement parce que j'ai envie de prendre mon pied.

— Mais quel pied !

Jack lui mordilla la lèvre inférieure tout en caressant sa peau encore sensible.

— Souhaitez-vous un coussin pour vous asseoir dans la voiture, mademoiselle Marshall ?

Abbie fronça les sourcils avec une sévérité feinte.

— Non, merci, monsieur Winter.

— Fais en sorte d'être là à dix-sept heures. Mon boxer devra m'être rendu à cette heure précise.

— Oui, monsieur.

Abbie fit semblant de le saluer et monta dans la voiture.

Ben la déposa à son bureau et elle prit l'ascenseur jusqu'au sixième étage. La réceptionniste appela la section « Style de vie », et un petit homme aux cheveux foncés vint l'accueillir quelques instants plus tard.

— Bonjour, je suis Matt Lincoln. Ravi que vous rejoigniez l'équipe pendant quelque temps. Mon bureau est par ici. Bravo, l'article sur Jack Winter est très réussi. Je dois dire que vous démarrez sur les chapeaux de roue.

— Quel article ?

Abbie suivit Matt dans son bureau. Elle était arrivée depuis moins de dix minutes. Comment aurait-elle pu avoir le temps de rédiger un article sur Jack ?

Matt se laissa tomber dans son fauteuil et lui présenta l'édition du matin.

— Eh bien, disons que vous nous avez fourni une belle exclu. Vous avez interviewé Kieran O'Dwyer et il nous a appelés plus tard pour compléter l'histoire. Bien sûr, votre nom apparaît en bas de l'article.

— L'histoire ?

Abbie avait l'impression de répéter ses paroles comme un perroquet, mais elle ne comprenait absolument pas ce qui s'était passé.

— O'Dwyer connaissait parfaitement le passé de Jack Winter. Ou de Michael Delaney, devrais-je dire…

Michael Delaney. Le nom de Jack en ligne ; le nom que Kieran O'Dwyer n'avait cessé d'employer la veille au soir. Ce nom qui, d'après Jack, ne signifiait rien. Matt Lincoln afficha l'article sur l'écran de son ordinateur.

Le secret honteux de Jack Winter – L'acteur irlandais impliqué dans une affaire de mœurs.

Des sources proches de M. Winter ont confirmé qu'il y a plus d'une douzaine d'années, la star d'Hollywood avait quitté son pays natal alors qu'elle se trouvait impliquée dans une affaire de mœurs. L'acteur était alors accusé d'avoir agressé sexuellement une étudiante et aurait échappé de peu à une peine de prison.

La femme, dont le nom n'a pas été divulgué, aurait affirmé que Jack Winter l'avait attachée et fouettée avec une cravache. Les charges ont été retirées avant que l'affaire soit portée devant la justice, et M. Winter a quitté l'Irlande peu de temps après.

Abbie eut l'impression que le ciel lui tombait sur la tête. Douze ans plus tôt, Jack devait encore être étudiant. S'il avait frappé une femme, cela signifiait sans aucun doute qu'il avait une relation BDSM avec elle. Abbie ferma les yeux. Elle se sentait au bord de la nausée. Était-ce la raison pour laquelle Jack protégeait sa vie privée avec une telle paranoïa ? Et avait tenu à ajouter une clause à leur contrat lui interdisant de révéler le moindre détail de leur relation ? « Sécurité, bon sens et consentement » était le mantra de Jack. Il ne se serait jamais engagé dans ce type de relation avec une personne qui ne le souhaitait pas. Cette fille en Irlande l'avait-elle trahi ?

Abbie regarda la signature : Matt Lawson et Abbie Marshall.

— Je n'ai pas écrit cet article.

— Non, mais c'est vous qui êtes à l'origine de ce scoop. Bon travail, au fait. Josh Martin avait raison : vous avez une intuition remarquable quand il s'agit de dénicher un bon sujet. Nous n'avons eu qu'à combler les vides. Nous venons de contacter l'agent de Winter, Zeke Bryan, mais il prétend ne rien savoir.

Mon Dieu ! Jack allait croire qu'elle avait écrit cet article. Elle devait à tout prix lui parler. Abbie attrapa son sac à main et appela Jack sur son portable.

— Allez, je t'en prie, réponds. Réponds.

Elle tomba sur sa boîte vocale.

Bon, elle allait devoir retourner chez lui et lui expliquer ce qui s'était passé. Jack pourrait appeler le journal pour savoir comment l'équipe avait eu vent de l'affaire. Tout allait rentrer dans l'ordre.

Le taxi la déposa devant le portail métallique. Abbie appuya sur le bouton de l'interphone. Il n'y eut pas de réponse. Elle sonna à nouveau, et Ben répondit. La jeune femme poussa un soupir de soulagement.

— Ben, c'est Abbie. Laissez-moi entrer, s'il vous plaît. Je dois lui parler.

— Monsieur Winter est indisposé, madame. Il ne peut recevoir aucune visite.

Abbie frappa la plaque de métal avec impatience.

— Je vous en prie, Ben. Je ne viens pas simplement lui rendre visite. Il faut que je lui parle.

Abbie entendit un soupir réticent, puis le ronronnement du moteur lorsque les portes s'ouvrirent. Elle remonta l'allée en courant et découvrit Ben qui l'attendait à côté de la limousine, son sac à ses pieds.

— Il m'a demandé de vous ramener à l'hôtel. Il ne veut pas vous voir.

Abbie sentit les larmes lui monter aux yeux. Il fallait que Jack accepte de la voir. Elle devait lui expliquer ce qui s'était passé.

— Je ne peux pas partir, Ben. Pas avant de lui avoir parlé.

Ben haussa les épaules.

— Je vous le déconseille. Il est à l'intérieur et massacre tout ce qui lui tombe sous la main.

— Dans la salle de sport ?

— Non, madame. Il l'a déjà détruite. Les femmes de ménage vont avoir du travail cette semaine.

Abbie pénétra dans le couloir. Les éclats d'une sculpture de verre étaient éparpillés sur le carrelage noir et blanc. Elle se souvenait d'avoir admiré cette œuvre lorsque Jack lui avait fait visiter la maison. Elle entendit un grand fracas et se dirigea vers le bruit. En l'espace de deux heures, son amant espiègle et tendre s'était métamorphosé en créature féroce, celle que les paparazzis adoraient voir. Déchaîné, furieux et ivre, Jack faisait les cent pas comme un lion affamé. La bouteille de whisky dans sa main était à moitié vide. Il prit une photo encadrée et la jeta contre le mur au moment où Abbie entra.

Elle recula et trébucha, laissant tomber sa veste et son sac à main sur le sol.

Jack redressa brusquement la tête en entendant ce bruit. La rage envahit son regard.

— Tu n'es qu'une salope, Abbie. Une sale garce, une traîtresse.

Jack chiffonna les pages du journal et lança la boule de papier de toutes ses forces.

— Toute la presse va en parler, et les chaînes de télé se sont déjà emparées de l'affaire. Le téléphone de Zeke n'arrête pas de sonner.

— Jack, je n'ai pas...

L'acteur ricana.

— Ne fais pas ça. Ne me mens pas, Abbie. Une journaliste de ton rang ne s'abaisserait jamais à signer ce genre d'article, hein ?

Son ton fit tressaillir Abbie. Jack était furieux. Ses yeux étaient rouges, comme s'il avait pleuré.

— Jack, écoute-moi. Je n'ai pas...

— « Jack, écoute-moi », l'imita-t-il cruellement. Je t'ai écoutée, Abbie. Je t'ai écoutée quand tu m'as dit que tu tenais à moi. Que je pouvais te faire confiance, que tu ne me trahirais jamais. Je t'aimais, nom d'un chien.

Jack avala une longe gorgée de whisky.

— Je t'aimais.

Il laissa tomber la bouteille et se prit la tête entre les mains. Pétrifiée, Abbie regarda le liquide se répandre sur les coussins de soie aux tons pâles.

Elle reçut ces paroles comme un coup de poing dans le ventre.

Jack l'aimait. L'avait aimée.

Il ne la croyait pas.

Il ne lui ferait plus jamais confiance.

Jack leva la tête. La veille au soir, ses yeux bleus brillaient de désir pour elle, mais, à présent, son regard était froid et inexpressif.

— Sors d'ici, Abbie. Va-t'en. Je crois que je n'ai jamais détesté quelqu'un autant que je te déteste en ce moment. Je ne veux plus jamais te revoir.

Abbie s'écarta de lui. Elle ramassa les objets qui étaient tombés de son sac à main, les rangea à leur place et s'enfuit.

VINGT NEUF

B en reconduisit Abbie au Four Seasons. Elle essaya
d'appeler Zeke Bryan pour clarifier les choses, mais
sa secrétaire lui dit qu'il était trop occupé pour prendre son
appel. Abbie s'assit sur le bord du lit et contempla sa valise.
Elle était arrivée à l'hôtel juste après elle. Jack voulait manifestement effacer toutes les traces d'Abbie dans sa vie. Inutile
de défaire ses bagages, maintenant. Elle en était incapable
de toute façon. Elle ne pouvait pas rester à Los Angeles en
sachant que Jack y était. Abbie était incapable de supporter
l'idée de le voir, de savoir qu'il la méprisait. Elle composa le
numéro de l'aéroport en tremblant. On lui proposa un vol qui
partait plus tard dans la soirée. Ensuite, Abbie appela Josh et
laissa un message sur sa boîte vocale, lui expliquant qu'elle
prenait dès à présent un congé d'une durée indéterminée. Elle
avait besoin de faire un break et travaillerait peut-être comme
journaliste indépendante de temps en temps.

Les fameuses rentes qu'elle avait ignorées pendant des
années lui parurent soudain aussi attirantes qu'un chalet au
milieu d'une tempête de neige. Noël approchait. Abbie se
sentait incapable d'affronter ce grand repas familial le sourire
aux lèvres. Elle imaginait déjà les regards compatissants de
Miffy au cocktail du réveillon et ne supportait pas l'idée de
tomber sur William et sa mère. Non, ce Noël à New York
était inenvisageable. Elle décida d'en parler à Kit. Peut-être
pourraient-elles partir quelques jours ensemble ?

*

Les premiers flocons de neige de la saison se mirent à tomber juste au moment où le taxi s'arrêta devant son immeuble, tôt le lendemain matin. L'hiver était bel et bien là. À cette pensée, les larmes lui montèrent aux yeux. Sans Jack, son appartement semblait vide.

Même ici, Abbie ressentait son absence. Il n'y aurait plus de discussions en ligne, de coups de téléphone tard le soir, de taquineries au sujet de la couleur de sa lingerie.

Plus personne ne lui répéterait de stocker de la nourriture dans son congélateur. Plus personne ne se moquerait de son goût affreux pour les comédies romantiques.

Il n'y avait plus qu'elle, sans Jack. Abbie ne s'était jamais sentie aussi seule. Elle lança la valise sur le canapé, envoyant valser un coussin sur le sol.

Une unique plume blanche s'envola et flotta dans l'air avant d'atterrir sur la table basse. Abbie la ramassa et la passa sur sa peau. Elle ne parviendrait jamais à lui échapper.

Elle conservait trop de souvenirs de l'homme qui n'avait passé qu'une seule nuit ici. Le contact de sa bouche sur la sienne, de ses mains rugueuses lorsqu'il la prenait et lui faisait perdre la tête. Abbie s'allongea sur le lit et, épuisée par ces vingt-quatre dernières heures traumatisantes, somnola pendant quelques heures. Mais elle ne parvint pas à s'endormir véritablement. Le fait d'être seule avec ses pensées lui était insupportable. Jack lui avait apporté un bonheur immense, mais il ne restait maintenant qu'une grande souffrance.

Abbie se leva et enfila un jean et des bottes. Elle trouva un blouson épais dans la penderie et le passa aussitôt. L'hiver ne faisait que commencer, et son nom allait la torturer jusqu'au printemps suivant, exactement comme elle aurait aimé que Jack Winter le fasse. Abbie referma la porte derrière elle et se dirigea vers la rue de Kit.

Les lumières du loft de son amie éclairaient la sombre journée d'hiver. Abbie gravit les marches du perron et appuya sur la sonnette. De la musique lui parvenait de l'intérieur, et Abbie ne reconnaissait pas le rock indé qu'écoutait habituellement

Kit. Son amie avait sans doute de la compagnie… Elle aurait dû appeler avant de venir.

Abbie entendit un rire étouffé, puis la porte s'ouvrit brusquement. Kevin eut l'air stupéfait en la voyant sur le seuil. Il était torse nu, simplement vêtu d'une serviette autour des hanches, et des gouttes brillaient sur sa peau. Derrière lui, Kit demanda qui avait sonné.

Kit et Kevin étaient ensemble maintenant. Comment avait-elle pu l'oublier ? Il ne servirait à rien de lui parler. Jack et Kevin étaient comme les deux doigts de la main.

Kit devait entendre parler de Jack à longueur de journée : ses dernières frasques, ses dernières copines, son mépris pour Abbie. Elle tourna les talons et s'enfuit.

Le visage fouetté par l'averse de neige fondue, elle erra sans but au milieu de la foule de promeneurs qui faisaient les magasins. Incapable de retenir plus longtemps ses larmes, Abbie se mit à pleurer.

Elle parcourut ainsi des kilomètres sans prêter attention aux regards des passants et en réprimant une forte envie de bousculer les personnes réunies pour interpréter des chants de Noël. Comment supporter les prochaines semaines ici ?

De retour dans son appartement, Abbie ouvrit la porte du congélateur. Une boîte de glace Rocky Road et quatre boîtes de plats cuisinés. Elle claqua la porte du congélateur, se versa un verre de vin et alluma la télé.

Le visage de Jack apparut sur l'écran. Abbie monta le son.

« Dernier rebondissement dans l'affaire qui secoue le petit monde d'Hollywood : on apprend que Jack Winter n'a pas obtenu le premier rôle tant convoité du film *The African Queen*, une production dont le budget s'élève à plusieurs millions de dollars. Aujourd'hui, l'agent de Jack Winter, Zeke Bryan, a déclaré dans un communiqué que les récents reportages au sujet de cette fameuse affaire de mœurs avaient profondément blessé l'acteur… »

Abbie éteignit la télé ; elle ne voulait pas en entendre davantage. Le rôle dont Jack rêvait venait de lui échapper. Une raison supplémentaire pour lui de la haïr. Elle était incapable d'oublier l'expression de son visage, mêlée de souffrance, de colère et de vulnérabilité. Jack lui avait fait confiance et croyait qu'elle l'avait trahi.

Il n'avait pas voulu écouter ses explications. Le vrai problème, c'était que Jack Winter ne faisait confiance à personne. Et sans confiance, aucune relation durable n'était possible. Jack lui avait dit qu'il ne voulait plus jamais la revoir, qu'il la détestait. Impossible de faire machine arrière après cela. Le téléphone portable d'Abbie vibra sur la table basse. Quatre appels en absence. Quatre fois le numéro de Kit. Abbie ne se sentait pas capable de lui parler maintenant. Elle l'appellerait le lendemain.

Abbie erra dans son appartement et contempla, dehors, la neige qui tombait et recouvrait doucement les trottoirs. De l'autre côté de la rue, elle vit un sapin de Noël par la fenêtre d'un appartement. Elle frissonna malgré elle. Comment allait-elle pouvoir supporter la période des fêtes ?

Abbie rinça son verre et le posa sur l'égouttoir. Il faudrait qu'elle informe le service de nettoyage de son retour à New York. Lorsqu'elle éteignit la lampe du salon en allant se coucher, le clignotement d'une lumière rouge attira son regard. Elle était pourtant sûre d'avoir fait transférer tous ses appels. Elle appuya sur le bouton.

« Ceci est un message pour Mme Abbie Marshall. Madame Marshall, j'ai bien peur que vous ne puissiez pas rencontrer Tom Breslin avant un moment. Il a été transféré en Irlande. Mais n'hésitez pas à nous rappeler. L'un des membres du personnel pourra sans doute répondre à vos questions. »

L'Irlande ? Abbie s'assit sur l'accoudoir du canapé. Pourquoi Tom Breslin avait-il été envoyé là-bas ? Elle réfléchit en pianotant sur le bois de son bureau.

L'Irlande était un petit pays. Elle n'aurait pas de mal à retrouver la trace de Breslin là-bas, et, à part se morfondre à cause d'un homme qui ne l'aimait pas, elle n'avait pas grand-chose à faire à New York.

Son oncle Martin et sa tante Barbara vivaient en Irlande. Elle n'était pas allée les voir depuis des années, mais, à chacune de leurs visites annuelles, Barbara lui répétait de venir passer du temps chez eux. Barbara était la sœur de sa mère. Elle aussi était tombée amoureuse d'un Irlandais. Abbie se demanda si c'était inscrit dans leurs gènes.

La meilleure solution était donc de partir en Irlande. Plus rien ne la retenait ici. Une fois décidée, Abbie composa le numéro de l'aéroport. Un vol pour Dublin était prévu à vingt-trois heures. Elle réserva un billet et commença à faire ses bagages. Martin et Barbara ne répondirent pas à son appel ; alors, elle leur laissa un message. S'ils ne pouvaient pas l'héberger, elle irait à l'hôtel. Abbie avait bien l'intention d'enquêter sur Tom Breslin. Cela lui permettrait sans doute de ne plus penser à Jack Winter.

Le concierge héla un taxi, et le trajet jusqu'à l'aéroport se déroula sans incident. Au comptoir d'enregistrement, une jeune femme souriante en uniforme bleu-vert lui tendit son billet et lui souhaita un vol agréable. Abbie tenta de refouler ses larmes. L'accent de cette femme ressemblait tellement à celui de Jack que son cœur se serra.

C'était une chose à laquelle Abbie n'avait pas songé : allait-elle pouvoir supporter le fait d'être entourée de gens s'exprimant comme Jack ? Il était trop tard pour changer d'avis, cependant. Abbie passa les contrôles de sécurité et monta à bord de l'avion.

L'hôtesse de l'air distribua des couvertures et des oreillers aux passagers. Les yeux d'Abbie se fermèrent dès que l'avion fut monté dans les airs. Il y avait tout de même un bon côté à ce voyage : en Irlande, elle n'avait aucune chance de tomber sur Jack Winter.

TRENTE

Jack ne prêtait plus attention au temps qui passait ; cela n'avait aucune utilité. La seule chose qu'il comptait à présent, c'étaient les bouteilles. Mais il s'arrêta lorsque leur nombre devint trop important. Il se fichait de tout, désormais.

Abbie l'avait trahi. Chaque fois que lui revenait ce souvenir, son ventre se nouait, et le seul moyen d'apaiser la douleur était de boire encore. Jack pressentait vaguement qu'il serait bientôt à court de whisky et qu'alors, il devrait regarder les choses en face. Mais, pour le moment, il préférait ne pas penser à sa trahison.

Jack porta la bouteille à sa bouche et avala une autre gorgée de whisky, puis retomba sur le canapé. Il revoyait Abbie se pencher sur le dossier, le jour où il avait voulu inspecter les marques laissées par leur première séance dans la salle de jeux. Il entendait encore son cri de stupeur lorsqu'il avait enfoncé le gode dans son cul. Les choses qu'il avait prévu de lui faire lui revinrent à l'esprit. Jack donna un coup de poing dans le dossier du canapé, mais le rembourrage se creusa mollement, ridiculisant son effort. L'acteur envisagea d'aller chercher un couteau dans la cuisine afin de le réduire en charpie. Plus tard. Quand il aurait fini sa bouteille et devrait s'en procurer une autre.

Jack porta la bouteille à ses lèvres et laissa couler le liquide autour de sa bouche avant d'avaler une gorgée. L'alcool ne lui brûlait même plus la gorge.

Quelle chienne ! Comment avait-elle pu le tromper ainsi ? D'habitude, il était doué pour repérer les chiennes. Suffisait de demander aux autres. Abbie devait faire partie d'une nouvelle race, conçue en laboratoire dans le but de le duper. Elle avait l'air tellement innocente, et pourtant, c'était une chienne. Comment se débrouillait-elle pour que ses yeux se dilatent de cette façon quand il la touchait ? Ce simple souvenir eut un effet intéressant sur son sexe. *Calme-toi, mon gars. On ne couche pas avec les chiennes.*

Il devait cesser de penser à elle. Bon, il suffisait de penser à ses mauvais côtés. À sa façon de désobéir aux ordres dans la jungle et de mettre tout le monde en danger. À son obsession pour ce foutu ordinateur. À la blessure que la sangle avait laissée sur son épaule. Non, il était interdit de penser au bondissement léger de ses seins quand elle marchait.

À leur ballottement lorsqu'il avait brûlé les sangsues sur son corps. À leur poids dans ses mains, quand Abbie dormait enfin. Et, surtout, interdiction formelle de repenser à la sensation de ses fesses sous ses mains dans la grotte.

C'est une salope.

Son frigo est tout le temps vide parce qu'elle mange des hommes au petit-déjeuner.

Elle est capable de mentir les lèvres tremblantes et les yeux pétillants.

Elle est prête à tout pour un scoop, même à laisser un homme l'attacher, la fouetter et la baiser jusqu'à ce qu'elle en perde presque connaissance.

Il y a un nom pour ce genre de personne.

La bouteille était vide. Jack la lança dehors par la porte du patio, et elle atterrit tout droit dans la piscine.

Où étaient passés les membres de son personnel ? Pourquoi personne ne venait-il ranger tout ce bordel ? Ah ouais, il leur avait crié d'aller se faire foutre. Peut-être qu'il devrait les rappeler pour leur dire de tout nettoyer. Et d'aller lui chercher plus de gnôle.

Parce qu'il en avait vraiment besoin.

Quand la porte s'ouvrit, Jack ne prit pas la peine de vérifier qui se trouvait dans l'entrée.

— Il reste du whisky ? cria-t-il.

Kev entra d'un pas lourd et se plaça face à lui.

— Non, tu en as assez bu.

Jack réfléchit. Il n'avait toujours pas oublié cette salope d'Abbie.

— Non, pas encore.

Jack se dit qu'il n'avait jamais vu Kev avec un visage aussi sinistre.

— Mais qu'est-ce que tu fous ? Tu as décidé de te tuer ? demanda Kev.

— Pourquoi pas ?

Jack lui-même fut atterré par ses propres paroles.

— Quel abruti ! Tu viens de passer deux semaines à siffler des bouteilles et à te battre. Tu as pratiquement baisé Kym Kardell devant des paparazzis.

Jack ne se souvenait pas d'avoir déjà vu Kev aussi en colère.

— Je sais très bien ce que tu ressens pour Kym Kardell. Tu me l'as assez répété.

— Elle s'était fait couper les cheveux un peu comme Abbie, dit Jack. Je voulais voir si elle portait le même genre de soutien-gorge.

— Non, mais dis-moi que je rêve ! s'indigna Kev. Tu serais prêt à remettre ça avec cette pétasse de Kym Kardell ?

— Toujours mieux que de baiser cette pétasse d'Abbie Marshall.

Jack avait du mal à articuler. Il cligna des yeux. Bordel ! Depuis quand était-il aussi bourré ? Il scruta le visage de Kev, qui semblait réfléchir à quelque chose. Soudain, son ami l'attrapa par le bras, le souleva du canapé, l'entraîna dehors par la porte du patio et le poussa dans la piscine.

Jack coula, coula, coula dans l'eau claire. Il envisagea un instant de rester au fond. Abbie serait-elle triste ? Viendrait-elle à son enterrement ? Pendant quelques secondes, il s'imagina de grandes funérailles hollywoodiennes et une Abbie en pleurs, rongée par la culpabilité.

Et puis son instinct de survie se réveilla. Jack poussa sur ses pieds et nagea de toutes ses forces pour remonter à la surface. Il s'accrocha au bord de la piscine et repoussa ses cheveux trempés pour lancer un regard noir à Kev. Mais Jack avait à peine repris son souffle que Kev lui enfonçait à nouveau la tête sous l'eau. Quel connard ! Qu'est-ce qui lui prenait ?

Jack lutta contre la main qui le maintenait sous l'eau. Kev essayait-il vraiment de le noyer ? Il se débattit plus violemment et attrapa le bras de Kev. Il tira d'un coup sec et son copain se retrouva dans la piscine à côté de lui.

— Mais t'as perdu la tête ? rugit Jack.

Kev lui sourit. Ce salaud s'était bien amusé.

— C'est bon, tu as dessoûlé ?

Jack jura, puis se calma.

— Oui, je crois.

— Super, alors, sortons de cette piscine. J'ai fait tout ce chemin pour te parler. La moindre des choses serait que tu m'offres un café.

Dix minutes plus tard, Kev était assis devant un café extra-fort dans la cuisine ultramoderne de Jack.

— Alors, qu'est-ce qui se passe ? demanda Kev.

Jack n'était plus capable de lutter.

— Elle m'a trahi. Je lui faisais confiance, alors qu'elle voulait juste un scoop.

Inutile de préciser de qui il parlait. Il n'y avait qu'une femme dans sa vie.

— Tu es sûr ?

Kev but une gorgée de café, jura et versa trois cuillerées de sucre dans sa tasse.

— Elle est prête à tout pour un article. Tu l'as vue.

Jack ne pouvait oublier avec quel acharnement Abbie s'était accrochée à son ordinateur pour ne pas perdre ses notes. Abbie était une journaliste-née.

— Tu lui as demandé si c'était vrai ?

Comment Kev pouvait-il lui poser cette question ?

— Pourquoi ? Son nom apparaissait en bas de cette putain

de page. Qui d'autre aurait pu l'écrire ? Elle était la seule personne présente quand ce petit péteux d'O'Dwyer a vendu la mèche. Et elle a passé toute cette putain de nuit avec moi. La salope !

Kev le regarda avec dégoût.

— Ce salopard d'O'Dwyer serait bien du genre à aller trouver les journaux lui-même. Je parie qu'il est jaloux de ta célébrité.

— O'Dwyer a raison. De nous deux, c'est lui, le vrai acteur.

Jack ne s'était pas attendu à ce que ces mots soient aussi difficiles à prononcer.

— Tu es un vrai acteur, dit Kev. Et tout le monde connaît ton nom. Je parie que ce petit connard ne gagne pas un rond.

Jack rit amèrement. Les comédiens de théâtre étaient très mal payés.

— Écoute, on a tous appris à connaître Abbie dans la jungle. Et tu as eu l'occasion d'approfondir le sujet depuis. D'ailleurs, si elle a passé la nuit avec toi, quand a-t-elle eu le temps d'écrire cet article ? Je ne crois pas qu'elle l'aurait fait sans te demander au moins ta version de l'histoire.

Jack s'immobilisa. Son cerveau imbibé d'alcool faisait de son mieux pour reconstituer la suite des événements. Ces derniers temps, Abbie attendait avec une impatience folle le commentaire de... Jack n'essaya pas de retrouver le nom de cette personne, mais il se souvenait très bien qu'Abbie voulait vérifier certaines informations avant la publication de son article. Selon elle, c'était ça, le vrai journalisme.

— Elle savait que je ne ferais aucun commentaire.

Kev mélangea à nouveau son café.

— Alors, qu'est-ce qu'elle a dit ?

Jack cligna des yeux en essayant de se rappeler. Elle avait bien dû l'admettre. Non ? Il n'en avait aucun souvenir.

— Je ne sais plus, marmonna-t-il.

— Tu sais que tu es un danger pour toi-même ?

Kev ne mâchait pas ses mots.

— Tu te prends une cuite monumentale sans même essayer de découvrir ce qui s'est passé ? Bon sang, je suis pas près d'oublier ça.

— Son nom était dessus. « Abbie Marshall », écrit noir sur blanc.

Kev haussa les épaules.

— Et alors ? Je connais suffisamment les médias pour savoir que la signature d'un article dépend surtout de petits jeux politiques.

Jack avala sa salive.

— Pourquoi auraient-ils mis son nom si cet article n'avait pas été écrit par Abbie ?

— Mais comment le saurais-je ? Je ne couchais pas avec elle. Mais une chose est sûre : je lui aurais posé la question avant de me prendre la cuite du siècle et de faire la une des journaux partout dans le monde.

Jack se leva.

— Tu as raison. Je vais lui poser la question tout de suite. Elle est toujours à L.A. ?

Il chercha son téléphone dans sa poche et fut vaguement surpris de ne pas l'y trouver.

— Non, et elle n'est pas non plus à New York. Elle a disparu.

Jack ne s'attendait pas à ça.

— Quoi ?

Kev semblait presque content de lui annoncer cette sinistre nouvelle.

— Personne ne l'a vue depuis plus d'une semaine. Personne ne sait où elle se trouve. Kit n'a eu aucune nouvelle d'elle récemment ; elle est bouleversée. Son bureau dit qu'elle a pris un congé. Et si sa famille sait quelque chose, elle le cache bien. Alors, bonne chance pour la retrouver.

TRENTE ET UN

Dessoûler fut plus difficile que prévu, mais Jack ne ménagea pas ses efforts. Il devait avoir toute sa tête s'il voulait retrouver Abbie. Il remit la salle de sport en état, passa des heures à s'entraîner comme un forcené, et tout rentra dans l'ordre.

Ou presque, pensa-t-il amèrement. Sa vie était totalement bousillée. Toutes les émissions et tous les magazines à potins le considéraient comme un prédateur sexuel. Zeke prenait un certain plaisir à lui répéter qu'il était désormais inemployable : on ne l'embaucherait même pas comme serveur. Comme Jack le découvrit plus tard, il avait aussi joliment saccagé sa maison, et les travaux de réparation allaient lui coûter des dizaines de milliers de dollars. Mais rien de tout ça n'avait d'importance quand il songeait à Abbie.

Il était complètement cinglé. Il ne savait toujours pas si elle l'avait trahi pour avoir la une de son journal.

Jack savait en revanche qu'il était obsédé par elle. Il ne serait pas tranquille tant qu'elle ne serait pas de retour sous son toit et dans son lit. Il voulait la voir nue et tremblante, le suppliant de lui faire tout ce qu'il voudrait. Et il le ferait.

Chaque fois qu'il fermait les yeux, Jack ne cessait d'imaginer Abbie et toutes les choses qu'il l'obligerait à faire. Toutes les choses qu'elle voudrait qu'il lui fasse. Toutes les choses qu'elle lui ferait. Il revoyait la façon dont ses yeux s'assombrissaient quand elle était excitée. La façon dont sa peau rougissait quand il la choquait. La délicieuse couleur que prenait son cul quand il le fessait. Les bruits qu'elle faisait quand il lui faisait perdre les pédales. Cette fameuse insolence qui se manifestait dès qu'elle reprenait son souffle.

Mais d'abord, Jack devait la trouver.

Il l'appela sur son téléphone portable, mais ne fut pas surpris de tomber sur sa messagerie. Il ne faisait sans doute plus partie de ses contacts préférés. Jack essaya encore plusieurs fois, mais elle ne répondit jamais.

Ensuite, il tenta de contacter son journal. Comme Kev le lui avait dit, personne ne savait où elle se trouvait. On lui répondit seulement qu'elle avait pris un congé.

Kit devait savoir où était Abbie, désormais. Elle lui disait tout. Bien sûr, Kit aurait très envie de l'étriper, mais c'était sans importance. Quel était son foutu nom de famille ?

Jack appela celui qui serait capable de le renseigner.

— Hé ! Kev, tu as le numéro de Kit, la copine d'Abbie ? Elle a peut-être eu de ses nouvelles.

Kev semblait à bout de souffle, comme si Jack l'avait interrompu au milieu d'un entraînement.

— Pas le moment, mon pote. Et elle ne sait toujours rien.

Jack repoussa les cheveux de son visage. Depuis quand étaient-ils aussi longs ?

— Je veux lui poser la question moi-même.

— Elle ne sait rien.

— File-moi son numéro. Je le lui demanderai moi-même.

Jack entendit une dispute, un juron marmonné, puis une voix féminine s'adressa à lui.

— Je ne sais pas où est Abbie, et dans le cas contraire, je ne vous dirais rien. Vous lui avez fait assez de mal comme ça.

Jack entendit quelqu'un s'énerver, puis Kev reprit le téléphone.

— Kit n'est au courant de rien. Elle est inquiète. Si Abbie nous contacte, je t'appellerai.

Nous ? Depuis quand Kev et Kit étaient-ils devenus « nous » ? Plus désespéré que jamais, Jack les remercia et raccrocha. Il erra dans sa maison en repensant à la présence d'Abbie. Plus il y réfléchissait, plus il lui semblait difficile de croire qu'elle l'avait vendu. Il devait à tout prix lui parler.

Jack ne savait pas quoi faire de lui-même. Il prenait des choses, puis les reposait. Il s'appuyait au manteau de la cheminée pour réfléchir.

C'est d'ailleurs à cet endroit qu'il repéra soudain un téléphone portable. Ce n'était pas le sien. Il le ramassa et l'alluma. Une plume blanche apparut en fond d'écran.

C'était le téléphone d'Abbie. L'avait-elle laissé ici ? C'était difficilement concevable. Abbie n'allait nulle part sans lui. Elle disait souvent en plaisantant qu'elle préférerait perdre un bras plutôt que son portable.

Jack parcourut la liste de ses contacts. Elle était impressionnante. Abbie détenait les numéros privés de la Maison-Blanche, des personnages les plus influents au niveau mondial, ceux d'à peu près tous les sénateurs et membres du Congrès du pays, de la plupart des maires des grandes villes, de toutes les personnes politiques qui comptaient, et pas mal de numéros de criminels aussi.

C'était son téléphone professionnel. Il avait dû tomber de son sac quand elle l'avait lâché. Maintenant, il avait un moyen de la retrouver. Jack appela un premier contact.

Après avoir essuyé un septième échec, il eut soudain très envie de frapper quelque chose. Voire quelqu'un. Pourquoi pas la sœur d'Abbie, cette femme ultra-énervante ? Comment deux personnes aussi différentes pouvaient-elles être parentes ? Cette garce savait où se trouvait Abbie et ne voulait pas le lui dire.

Jack se souvint du cambriolage de son appartement, de sa chute au milieu de la route. Quelqu'un en voulait à Abbie. Jack souffrait physiquement de ne pas pouvoir la protéger.

En parcourant sa liste de contacts personnels, Jack n'avait cessé d'éviter le nom d'une personne. Il aurait préféré perdre une couille plutôt que de l'appeler, mais il était temps de se comporter en homme.

— Salut, William. C'est Jack Winter. J'ai besoin d'un renseignement.

La voix à l'autre bout du fil était aussi agaçante que dans ses souvenirs.

— Comment avez-vous eu ce numéro ? demanda William, comme si Jack était la dernière des taches.

Dans un suprême effort, Jack parvint à se maîtriser. Si ce blaireau savait où était Abbie, il devait rester poli. Jack lui demanda s'il savait où elle se trouvait.

— Pourquoi vous dirais-je quoi que ce soit ? Vous n'avez fait que traîner son nom dans la boue, répondit William d'un ton dédaigneux.

— C'est elle qui a voulu monter dans mon avion. Je ne lui avais rien demandé.

Le ton de William se fit encore plus pincé.

— Elle ne se serait jamais comportée de cette façon. Jamais Abbie ne déshonorerait sa famille.

— Ah ouais ?

Jack avait beaucoup de mal à laisser ce crétin parler d'Abbie.

— Tu ne la connais pas aussi bien que tu le crois.

— Vous avez une mauvaise influence sur elle. Elle ne s'était jamais comportée ainsi avant que vous arriviez.

— Il y a beaucoup de choses qu'elle n'avait jamais faites avant de me rencontrer.

Jack revit soudain Abbie le supplier de la punir encore. Et puis, il la revit les jambes écartées, la chatte ouverte et brillante, alors qu'elle l'implorait de la faire jouir. Il n'arrivait pas à croire qu'il ne la sentirait, ne la goûterait, ni ne la baiserait plus jamais. Ou qu'un autre homme le ferait à sa place. Et lorsqu'il imaginait ce mec couchant avec Abbie, posant les mains sur elle, mettant son... Stop. Mieux valait penser à autre chose, sinon il allait devenir violent.

— Pas étonnant qu'elle se soit enfuie loin de vous, balbutia William.

Jack grimaça. C'était vrai.

— En tout cas, elle est trop loin pour que vous puissiez la retrouver.

William semblait terriblement content de lui.

Une minute. Cet abruti savait où elle se trouvait ?

— Où est-elle ?

— Je n'ai aucune intention de vous le dire.

Il le savait. Jack se redressa.

— Où est-elle ? répéta-t-il d'un ton très légèrement menaçant.

William rit.

— Elle se porte bien mieux sans vous.

Il jubilait.

Il n'avait plus le choix. Jack se passa une main dans les cheveux et prit son courage à deux mains.

— Allez, je t'en supplie. Dis-moi où elle est.

Le salaud rit encore.

— On rigole moins maintenant, hein ? Qu'est-ce que ça vous fait de savoir que vous ne pouvez pas tout obtenir malgré votre charme hollywoodien ?

— Ce n'est pas drôle, dit Jack. Où est Abbie ?

— Qu'est-ce que ça peut vous faire ? Vous avez sali son nom, ruiné ses chances de se marier et causé beaucoup de peine à sa famille. Elle est bien mieux sans vous.

Toutes ces choses étaient vraies, et c'était terriblement douloureux à entendre. Jack grimaça.

— Dis-moi au moins qu'elle va bien, qu'elle est en sécurité. Certaines personnes dangereuses lui veulent du mal.

— Elle va bien. J'ai toujours su que son travail était risqué. Mais, à moins qu'il ne s'agisse de *leprechauns*, ces personnes dangereuses ne risquent plus d'embêter Abbie.

William lui raccrocha au nez.

Jack contempla le téléphone dans sa main. Des *leprechauns* ? On ne pouvait en croiser que dans un seul endroit au monde. Abbie était en Irlande.

*

Abbie ouvrit les rideaux et contempla le paysage neigeux qui s'étendait à perte de vue. La campagne vallonnée était couverte de neige et de gelée. Martin disait que c'était le premier Noël blanc en Irlande depuis des années. Et Abbie s'était débrouillée pour arriver juste à ce moment-là !

Deux semaines de neige. Deux semaines pendant lesquelles elle avait à peine mis un pied dehors. Et n'avait cessé de penser à Jack. Sa tante avait immédiatement compris son problème. Barbara ressemblait tant à la défunte mère d'Abbie que c'en était effrayant. Toutes deux avaient la même facilité à deviner ce que ressentaient les autres. Dès que Barbara l'avait vue aussi abattue dans le hall du Shelbourne Hotel, elle avait dit :

— Un chagrin d'amour, hein ? Ma pauvre chérie.

Abbie avait alors éclaté en sanglots et n'avait pas beaucoup arrêté de pleurer depuis. Une réaction à retardement, avait expliqué Martin. Et Barbara l'avait traité d'idiot. Leur accent lui rappelait tant Jack et Kevin qu'Abbie avait pleuré encore plus fort.

Elle se souvenait à peine du trajet jusqu'à Meath. Elle ignorait totalement où se trouvait ce comté, mais se rappelait qu'elle avait eu le temps de vider deux boîtes de kleenex avant d'arriver chez sa tante.

C'était le matin de Noël, et Abbie ne pouvait plus se cacher dans sa chambre. Elle avait promis à Barbara de venir l'aider à préparer le réveillon. La domestique avait tout organisé avant de partir, et Barbara s'était levée à l'aube pour faire cuire la dinde géante. Abbie se sentait coupable de n'avoir pour seul cadeau à offrir qu'une bouteille de champagne achetée au magasin duty free. Elle s'habilla prestement et descendit se préparer du café fort.

Deux chiens de chasse attendaient dans le couloir, espérant que quelqu'un les emmènerait courir. Ils étaient si grands que les jumelles de Miffy n'auraient eu aucun mal à s'asseoir à cheval sur leur dos. Les chiens s'appelaient Doheny et Nesbitt, et, malgré leur taille, ils avaient la permission de se promener partout au rez-de-chaussée, sauf dans la cuisine.

Barbara lançait un regard malicieux à Martin chaque fois qu'ils faisaient des bêtises. Martin avait un jour rapporté ces deux chiots à la maison afin d'aider un ami, mais l'histoire était visiblement plus complexe. Barbara sous-entendait que la boisson l'avait un peu influencé. Et Martin ne prenait jamais la peine de le nier.

Abbie ressentait une pointe de jalousie en observant la complicité entre sa tante et son oncle. Barbara avait quitté sans difficulté sa vie de fille à papa bien installée dans la société new-yorkaise pour devenir propriétaire d'un haras. De toute évidence, elle adorait le calme Irlandais auquel elle était mariée depuis plus de trente ans.

Martin sortit du petit salon situé à l'avant de la maison.

— Une petite promenade en attendant le début des festivités ? Je dois juste emmener courir mes p'tits gars avant le repas.

Abbie sourit. Ces chiens étaient tout sauf petits. Barbara avait passé des heures à décorer la table pour les invités, et Martin détestait tout ce tralala. Ravie d'aller se promener, Abbie choisit une parka dans le vestiaire et suivit Martin.

Les chiens couraient en aboyant de joie. Derrière eux, Abbie marchait péniblement dans la neige blanche. C'était magnifique. La campagne irlandaise avait un côté calme et paisible. Abbie se demandait comment Jack avait pu quitter cet endroit.

Martin la surprit en train de rêver.

— Tu penses à lui ?

Abbie eut un rire ironique.

— Qu'est-ce qui m'a trahie ?

Martin rit.

— J'ai eu le même air malheureux pendant des semaines après avoir laissé Barbara à New York.

— Qu'est-ce que tu as fait, alors ?

— Eh bien, je me suis dit : soit tu l'épouses, soit tu l'oublies. Le problème, c'est que je n'arrivais pas à l'oublier.

— Alors, tu l'as épousée ? rit Abbie.

— Oui, parce qu'elle aussi était malheureuse sans moi.

Après avoir traversé l'enclos, ils se dirigèrent vers un petit bosquet.

— Est-ce qu'il est malheureux aussi, Abbie ?

Elle haussa les épaules.

— Jack ? Je n'en ai aucune idée. Il ne m'a pas recontactée.

Abbie avait essayé de le joindre plusieurs fois. Mais il n'avait pas répondu et elle n'avait pas laissé de message.

Martin siffla les chiens.

— Eh bien, peut-être que tu devrais chercher à le savoir. Tu peux l'appeler ?

Qu'est-ce que ça lui coûterait, après tout ? Abbie se dit qu'elle téléphonerait peut-être à Kevin pour lui demander si Jack était toujours en colère contre elle.

Il se trouvait à huit mille kilomètres d'elle. Elle n'aurait qu'à raccrocher s'il avait l'air furieux. De cette façon, elle saurait au moins à quoi s'en tenir.

— Alors, tu vas essayer de l'appeler, ce gars, ou pas ?

Abbie pouffa de rire. Elle avait du mal à associer le mot « gars » à Jack, mais Martin avait raison. Si elle voulait tirer un trait sur son histoire avec Jack Winter, elle devait d'abord s'assurer que leur relation n'avait aucun avenir. Son estomac se noua à cette pensée. *Oh ! arrête, Abbie. Il t'a déjà dit qu'il t'aimait et qu'il te détestait. Que peut-il t'arriver de pire ?*

Une fois décidée, Abbie accéléra le pas pour rattraper Martin et les chiens. C'était le jour de Noël. Le moment d'adresser ses meilleurs vœux à tout le monde, y compris aux superstars d'Hollywood. Elle se sentait capable de le faire. Elle appellerait Kit, puis Jack.

Ce déjeuner de Noël lui fit beaucoup penser à celui de Thanksgiving. La même dinde géante trônait au milieu de la table, et les nombreux invités passaient leur temps à trinquer et à se taquiner.

Soudain, Abbie eut envie de parler à sa famille. Elle jeta un œil à sa montre. Il était midi à New York, une heure convenable pour appeler Miffy et son père. Son portable ne fonctionnait pas en Irlande, mais Barbara lui dit qu'elle pouvait utiliser le téléphone du bureau.

Abbie composa le numéro de son père et attendit que quelqu'un décroche. Et c'est Miffy qui répondit.

— Abbie Marshall, comment as-tu pu nous laisser deux semaines sans nouvelles ?

Abbie écarta le combiné de son oreille, afin d'échapper au flot de réprimandes qui suivit. Miffy lui expliqua combien ils étaient inquiets. À quel point leur père avait l'air défait. Combien les filles regrettaient que leur tante Abbie ne soit pas là pour les emmener faire du patin à glace. Combien leur séance de shopping annuelle chez Bergdorf Goodman lui manquait. *À moi, en revanche, pas du tout*, pensa Abbie, tandis que Miffy poursuivait sans reprendre son souffle.

Abbie avait demandé à Barbara et Martin de ne révéler à personne qu'elle logeait chez eux, mais elle n'avait pas pensé qu'ils suivraient ses instructions à la lettre.

Ils avaient dit à Miffy qu'ils ignoraient totalement dans quel coin du pays elle se trouvait.

— Ça va, sœurette. Je suis chez Barbara et Martin.

— Elle est chez Barbara et Martin.

Abbie entendit Miffy répéter la nouvelle à la personne qui venait d'entrer dans la pièce. Bon sang, elle avait voulu les appeler pour leur souhaiter un joyeux Noël, pas pour affronter l'Inquisition.

— Je vais bien, sœurette.

— Bien ?

Miffy monta le ton.

— Quand on va bien, on ne disparaît pas comme ça. Nous étions inquiets. Imagine notre embarras lorsque la police nous a informés que tu avais pris un avion pour l'Irlande et qu'elle ne pouvait rien faire de plus.

Abbie se mordit les lèvres. Elle ne pouvait pas croire qu'ils aient appelé la police. Elle avait simplement voulu disparaître un moment.

Miffy parlait toujours.

— Et puis, j'ai invité William pour le repas de Noël, afin que tu puisses te réconcilier avec lui. Mais tu n'as même pas pris la peine de venir, et le pauvre homme est tout seul dans son coin. Vraiment, Abbie, quelles manières !

Ah ! On arrivait en terrain connu. Quand Miffy critiquait ses manières, Abbie savait que sa sœur concluait sa diatribe.

— Attends.

Abbie parvint enfin à interrompre les récriminations de Miffy.

— Je n'ai jamais dit que je rentrerais pour Noël. Si William a été invité, c'était ton idée, pas la mienne.

C'était agréable de pouvoir se défendre.

Miffy poursuivit.

— Tu t'imagines bien que tout le monde n'a cessé de nous appeler pour prendre de tes nouvelles ? Ton amie aux cheveux étranges s'est montrée très agaçante. Josh Martin, ton patron, a appelé pour demander où envoyer ton chèque. Et cet affreux Jack Winter m'a terriblement mal parlé hier...

— Jack a appelé ?

Abbie faillit se mettre à danser dans le bureau. Jack avait appelé. Elle lui manquait. Il voulait la voir. Cependant, son euphorie se transforma rapidement en amertume. Ouais, il l'avait larguée et avait attendu deux semaines pour la recontacter.

— Vraiment, Abbie, quelle que soit ta relation avec lui, tu dois y mettre fin, dit Miffy d'un ton dédaigneux. Il est impliqué dans le plus horrible des scandales.

Abbie essaya de paraître désinvolte.

— Est-ce qu'il a dit ce qu'il voulait ?

— Il m'a expliqué qu'il avait retrouvé ton téléphone et souhaitait savoir où tu étais. Il s'est montré extrêmement impoli.

Avec un pincement au cœur, Abbie comprit où elle avait perdu son portable. Il était chez Jack, qui voulait sans doute le lui rendre, rien de plus.

— Merci, Miffy. Passe-moi papa.

Abbie écouta les filles se chamailler pour savoir qui lui raconterait la première les fabuleux cadeaux qu'elle avait eus pour Noël.

Miffy abordait les fêtes comme une campagne militaire. Elle déposait des « listes » dans plusieurs magasins, afin de s'assurer que ses filles et elle ne recevraient aucun cadeau de mauvais goût pour Noël.

Ainsi, les fêtes se passaient tout à fait normalement chez les Marshall-Baker. Abbie était soulagée d'y échapper cette année.

Son père finit par venir lui parler.

— Bonjour, Abbie, tout va bien en Irlande ?

— Me croiras-tu si je te dis que nous croulons sous la neige ? C'est le premier Noël blanc depuis vingt ans, ici. Je vais bien, papa, très bien. Je travaille sur un article. Enfin, je m'y mettrai quand Noël sera passé. Je vous appellerai bientôt.

Il n'y eut pas d'autres mentions de Jack.

TRENTE DEUX

Abbie reposa le combiné et s'affala dans le vieux fauteuil en cuir. Doheny (ou bien était-ce Nesbitt ?) entra dans la pièce. Ses griffes cliquetèrent bruyamment sur le parquet. Il pencha la tête d'un côté et la dévisagea.

— Encore une promenade, hein ?

Le chien agita la queue.

À l'arrière de la maison, Abbie entendit de la musique. Martin avait promis de la faire danser, mais elle ne se sentait pas capable d'affronter cela. Peut-être pourrait-elle se faufiler dehors pendant qu'ils étaient occupés ? Elle attrapa un manteau et une écharpe sous l'escalier et enfila l'un des bonnets de Barbara. Le second chien apparut au moment où elle atteignait la porte d'entrée.

— OK, les gars, on y va.

Abbie traversa l'enclos derrière les chiens qui aboyaient. Le ciel était clair et plein d'étoiles. À New York, elle les apercevait rarement à cause de la pollution lumineuse, mais cette vision était une vraie merveille, et Abbie contempla les étoiles jusqu'à ce qu'elles deviennent floues.

Que faisait Jack ce soir ? Faisait-il la fête avec une starlette aux cils plus longs que sa jupe ? Peut-être était-il à une réception réservée aux vedettes.

Son cœur se serra lorsqu'elle l'imagina dans les bras d'une autre. Abbie cligna des yeux en regardant les étoiles.

— Bon, Abbie, il est temps d'arrêter de te morfondre à cause de Jack Winter. C'est terminé.

Voilà, c'était dit. Abbie ne voulait plus jamais voir Jack Winter. Elle avait encore un peu de mal à l'oublier, mais elle aurait bientôt tourné la page. Abbie décida de rentrer à la maison pour appeler Kit. Après le Nouvel An, elle reprendrait son travail sur l'affaire Breslin. Abbie siffla les chiens.

— Allez, les gars, on rentre.

À la maison, la fête battait son plein et on ne dansait plus dans la cuisine, mais dans le couloir. Quelques voitures supplémentaires étaient arrivées depuis son départ. À l'évidence, la maison de Barbara et Martin était le meilleur endroit pour faire la fête le soir de Noël.

Abbie tenta de se frayer un chemin jusqu'au bureau, et refusa au passage deux invitations à danser et un verre de whisky. Les Irlandais étaient chaleureux et n'acceptaient aucun refus. Abbie rit malgré elle et promit de revenir après avoir appelé Kit.

Le téléphone sonna longuement, mais personne ne répondit. Peut-être que Kit était sortie. Abbie allait raccrocher, lorsqu'elle entendit sa voix.

— J'espère que c'est important.

— Kit, c'est...

— Oh ! mon Dieu, Abbie. C'est toi ? Mais où es-tu, bon sang ?

Abbie entendit une voix masculine et Kit lui dire de se taire.

— Je suis en Irlande.

— En Irlande ? Qu'est-ce que tu fais là-bas ? J'étais morte d'inquiétude pour toi. Pourquoi tu ne m'as pas appelée ?

Abbie tortilla le cordon du téléphone entre ses doigts. Elle avait eu envie d'appeler Kit des dizaines de fois, mais ne s'était pas sentie capable de parler de Jack avec elle

— Désolée, mon portable ne marche pas ici et, enfin, je crois que je n'étais pas prête à parler à quelqu'un.

— Comment te sens-tu ?

Kit baissa la voix.

— Tu sais qu'il te cherche ?

Abbie soupira.

— Oui. Miffy me l'a dit.

— Est-ce que tu vas l'appeler ?

Abbie n'avait aucune envie de faire un pas vers lui. Jack ne lui faisait pas confiance. Si elle s'était réjouie de savoir que Jack la cherchait, elle s'apercevait maintenant que rien n'avait changé. Il ne faisait confiance à personne.

Il avait fixé les règles de leur relation depuis le début et s'attendait à ce qu'elle les suive bêtement. Pour Abbie, ce n'était plus suffisant.

— Non. C'est terminé.

— Je vois.

Kit avait pris sa voix de thérapeute.

Abbie n'était pas d'humeur à jouer les patientes.

— Alors, quoi de neuf ? Tout va bien à New York ? Est-ce que le père Noël t'a apporté de beaux cadeaux ?

Abbie entendit Kit rire.

— Belle tentative, mais tu ne vas pas t'en tirer comme ça. En fait, le père Noël m'a fait un très beau cadeau. Il m'a apporté un beau petit Irlandais avec une bague en diamant.

Abbie faillit tomber de sa chaise. Kit et Kevin. Fiancés.

— Vous allez vous marier ?

— Non, il se trouve que j'aimais beaucoup cette bague et que cet idiot me l'a achetée. Comment pourrais-je épouser un homme que je connais depuis moins de deux mois ?

Abbie gloussa. Si quelqu'un en était capable, c'était bien Kit.

— Alors, tu vas refuser ?

— Ce n'est pas ce que j'ai dit. En fait, je réfléchis.

Abbie entendit un bruit de baiser et le rire grave de Kit. Kevin était avec elle et ils avaient l'air heureux.

— Je te laisse réfléchir, alors. Je t'appellerai bientôt. Bonne nuit, Kit. Joyeux Noël.

Barbara frappa doucement à la porte et apparut avec deux flûtes de champagne.

— Si tu ne viens pas à la fête, la fête ira à toi.

Abbie accepta une flûte avec joie et but une gorgée de champagne.

— Désolée, Barbara, j'appelais une amie.

— Pas de problème. Mais tu as passé beaucoup trop de temps toute seule ces deux dernières semaines. Et il y a ici un homme sympathique que j'aimerais te présenter.

Abbie fit la grimace.

— Je ne suis pas sur le marché. J'ai trop de problèmes avec les hommes.

— Tu n'en auras aucun avec celui-là, je te le promets. Il est en train de discuter chevaux avec Martin. Tu le connais sans doute déjà. C'est Chris Warrington.

Abbie redressa brusquement la tête.

— Chris Warrington, l'ambassadeur américain ?

— En personne.

Barbara quitta la pièce avec un sourire satisfait.

Abbie courut à l'étage et fouilla dans sa garde-robe. Elle trouva des tas de jeans et de jupes classiques, mais finit par mettre la main sur la robe qu'elle avait portée au théâtre avec Jack. Elle caressa le tissu soyeux.

Cette robe faisait ressurgir des souvenirs douloureux, mais c'était la seule qu'elle avait emportée.

Abbie se maquilla, puis redescendit en hâte. Chris Warrington était l'informateur idéal, si elle voulait retrouver la trace d'un citoyen américain arrivé depuis peu en Irlande.

Abbie remarqua les regards admirateurs de certains convives. Une robe coquette, une paire de talons, et tous les hommes perdaient la tête ! Abbie se dirigea tout droit vers Martin et l'ambassadeur.

— Chris, j'aimerais vous présenter ma nièce, Abbie. Abbie, voici Chris Warrington.

— Monsieur l'ambassadeur.

Abbie sourit et lui tendit la main.

Chris Warrington avait des yeux bleus pétillants et une belle crinière blanche. C'était sa deuxième affectation en

Irlande. On disait de cet homme politique qu'il était astucieux et honnête.

— Tout le monde ici m'appelle Chris. Martin et moi nous connaissons depuis un bon bout de temps.

— Oui, je lui ai vendu une jolie petite pouliche, il y a huit ans.

— Ton profit aussi était joli.

Les deux hommes rirent.

Abbie décida de battre le fer pendant qu'il était encore chaud.

— En fait, je me demandais si vous pourriez m'aider. Je fais une enquête complémentaire pour un reportage sur le Honduras, mais le fonctionnaire du ministère des Affaires étrangères qui m'aidait vient d'être transféré ici. J'ai perdu beaucoup de mes notes dans un accident d'avion.

— J'en ai entendu parler.

L'homme sembla soudain intéressé.

— Vous n'étiez pas avec cet acteur, comment déjà, Winter ?

Abbie vit Martin s'arrêter net alors qu'il se servait un verre de whisky. *C'est bon, tu peux surmonter ça, Marshall. Tu risques d'entendre ce nom de temps en temps.* Abbie lui adressa son sourire le plus éclatant.

— C'est ça. Jack Winter.

L'ambassadeur lui lança un clin d'œil.

— C'est bien lui. Ma fille est folle de cet acteur. Vous serait-il possible de m'obtenir un autographe ?

Le sourire d'Abbie se figea. Elle aurait préféré se ronger les ongles de pied plutôt que de demander la moindre chose à Jack.

— Je verrai ce que je peux faire.

— Bon, qui est l'homme que vous vouliez contacter ?

— Son nom est Breslin. Tom Breslin, répondit-elle.

— Ah ! Tom. Un brave gars. Il est chez nous depuis quelques semaines seulement. Un passionné de chevaux, lui aussi, je crois.

Martin se frotta les mains.

— Amène-le donc au bal de la chasse, alors. Je serais ravi de faire encore quelques affaires.

— Seulement si nous partageons la commission.

L'ambassadeur rit.

— Voulez-vous que je transmette un message à Tom ?

Pour qu'il soit sur ses gardes ? Pas question. Ce bal était l'occasion parfaite de découvrir à quel niveau Breslin était impliqué dans l'affaire Tabora.

— Non, je préfère que ce soit une surprise.

Quelqu'un lui tapota sur l'épaule, et Abbie se retourna. C'était Barbara.

— Un appel pour toi dans le bureau. Ça vient d'Amérique.

Abbie quitta la fête et se précipita dans le bureau. Ce devait être Miffy ou Kit. Peut-être que les filles avaient ouvert leurs cadeaux et voulaient la remercier.

— Allô ?

— Bonjour, Abbie.

Elle ferma les yeux. Jack. Une minute de silence s'écoula. Abbie s'efforça de retenir le flot de paroles qui menaçait de s'échapper de sa bouche. Elle aurait voulu lui dire combien il l'avait blessée en croyant qu'elle l'avait trahi.

Combien elle lui en voulait de l'avoir retrouvée. Combien il lui avait manqué. Au lieu de cela, elle prit un ton aussi sec et professionnel que possible.

— Comment allez-vous, monsieur Winter ?

— Ah ! On en est donc là ? Tu n'étais pas aussi formelle à L.A.

L'esprit d'Abbie s'emplit de souvenirs. La bouche de Jack qui l'embrassait, les bras de Jack qui la tenaient, les mains de Jack quand il... Non, il ne fallait pas penser à ça.

— J'ai beaucoup de souvenirs de L.A. Et ils ne sont pas tous agréables.

Jack rit. Sa voix grave et expressive lui donna des frissons dans le dos.

— Je reconnais bien là ma petite Abbie. Toujours aussi insolente.

— Je ne suis pas votre petite Abbie.

— Chérie, tu seras toujours à moi.

Sa voix caressante était pleine de menaces, et Abbie frissonna. Il prenait le même ton quand il lui expliquait en détail ce qu'il allait lui faire.

Cela excitait toujours autant Abbie. Elle s'interdit de lui céder à nouveau.

— Gardez ce genre de réplique pour le grand écran, monsieur Winter. Vous n'êtes pas attendu à une fête ? Vous devez bien avoir une jolie petite starlette à maltraiter ?

Les femmes devaient défiler dans la salle de Jack depuis son départ.

— Il ne faudrait pas que je vous retarde.

Abbie s'attendait plus ou moins à ce qu'il lui raccroche au nez ou qu'il lui réponde par une plaisanterie sarcastique, comme il en avait l'habitude. Or, Jack rit.

— Est-ce que j'ai dit quelque chose de drôle ?

Abbie avait du mal à contenir sa nervosité.

— Non, tu as dit exactement ce que je voulais entendre. C'est le plus beau cadeau de Noël que tu pouvais me faire. Tu as toujours envie de moi.

— Je ne...

— Oh que si. Et tu es terriblement jalouse, parce que tu m'imagines en train de jouer avec une autre. La vérité, c'est que je n'ai pas approché une femme depuis ton départ.

Abbie émit un grognement incrédule.

— C'est gentil de me tenir au courant, mais je ne suis plus intéressée. Maintenant, si vous voulez bien m'excuser, je suis attendue à une fête.

— Abbie.

La voix de Jack était nerveuse.

Si Abbie s'était trouvée à L.A., elle aurait eu droit à une punition immédiate. Malgré elle, ses tétons se durcirent. C'était exaspérant : huit mille kilomètres les séparaient et il parvenait toujours à l'exciter. Il fallait mettre un terme à cela tout de suite.

— Merci de m'avoir appelée, monsieur Winter, mais vos jeux ne m'intéressent pas et...

—Abbie, arrête de bouder, sinon il y aura des conséquences.

Là-dessus, Jack raccrocha. Abbie s'assit sur l'accoudoir du fauteuil. Nesbitt traversa la pièce et posa la tête sur ses genoux. Elle le gratta derrière les oreilles. Qu'entendait-il par conséquences ? Comment s'y prendrait-il pour la punir ? Il était à des milliers de kilomètres.

*

Dublin lui sembla transformé. Même l'aéroport avait changé. Lorsque Jack avait quitté l'Irlande douze ans plus tôt, il n'y avait qu'un terminal. Aujourd'hui, il y en avait deux, et un véritable méli-mélo de routes menait aux différents parkings, arrêts de bus et dépose-minutes.

Jack n'avait emporté qu'un bagage à main. Il n'avait pas l'intention de passer plus de temps en Irlande qu'il n'en faudrait pour retrouver Abbie et la ramener en Amérique.

Cette fois, elle ne lui échapperait pas. Jack avait des projets pour la douce Abbie. Au cours de son voyage de L.A. à Dublin, il avait eu le temps d'imaginer toutes les choses qu'il lui ferait quand elle serait de retour dans son lit.

Tout était bon pour éviter de penser à ce qui l'attendait vraiment en Irlande. Sa famille. À quoi ressemblait Ciara maintenant ? Au fil des années, elle lui avait envoyé des photos par e-mail. Celles de ses fiançailles, de son mariage, de sa grossesse, de la naissance du bébé. Mais ce n'était pas comme la voir en personne. Ils avaient discuté ensemble sur Skype, mais elle avait refusé d'allumer sa webcam, sous prétexte qu'elle avait peur de faire exploser l'écran. Il avait reçu moins de photos de sa mère, et encore moins de son père. Le visage du vieil homme était toujours le même : sévère et impitoyable.

Jack n'aurait pas voulu de son pardon, de toute façon. Il n'avait rien fait de mal. C'était son père qui lui avait tourné le dos, pas le contraire.

— Michael ! Michael ! Par ici !

Jack ne réagit pas tout de suite. On ne l'avait pas appelé comme ça depuis longtemps. Mais la femme en doudoune rouge qui l'appelait à pleins poumons était impossible à ignorer.

— Ciara ? Mais qu'est-ce que tu fais là ?

Tout en parlant, Jack ne put résister à l'envie de la serrer de toutes ses forces dans ses bras. Elle lui rendit son étreinte avec la même ferveur. L'odeur de sa sœur lui était agréablement familière, et la chaleur de son accueil apaisa quelque chose en lui.

— Je suis venue t'accueillir chez nous, espèce d'idiot.

Finalement, Ciara recula et le regarda de la tête aux pieds.

— Tu as perdu du poids. Tu es plus mince.

C'était peut-être vrai, mais Jack haussa les épaules.

— La caméra te fait toujours paraître plus gros, c'est tout.

Ciara lui lança un sourire polisson.

— Enfin, si tu n'étais pas mon frère, je dirais que tu es beau gosse. Je te trouve pas mal du tout !

Jack parcourut du regard le hall des arrivées pour voir si on l'avait reconnu. Quelques personnes le regardaient et se donnaient des coups de coude, mais personne ne l'approcha, ni ne lui demanda un autographe. Son nouveau statut de prédateur sexuel l'avait manifestement devancé.

— Pourquoi tu ne m'as pas dit que tu venais ? s'indigna Ciara, tandis qu'elle le menait hors de l'aéroport. Il a fallu que j'appelle chez toi pour que ton coach me l'apprenne.

Ciara inséra quelques pièces dans une machine qui tamponna son ticket, et tous deux filèrent vers le parking couvert de neige fondue.

Avec sa doudoune et ses grosses bottes, Ciara était équipée pour le froid, au moins. Les Converse de Jack étaient déjà trempées, et sa veste en cuir ne le réchauffait pas du tout. Jack avait oublié le temps qu'il faisait en Irlande.

Ciara s'arrêta près d'une Civic en mauvais état et fit signe à son frère de prendre le siège du passager.

— Alors, c'est Michael ou Jack maintenant que tu es là ? demanda-t-elle en faisant démarrer la voiture.

La voiture recula prudemment.

— Jack. Michael a cessé d'exister dès l'instant où j'ai quitté l'Irlande.

Tout lui paraissait tellement étrange. Il se trouvait sur le mauvais siège, la voiture était beaucoup trop petite pour un homme de sa taille, et Ciara avait grandi.

Elle grogna.

— Va dire ça à papa.

Jack ne put se retenir.

— Est-ce qu'il lui arrive de parler de moi ?

— Pas beaucoup. Mais il regarde tous tes films et lit toutes les lettres que tu envoies à maman.

Jack ne sut pas quoi répondre. Il n'avait jamais oublié la nuit où son père l'avait jeté dehors.

Tous deux se turent. Ciara concentrait son attention sur la route couverte de neige fondue. Ils avançaient doucement. Jack était content de pouvoir prendre lentement conscience de son retour à Dublin. Ils finirent par atteindre une portion de route où la circulation était plus fluide. Ciara lui lança un regard oblique.

— Alors, que s'est-il passé à l'époque, Jack ? Je me souviens de tout le bazar que cette histoire a provoqué, mais personne ne voulait me raconter les détails.

— Tu étais trop jeune.

Ciara s'arrêta à un feu tricolore pour prendre la route principale et le regarda dans les yeux.

— Eh bien, je ne suis plus jeune, ni innocente ; alors, raconte. Sinon, j'imaginerai le pire. Et tu ne peux pas savoir à quel point mon imagination est débordante.

— Ce n'était rien. En tout cas, ça n'aurait pas dû faire autant de bruit. Tu te souviens de Sarah ? Elle faisait partie de ma bande à l'université.

— Je disais du mal d'elle à cause de son accent snob, mais je la trouvais sympa.

Jack rit malgré lui.

— Moi aussi. Mais nous avions beaucoup en commun.

Impossible de dire précisément à Ciara tout ce qu'ils partageaient. C'était peut-être une adulte à présent, mais elle était toujours sa petite sœur.

— Enfin, bref, nous sommes allés au concours hippique un jour. Elle a acheté une cravache dans la salle d'exposition et, le soir même, nous avons joué avec.

Le rire obscène de Ciara le surprit.

— Tu m'étonnes !

Ainsi, sa petite sœur avait perdu toute son innocence.

— Nous avons été un peu surpris que la cravache lui laisse des marques aussi visibles, mais ça lui plaisait. Ensuite, sa mère l'a emmenée au Brown Thomas afin de lui acheter une robe pour le bal du concours hippique. Sarah a eu trop peur de la réaction de sa mère et de ce que penserait tout le monde pour lui dire que je ne l'avais pas forcée. Elle a raconté que j'avais perdu la tête et l'avais attaquée.

Jack haussa les épaules en essayant de paraître désinvolte.

— J'ai été arrêté, accusé d'agression et jeté en prison.

Ciara tressaillit.

— Je l'ignorais. Tu es toujours claustrophobe ?

Jack grimaça.

— Un peu. Je déteste les petits avions ou les espaces confinés.

C'était un euphémisme.

— Papa a fait jouer ses relations et obtenu ma libération. Puis, il est allé parler aux parents de Sarah et ils ont retiré leur plainte.

— S'il a fait ça, pourquoi vous êtes-vous brouillés ? Pourquoi ne vous parlez-vous plus depuis douze ans ?

— Il ne m'a jamais demandé ce qui s'était passé. Il a simplement supposé que je l'avais battue et m'a dit qu'il ne voulait plus jamais me revoir.

Même après toutes ces années, la douleur était toujours aussi vive.

— Mets-toi à sa place. Le fils d'un flic – un brigadier, en plus – se fait arrêter pour une histoire de jeux pervers ! Comment voulais-tu qu'il réagisse ? Parle-lui. Il te pardonnera.

Jack serra les poings.

— Je n'ai rien fait de répréhensible. C'est lui qui a imaginé le pire.

Jack respira profondément.

— De toute façon, je n'aurai pas le temps de lui parler. Je ne suis là que pour un jour ou deux. Je suis venu chercher...

Il hésita.

— Une amie. Une amie très chère.

— Abbie Marshall. Je suis au courant.

Ciara avait dit cela sans le regarder. Elle observait un tracteur en train de remorquer une voiture de sport.

Jack tourna la tête si brusquement qu'il faillit se tordre le cou.

— Quoi ? Mais comment ?

— Facile. Dès que je l'ai vue aux informations à votre retour du Honduras, j'ai pensé que c'était exactement ton type de femme. Et Kev m'a dit qu'elle avait disparu.

— Kev ?

— Bien sûr. Tu l'as peut-être dissuadé à vie de m'inviter à sortir, mais on est amis sur Facebook et on s'envoie des mails de temps en temps. Et il me suit sur Twitter, ajouta-t-elle fièrement. Ce que tu ne fais même pas.

Jack était abasourdi. Comment avait-il pu croire que ce qui se passait en Amérique n'atteignait jamais l'Irlande ?

Ciara changea de file et dépassa un camion qui salait la route, un bus et une Ford Focus en une seule fois. Jack avait survécu à un accident d'avion, puis à un séjour au cœur de la forêt tropicale hondurienne, pleine de serpents venimeux et de félins mangeurs d'homme, mais il se dit que, s'il quittait Dublin en un seul morceau, ce serait un miracle.

— Alors, tu dors chez moi ou tu rentres à la maison ?

— Ni l'un ni l'autre. J'ai réservé une chambre au Clarence.

Ciara quitta la route des yeux et lui lança un regard incrédule.

— Hors de question. Ma maison ou celle de maman. Je ne t'emmène pas à l'hôtel. À moins que tu tiennes vraiment à ce que des photographes te poursuivent partout dans Temple Bar.

Jack grimaça. Il n'avait pas pensé à ça.

— D'accord. Va pour ta maison. Mais seulement si tu es sûre que Johnny n'y verra pas d'inconvénients.

Ciara gardait les yeux sur la route.

— Aucun problème. Et Aoife est folle de joie à l'idée de rencontrer le fameux oncle qui lui envoie tous ces cadeaux.

Ciara tourna dans une petite rue.

— Nous y voilà, prends ton sac. Et bienvenue chez les fous !

Le sujet fut provisoirement laissé de côté.

TRENTE TROIS

A bbie souleva le papier de soie bleu foncé et retint un
cri. Elle déplia la robe de soie verte et la secoua afin
de la défroisser.

— Elle est fabuleuse.

— Je la portais le soir où j'ai rencontré Martin.

Barbara contempla la robe avec nostalgie.

— Je ne rentre plus dedans maintenant, mais elle t'ira à
merveille.

Abbie tint la robe contre elle et se regarda dans le miroir.
Ce vert faisait ressortir la couleur de ses yeux. Jack allait...
Non. Elle ne devait plus penser à Jack. Presque une semaine
s'était écoulée depuis leur conversation, et il ne lui avait pas
donné de nouvelles depuis.

Ainsi, Jack ne parlait pas sérieusement quand il avait
menacé de la punir. Abbie ne savait pas très bien si elle était
soulagée ou déçue. Elle s'était totalement investie dans les
préparatifs du bal de la chasse afin d'aider Barbara. Ce soir,
elle allait enfin rencontrer Tom Breslin et se remettre au travail.
Quel bonheur de pouvoir se concentrer sur son reportage !

— Il y a même la coiffure assortie.

Barbara ouvrit un paquet plus petit. Un diadème orné de
pierreries scintillait à travers le papier. Deux plumes de la
même couleur que la robe étaient enveloppées à part.

Abbie resta docilement assise, le temps que Barbara
pose le diadème sur sa tête et y fixe les plumes. Même si
elle n'était pas maquillée, cette coiffure élaborée lui donnait

un air sophistiqué. Abbie n'avait pas l'habitude d'être aussi élégante.

— Tu ne vas pas pouvoir t'asseoir de toute la soirée.

— Quoi ?

Les paroles de Barbara la firent sursauter. La dernière personne qui avait prononcé ces mots sous-entendait tout autre chose. Abbie rougit, et Barbara lui sourit d'un air entendu.

— Je voulais dire que tu ne vas pas arrêter de danser. Tu ne seras pas à court de partenaires. Allez, prépare-toi. Je vais repasser ta robe.

Pour une fois, l'eau de sa douche resta chaude du début à la fin. Abbie prit le temps d'appliquer de la crème hydratante sur sa peau. Elle n'avait pas de bleus sur les fesses, pas de marques autour des poignets, et sa peau n'était pas irritée à cause d'un menton mal rasé. Toutes les traces de son aventure D/s avaient disparu. Abbie se sentait nue. Mais elle n'aurait pas voulu porter n'importe quelles marques ; c'était celles de Jack qui lui manquaient. Kit avait raison. Abbie était une soumise née, mais c'était sans importance. Elle ne souhaitait se soumettre qu'à un seul homme, et cela ne lui arriverait plus jamais. Jack avait eu beau insister sur l'importance de la confiance et de la franchise dans toute relation D/s, il ne lui avait jamais fait confiance, en fin de compte.

Abbie se maquilla soigneusement et tira la langue à son reflet.

— Arrête de penser à Jack. Tu es pire qu'une adolescente.

Barbara avait déposé la robe sur le lit. La soie bien repassée brillait sous la lumière de la lampe. Abbie posa le diadème sur sa tête et fixa les plumes. Le miroir lui renvoya l'image d'une jolie créature exotique. Abbie appliqua du rouge à lèvres sur sa bouche en insistant sur le contour de sa lèvre supérieure.

— Très Louise Brooks, approuva-t-elle. Maintenant, voyons si ces quelques retouches séduiront monsieur Breslin.

Abbie n'avait jamais eu l'occasion de faire une entrée remarquée à un bal, mais sa robe verte attira incontestablement les regards. Elle repéra Martin en smoking au milieu de la foule. Il bavardait avec l'ambassadeur et un homme d'une quarantaine d'années. Et Barbara animait la soirée, comme d'habitude.

Un ami octogénaire de Martin, qu'Abbie avait rencontré à la fête de Noël, lui offrit son bras. Son costume était râpé par endroits, et le vieil homme sentait légèrement la naphtaline.

— Vous m'aviez promis une danse ce soir. J'espère que vous ne l'avez pas oublié ?

Abbie sourit. C'était un vieillard adorable.

— Bien sûr que non, je vous suis.

Trois danses plus tard, Abbie parvint enfin à se dégager poliment de son étreinte. Il était agile pour un homme de son âge, et certains de ses gestes étaient carrément déplacés. Abbie se fraya un chemin à travers la foule pour rejoindre Martin qui bavardait toujours avec les deux autres hommes. Un verre à la main, Martin dissertait sur son sujet favori : les chevaux.

— T'arrive-t-il de parler d'autre chose ? demanda-t-elle.

Martin parcourut la pièce du regard en s'arrêtant sur quelques décolletés.

— Tu sais bien que rien d'autre ne m'intéresse ! Cela dit, j'ai repéré quelques jolies pouliches ici ce soir, et tu en fais partie. Tu as rencontré Tom ? Il est venu avec l'ambassadeur.

Il s'agissait donc de Tom Breslin. La quarantaine, bel homme, cheveux foncés, costume somptueux. Grâce à Miffy, Abbie en savait assez sur les vêtements pour deviner que le smoking de Breslin était fait main et que les perles noires de son épingle de cravate étaient vraies. Les yeux vifs de Breslin la contemplèrent de la tête aux pieds avant de revenir se poser sur ses seins. Abbie ignora sa grossièreté et lui tendit la main.

— Je suis Abbie, la nièce de Martin.

Il n'y eut aucune lueur de reconnaissance dans son regard. Bien. Peut-être n'avait-il pas fait le rapprochement entre son prénom et celui de la journaliste qui avait essayé d'obtenir une interview de lui pendant des semaines ?

— Enchanté, Abbie.

Breslin lui serra la main.

Abbie essaya de ne pas grimacer lorsqu'elle toucha sa main moite. Elle détestait les hommes qui transpiraient des mains. Elle s'efforça de lui adresser un sourire éclatant.

— Ainsi, vous travaillez avec l'ambassadeur. Ça alors, comme ce doit être intéressant. Je parie que vous voyagez beaucoup.

Breslin lui rendit son sourire et se rapprocha d'elle.

— En effet. En Europe, en Amérique centrale...

— En Amérique centrale ? Ouah ! J'aimerais beaucoup que vous m'en parliez. Cette partie du globe m'a toujours fascinée.

Breslin mordit à l'hameçon.

— Et si nous dansions ?

*

Jack lorgna la maison où se tenait le East Meath Harriers' Hunt Ball. Il n'avait pas d'invitation et ne s'intéressait ni à la chasse, ni aux chevaux, ni à leurs amateurs. Mais si c'était là que se trouvait Abbie, alors, il était plus qu'intéressé.

Personne ne l'empêcherait de voir Abbie.

L'acteur se dirigea vers la grande porte d'entrée, où quelques hommes fumaient en discutant de la possibilité d'aller chasser la semaine suivante malgré la neige. Jack pourrait certainement se mêler à eux pour pénétrer dans le bâtiment, mais ces hommes marchaient si lentement qu'il risquait de devenir fou. Il avait besoin de voir Abbie.

Lorsqu'un petit homme prétentieux essaya de l'arrêter, une liste à la main, Jack le rabroua.

— Je viens voir Abbie Marshall. Pouvez-vous m'indiquer le chemin ?

— Hum.

L'homme était déconcerté. Il observa Jack, puis sa liste.

— Pardonnez-moi, je suis sûr de vous connaître, mais...

— Aucun problème, dit Jack en filant à l'intérieur. Ça m'arrive tout le temps.

L'acteur se dirigea à grandes enjambées vers l'arrière de la maison, d'où lui parvenaient des bruits de musique, de voix et de rires. Les propriétaires avaient rabattu les cloisons du salon, de la salle à manger et du jardin d'hiver, créant ainsi une longue pièce haute de plafond, remplie maintenant de convives élégants et bruyants, tous bien décidés à s'amuser.

Un petit orchestre jouait du Tom Jones d'un côté de la pièce, et une douzaine de couples dansaient avec plus d'énergie que de grâce. Autour des dix tables, de nombreux convives bavardaient bruyamment et applaudissaient de temps en temps pour une raison que Jack ne comprenait pas.

Comme lui, les hommes étaient tous vêtus de smoking et de costumes. Seuls quelques-uns portaient la veste de chasse rouge traditionnelle. Les femmes étaient vêtues de longues robes particulièrement décolletées. La salle de bal improvisée était agrémentée d'un sapin de Noël haut jusqu'au plafond, de guirlandes, de ballons et de rosaces en papier. Du bébé dans les bras de sa mère à la vieille dame aux cheveux blancs clairsemés et au rouge à lèvres rouge vif, appuyée sur sa canne, toutes les générations étaient représentées.

Où était Abbie ? Si cette soirée se soldait par un nouvel échec, Jack risquait fort de disjoncter. Il était séparé d'elle depuis trop longtemps.

La foule se dispersa, et Jack aperçut du vert et quelques plumes qui ondulaient. Abbie semblait tout droit sortie d'un film des années 1920. Sa tenue éclipsait toutes les autres et donnait à ses yeux la couleur du jade.

La soie de sa robe chatoyait dès que la jeune femme faisait un pas. Elle portait un diadème de perles bordé de plumes qui, au lieu de lui sembler ridicule, donnait envie à Jack de la déshabiller et de s'en servir pour la torturer.

L'acteur se dirigea vers Abbie à grands pas, pressé de réclamer son dû et de la remettre à sa place : dans ses bras et dans son lit. Abbie renversa la tête et rit. Elle dansait avec un autre homme. Un homme qui avait passé les bras autour d'elle. Et elle ne le repoussait pas.

— Salut, Abbie, dit Jack en s'arrêtant juste à côté d'elle.

L'acteur faisait de gros efforts pour garder une voix calme.

— C'est à mon tour, je crois.

L'expression choquée d'Abbie lui apporta une certaine satisfaction. Elle resta un instant bouche bée, les yeux ronds. Un mélange d'euphorie et de peur passa dans son regard, mais elle reprit rapidement ses esprits.

— Désolée, mais..., comment dit-on déjà ? Mon carnet de bal est plein.

Abbie se tourna vers l'homme avec qui elle dansait.

— Que disiez-vous, Tom ?

Hors de question. Hors de putain de question. Pour Abbie, Jack avait parcouru des milliers de kilomètres, tenu tête à son père, resquillé pour assister à un stupide bal de chasse, et elle osait le snober ? Il se raccrocha à sa colère, afin que son désespoir ne prenne pas le dessus. Profitant de sa grande taille pour l'intimider, Jack se tourna vers l'autre homme.

— Vous ne voyez pas d'inconvénient à ce que je vous interrompe, n'est-ce pas ?

Il était presque sûr d'avoir prononcé cette réplique un jour dans une pièce historique minable.

Son expression dut avoir l'air suffisamment menaçante, car l'autre homme recula, les mains en l'air.

— Non, pas de problème, allez-y.

Jack prit Abbie dans ses bras. Son corps semblait fait pour tenir entre ses grandes mains. Son parfum, subtil et attirant, taquinait ses sens. Abbie et lui semblaient si parfaitement assortis. Elle s'appuya contre lui un instant avant de s'écarter et de le dévisager froidement.

— Qu'est-ce que tu fais ici, Jack ? C'est toi qui m'as envoyée balader, tu te souviens ?

Abbie se tenait avec raideur dans ses bras. Son visage affichait une calme indifférence, mais la petite veine qui palpitait dans son cou trahissait son véritable état d'esprit. Abbie était blessée et toujours en colère contre lui. Elle n'allait pas lui céder facilement.

— Dis-moi juste une chose. As-tu écrit cet article ?

— Tu as vraiment besoin de me le demander ?

Le regard douloureux d'Abbie suffit à le convaincre qu'il s'était trompé.

Abbie se dégagea de son étreinte et retourna vers son ancien partenaire. Jack n'entendit pas ce qu'elle lui disait, mais l'homme lui sourit et la fit virevolter vers la piste de danse.

Jack s'apprêtait à les suivre, lorsqu'une main se posa sur son bras. Jack se retourna en serrant les poings, mais le vieil homme au regard malin qui lui faisait face lui sourit paisiblement.

— Pas besoin de t'énerver, fiston. Alors, tu es venu la chercher ?

— Oui, et ce n'est pas vous qui m'en empêcherez.

Le vieil homme souriait toujours.

— Tu crois vraiment que tu peux venir la reprendre comme si de rien n'était ? Cette fille a le caractère de sa mère, et quelque chose me dit qu'elle va bientôt t'en donner un aperçu.

Jack ne faisait pas vraiment attention à ce qu'il disait. Abbie dansait trop près de ce type et lui souriait d'un air charmeur.

— Mais, bon sang, qui est ce mec ? demanda-t-il au vieil homme.

— Tu n'apprends jamais, pas vrai ?

Le vieil homme tendit la main à Jack.

— Je suis Martin Locke, l'oncle d'Abbie.

Jack lui serra brièvement la main sans quitter Abbie du regard. Quand son partenaire la fit virevolter sur la piste et la ramena contre lui, l'acteur en eut assez. Il se fraya un chemin à travers la foule de danseurs, arracha Abbie des mains de l'autre type et la prit dans ses bras. Elle n'aurait dû se trouver nulle part ailleurs.

— Tu es à moi, lui dit-il. Nous avons signé un contrat ensemble et je n'y ai jamais mis fin.

Abbie se raidit. Elle marmonna rageusement.

— Tu as perdu la tête ? Je ne veux plus jamais entendre parler de relations D/s.

Abbie le nargua.

— Je ne suis pas une soumise et tu n'es pas mon Dominant. Alors, ton autorité, tu peux te la mettre où je pense.

Abbie lui écrasa le pied avec son talon aiguille, et Jack grimaça. Elle profita de cet instant de faiblesse pour se dégager de ses bras.

— Martin, ce gentleman est sur le point de partir. Tu peux lui montrer le chemin de la sortie, s'il te plaît ?

Quatre hommes entourèrent aussitôt Jack et lui intimèrent de quitter les lieux. Jack était furieux, mais il n'eut d'autres choix que d'obéir.

*

Abbie regarda son oncle et ses cousins attraper Jack et le raccompagner vers la sortie. C'était tellement agréable de le voir en position de faiblesse pour une fois.

Lorsqu'elle avait entendu sa voix et découvert Jack à côté d'elle, Abbie avait ressenti une joie si forte qu'elle en avait des frissons en y repensant. C'était un salaud, il l'avait traitée comme une moins que rien, et pourtant, dès qu'elle l'avait vu, Abbie avait eu envie de se jeter dans ses bras et de le supplier de lui faire l'amour.

Ah ! Plutôt mourir. Même si Jack était l'homme le plus éblouissant qu'elle ait jamais rencontré.

La façon dont Jack la regardait, l'intensité de ses yeux bleus pétillants lui donnaient l'impression d'être la seule femme attirante au monde.

Toute son attention, toute sa passion étaient concentrées sur elle. Mais aujourd'hui, Abbie savait qu'un contrat ne lui suffisait plus. Elle voulait que leur histoire dure toujours.

Qu'avait dit Jack exactement ? Qu'un Dominant fort avait besoin d'une soumise forte ? *Eh bien, vous avez eu ce que vous vouliez, monsieur. Je suis sur le point de devenir la soumise la plus forte du monde. Nous verrons bien si vous êtes de taille à me dominer.*

Leur dispute avait attiré l'attention de tous les invités. Abbie vit certaines femmes chuchoter entre elles.

— C'était vraiment Jack Winter ? Mon Dieu !

Barbara vint lui donner une petite tape dans le dos.

— Bien joué, ma chérie. Il est temps que tu apprennes à te défendre. Tu veux que j'appelle la police et que je le fasse arrêter pour violation de propriété ?

L'espace d'un instant, Abbie trouva l'idée alléchante. Elle imagina Jack enfermé dans une cellule à l'ancienne, menotté au mur. Elle pourrait alors lui rendre visite et... Quelle horreur ! Elle n'aurait jamais envie de mettre les pieds dans un endroit pareil. Abbie secoua la tête.

— Non, ça va. Il ne m'embêtera plus.

Abbie savait qu'elle se trompait. Du moins, c'était ce qu'elle espérait. Elle voulait que Jack revienne à la charge. Qu'il la poursuive avec l'acharnement incroyable dont il avait fait preuve pour les sortir de la jungle. Abbie ne lui céderait pas, mais elle apprécierait ses efforts.

Lorsqu'Abbie imagina Jack en train de la poursuivre, ses genoux flageolèrent, et quelque chose frémit dans son bas-ventre. Inconsciemment, elle serra les cuisses et essaya de réprimer le désir que Jack lui inspirait toujours. D'accord : peut-être qu'elle finirait par lui céder quand il aurait assez souffert.

Abbie remarqua le parfum viril et musqué de Jack sur sa peau. Elle eut envie de humer cette délicieuse odeur, mais se retint. Elle avait jeté Jack dehors, et c'était une sensation très agréable. Fini de courir après lui. Il était temps de se remettre au travail.

Abbie se tourna vers Tom Breslin, dont le regard rusé contrastait avec la douceur de ses traits.

—Pardon pour cette scène, dit-elle. Bon, où en étions-nous ?

— Vous êtes Abbie Marshall, n'est-ce pas ? Je ne m'étais pas aperçu que la vie des journalistes était aussi intéressante.

Votre avion s'est écrasé dans la jungle et, maintenant, vous voilà prise en chasse par Jack Winter.

L'homme souriait, mais ses paroles n'en étaient pas moins blessantes. Son accent du Connecticut lui rappelait sa famille.

Il était temps de tomber le masque.

— J'ai eu assez de sensations fortes pour aujourd'hui, merci. Mais vous ne vous êtes pas non plus ennuyé au Honduras, je me trompe ? Et si nous parlions de votre travail avec la DEA là-bas ? Qu'avez-vous pensé du pays ?

L'orchestre entama un morceau plus lent. Breslin la prit dans ses bras et l'emmena valser autour de la piste de danse. C'était un bon danseur et, même s'il la serrait contre lui, il se comportait toujours avec une politesse un peu froide.

— C'est un pays tellement pauvre. J'espère que l'intervention américaine portera ses fruits. Nous devons aider le Honduras à arrêter le transbordement des drogues.

C'était une réponse toute faite. Breslin avait visiblement répété et resservi ce petit discours de nombreuses fois dans le passé. Abbie lui posa plus de questions, et Breslin se détendit petit à petit.

— Connaissez-vous bien Antonio Tabora ? demanda-t-elle, alors même que l'orchestre commençait à jouer *Trouble with a Capital T* de Horslips.

C'était un morceau entraînant, et une foule de danseurs déchaînés envahit aussitôt la piste de danse.

Breslin secoua la tête, frustré.

— C'est trop bruyant ici. Si on allait marcher dehors ? Ce sera plus calme et je pourrai tout vous raconter sur Tabora.

Abbie accepta, impatiente d'obtenir des réponses à ses questions. Le dénouement était proche, elle le savait.

Breslin l'emmena vers la cour de l'écurie, où la neige avait été dégagée. Des veilleuses éclairaient leur chemin. Les demi-portes des écuries étaient restées ouvertes, et une douzaine de chevaux sortirent leurs têtes, curieux de voir ce qui se passait. Breslin l'entraîna à travers la cour, et Abbie aperçut une voiture de sport garée devant la grange.

— Il fait froid dehors. Montez et je vous dirai tout sur Tabora.

— Je ne crois pas...

Abbie s'arrêta, mal à l'aise. Ils se trouvaient toujours assez près de la maison pour que la musique leur parvienne, mais il faisait noir et ils étaient seuls. La fine soie de sa robe ne la protégeait pas un instant du vent mordant.

— Peut-être que nous devrions rentrer ?

Abbie essaya de s'éloigner, mais Breslin la tenait fermement par le coude. Il ne la lâchait pas.

— Ne soyez pas idiote. Vous vouliez que je vous parle de Tabora et c'est ce que je vais faire. Maintenant, montez dans la voiture.

Breslin déverrouilla la portière sans lui lâcher le bras. L'instinct journalistique d'Abbie luttait âprement contre son intuition féminine.

Elle ne supportait pas d'être touchée par un autre homme que Jack, mais elle avait besoin de cette interview.

La force de sa révulsion la prit au dépourvu. Satané Jack Winter. À cause de lui, elle serait incapable de coucher avec d'autres hommes. Elle ne pouvait même pas s'asseoir avec quelqu'un dans une voiture afin de lui poser des questions. Bon sang, elle était plus forte que ça. Si elle devait interviewer Breslin, elle le ferait.

— Je vais aller chercher mon calepin, dit-elle.

— J'ai du papier dans la voiture, vous pourrez l'utiliser.

La main se resserra, et Breslin la poussa à monter dans la voiture.

La situation était de plus en plus étrange.

— Non, je préférerais aller chercher mon propre carnet.

Abbie essaya de reculer, mais Breslin l'en empêcha. Il la poussa sur le siège et referma la portière.

TRENTE QUATRE

— **Ô**te tes mains de là, grogna une voix rageuse et familière.

Jack sortit brusquement de l'ombre et attrapa Breslin par les revers de sa veste.

— Quand une femme te dit non, tu ferais mieux de l'écouter. Compris ?

Jack le souleva afin de pouvoir le regarder dans les yeux.

— Elle t'a dit qu'elle voulait aller chercher son carnet.

Abbie sortit de la voiture en rampant et dévisagea Jack avec stupéfaction.

Breslin essaya de se libérer de l'étreinte rageuse de Jack.

— Lâchez-moi. Que faites-vous encore là ? On vous a demandé de partir.

— Je veille sur Abbie. Je la protège des pourritures comme toi. Estime-toi heureux de ne lui avoir touché que le bras. Si tu recommences, tu auras affaire à moi.

Jack le lâcha, et l'Américain repartit à travers la cour à toutes jambes. Jack se tourna vers Abbie.

— Mais qu'est-ce que tu foutais avec ce loser ? Tu es à moi.

L'éclairage de la cour était faible, mais Abbie parvenait tout de même à distinguer l'expression sauvage de ses yeux. Jack était sur le point de perdre son sang-froid, et, en son for intérieur, Abbie jubila. Elle voulait le voir sortir ses griffes.

— Je suis à toi ? Dans tes rêves, oui !

Jack l'attrapa et l'attira violemment contre son torse.

— Oh oui, dans mes rêves, convint-il, et sa voix n'était plus qu'un grognement. Et chaque minute où je suis réveillé, aussi. Maintenant, tu vas rester avec moi.

— Ah ouais ?

Abbie sentit que sa voix faiblissait et s'en voulut aussitôt. Elle respira profondément et prit un ton plus ferme.

— Alors, vas-y, force-moi.

Abbie perçut un changement en Jack. Son grand corps se durcit soudain.

— Mais quelle petite morveuse !

Abbie se moquait de paraître insolente. Cette fois, ils joueraient selon ses propres règles.

Jack la souleva et prit ses lèvres d'assaut. Sa bouche était froide, mais ce baiser était si chaud qu'il lui brûla les lèvres. Entre eux, il n'y avait pas de lente progression, pas de séduction graduelle. Il n'y avait que de la passion pure et brute, urgente et exigeante. Abbie enroula ses bras autour de son cou et s'offrit à lui. Elle posa sa bouche en travers de la sienne et l'ouvrit largement pour l'inviter à entrer.

Le goût des lèvres de Jack était enivrant et addictif. Sa bouche ardente marquait la sienne comme un fer rouge. Abbie se dit vaguement qu'après lui, aucun autre homme ne lui conviendrait. Mais, pour le moment, elle s'en moquait.

Elle était trop occupée à encourager son impulsivité. Jack enfonça sa langue dans sa bouche. Il prenait les choses en main ; il la dominait. Abbie lui mordilla sauvagement la langue. Pas assez pour le faire saigner, mais juste assez pour lui rappeler qu'elle avait des dents et s'apprêtait à les utiliser.

Jack grogna et lui maintint la tête en place tout en prenant possession de ses lèvres et de sa bouche sans lui laisser aucune liberté. Abbie ne voulait pas être libre ; elle se délectait de sa force virile et de sa détermination. Elle répondait à sa faim avec une passion égale, tortillant son corps afin de le rapprocher du sien, de ressentir plus intensément sa merveilleuse chaleur. Toute la colère et la tristesse qu'elle ressentait plus tôt avaient laissé place à un désir enflammé, passionné et irrésistible. Jack était à elle, et personne ne le lui reprendrait. Pas même Jack lui-même. Abbie s'accrocha à ses épaules et exigea qu'il continue à l'embrasser.

Lorsqu'il releva enfin la tête, Jack était à bout de souffle, et Abbie avait les jambes chancelantes. Sans la poigne d'acier de Jack, elle se serait effondrée sur le sol glacé. Jack l'avait deviné. Il la souleva comme si elle ne pesait plus rien, regarda autour de lui et se dirigea vers la grange sombre.

L'odeur tiède et entêtante du fourrage était presque aussi séduisante que l'arôme musqué de l'homme qui la tenait serrée contre son torse. Tous ses sens étaient en effervescence.

Abbie inspira profondément quand Jack la laissa glisser le long de son corps musculeux. Elle n'était plus Abbie Marshall, la journaliste, mais une femme qui avait été séparée de son homme beaucoup trop longtemps.

La grange était tiède et sombre. Abbie avait très envie d'arracher ses vêtements à Jack. Aussi le fit-elle. Lorsqu'il comprit ses intentions, Jack s'immobilisa, mais la laissa tirer sur sa veste et sortir les pans de sa chemise de son pantalon. Abbie glissa ses mains sous le tissu et soupira de plaisir en sentant la chaleur de sa peau. Elle effleura ses côtes et se réjouit de le sentir se tortiller lorsqu'elle le chatouilla et enfouit ses doigts dans les poils de son torse. Quand elle atteignit ses tétons et les pinça, Jack perdit pied.

Il attrapa la tête d'Abbie et la maintint pendant qu'il l'embrassait voracement, puis ses mains partirent à la conquête de son corps. Il pétrit sa chair comme si elle lui appartenait. Il caressa ses fesses, son ventre et ses seins à travers la soie de la robe ancienne de Barbara.

— J'en veux plus, grogna-t-il sans cesser de l'embrasser.

Jack fit remonter le tissu soyeux sur le corps d'Abbie jusqu'à ce que sa main rencontre une cuisse nue. Elle frissonna. Sa main était si chaude par rapport à la fraîcheur de l'air.

— Froid, réussit-elle à articuler.

— Plus pour longtemps.

Jack remonta le tissu au-dessus de sa taille et serra fermement Abbie contre son sexe en érection.

La bouche d'Abbie était sèche. Son sexe avait-il toujours été aussi long ? Abbie se fichait bien de savoir s'il avait grandi pendant son absence.

Elle posa la main sur son entrejambe, empoigna son pénis tendu et regarda les yeux de Jack se révulser.

— Oh oui, le grand méchant Dom a un point faible, et je le tiens justement dans ma main.

— Continue comme ça et tu verras ce que peut faire la mienne.

Abbie le nargua en riant.

— Eh bien, vas-y.

— Quelle excellente idée !

D'un geste déterminé, Jack défit ses boutons, ouvrit sa braguette et fit glisser son pantalon sur ses hanches étroites.

Abbie se mit à haleter lorsqu'elle vit le sexe impressionnant qui se dressait vers elle. Bon sang, comme elle avait envie de le sentir à nouveau en elle. Mais Jack méritait d'être torturé encore un peu.

— Tu connais cette vieille expression chinoise ?

— Laquelle ?

— « La femme à la jupe relevée court plus vite que l'homme au pantalon baissé. »

Là-dessus, Abbie pivota sur elle-même et courut vers la porte de la grange. Mais à peine eut-elle fait quelques pas qu'un corps s'écrasa contre son dos et la plaqua sur le sol couvert de foin.

— Tu n'as pas couru assez vite. Maintenant, tu vas souffrir.

— Oh ! arrête. On dirait un méchant dans James Bond.

Abbie lui attrapa la tête pour l'embrasser. C'était une rencontre d'égal à égal. Ils étaient tous deux aussi forts, aussi affamés l'un que l'autre. Elle s'accrocha à Jack avec ses bras et ses jambes, afin de l'empêcher de s'éloigner d'elle. Jack l'embrassa à son tour, et les quelques réserves qu'Abbie pouvait encore avoir disparurent comme par enchantement.

Abbie enfouit ses mains dans sa chevelure et se délecta de son épaisseur soyeuse. Jack l'embrassait en la mordillant dans le cou et le long de la clavicule.

Ses mains entreprirent brusquement de lui enlever sa petite culotte et de goûter la chaleur de son entrejambe fébrile.

— Toujours lisse. Bonne petite, dit Jack, et quelque chose fondit en elle.

Mon Dieu ! Toutes ces choses qu'il provoquait en elle avec de simples mots ! Abbie se garda bien de le lui dire.

— Je ne suis pas une bonne petite, je suis très méchante, dit-elle avant de se hisser sur lui.

Abbie chevauchait Jack, qui était allongé sur le dos dans le foin. Elle ne voulait pas attendre.

Elle était excitée, mouillée et affamée. Elle posa un genou de chaque côté de son corps, se positionna soigneusement au-dessus de lui et descendit lentement sur sa queue.

— Ahhh !

Quel bonheur de se sentir pleine, comblée ! Cette sensation était si exquise qu'Abbie crut qu'une partie de son cerveau avait disjoncté. Elle se rappelait tout juste comment respirer.

Alors, Jack l'attira vers lui pour l'embrasser et elle n'y songea plus. Respirer lui paraissait bien inutile maintenant qu'elle avait Jack. Abbie voulait faire durer les choses, mais la présence de son sexe en elle la rendait folle. Ses hanches s'agitaient toutes seules.

— Moins vite, dit Jack.

Mais Abbie ne pouvait pas s'arrêter. Jack roula sur elle et elle sentit le foin lui piquer le derrière. Jack lui prit les fesses à pleines mains et se mit à aller et venir en elle. À chaque violent coup de reins, Abbie sentait ses terminaisons nerveuses s'affoler un peu plus. Puis, ses pensées s'évanouirent, et elle ne fut plus capable que de ressentir et de réagir.

Abbie était consciente de faire du bruit. Des sons forts et primitifs résonnaient dans la grange. Jack adorait ça.

— Chut, tu vas faire peur aux chevaux.

Il posa une main sur sa bouche pour la faire taire.

Abbie le mordit. C'était un geste impulsif, car elle ne se maîtrisait plus du tout. Comme elle voulait que Jack bouge plus vite, elle l'encourageait de ses talons, de ses ongles et de ses dents. Alors, enfin, enfin, Jack accéléra le mouvement, et Abbie ne fut plus qu'un corps plongé dans l'extase, à bout de souffle, incapable de formuler d'autres mots que « Jack ».

Le plaisir était trop intense, trop écrasant. Abbie poussa un dernier cri ravi et atteignit l'orgasme en frissonnant. Jack lui donna trois coups de reins de plus et bascula à son tour.

Tous deux restèrent immobiles un moment, haletant, essayant de reprendre leurs esprits. Finalement, Jack leva la tête.

— Tu sais que tu portes toujours ton diadème à plumes ? En fait, j'ai des projets pour lui.

Abbie passa une main dans son dos.

— Rien de comparable aux projets que j'ai pour ce corps. Tu me supplieras bientôt à genoux de te libérer.

Jack fronça les sourcils. Son euphorie avait disparu.

— Tu as perdu la tête ? C'est moi le Dominant.

— Le Dominant qui a sérieusement merdé. Si tu as envie de moi, tu vas devoir me supplier.

Abbie le repoussa, se leva en chancelant et commença à arranger sa tenue.

Elle se dirigeait vers la cour lorsque Jack l'appela :

— Tu sais que tu as du foin dans le dos et dans les cheveux ?

Abbie se retourna pour lui dire d'aller se faire voir, mais il avait déjà disparu.

Elle marcha vers la maison en semant du foin derrière elle. Rien n'avait changé. Jack était toujours un Dominant arrogant et elle était toujours folle de lui. Lorsqu'elle atteignit la maison, elle vit Tom Breslin s'éloigner dans sa Porsche Carrera. Abbie n'avait pas pu lui faire avouer la vérité, mais peut-être que l'ambassadeur y parviendrait.

Dans le petit vestiaire du rez-de-chaussée, elle fit de son mieux pour retrouver une allure convenable. Au cours de son intermède avec Jack, elle avait perdu l'une des plumes du serre-tête. Abbie enleva l'autre de ses doigts tremblants. Il était temps de parler à Chris Warrington.

*

L'expression sceptique de l'ambassadeur disparut dès qu'Abbie lui montra certains des documents stockés sur son ordinateur portable. Meurtres, guerres de gangs, trafics de drogue, le tout organisé par Tabora. Elle lui exposa dans les grandes lignes ce qui liait Tabora à Breslin et conclut son compte rendu en lui posant la question suivante : comment un diplomate de second plan pouvait-il s'offrir une voiture à deux cent cinquante mille dollars ?

Quand leur conversation s'acheva, Abbie était épuisée. Breslin allait recevoir un appel très matinal le lendemain matin. La journaliste, elle, tenait enfin son scoop : *Warrington lève le voile sur une affaire de corruption au ministère des Affaires étrangères.* Abbie se dit qu'elle avait bien travaillé ce soir, mais elle n'en avait pas encore terminé avec Jack et ne l'avait pas revu depuis leurs retrouvailles dans la grange. Barbara lui proposa un dernier verre, mais Abbie préféra rentrer se coucher. La lampe était allumée dans sa chambre, et Jack était allongé au milieu de son lit. Il avait suspendu sa veste et sa cravate à une chaise, et le col de sa chemise était ouvert, révélant quelques centimètres de peau bronzée. Comment pouvait-il être aussi beau et inaccessible ?

— Je te suggère de remettre ta veste ; il fait froid dehors.

— Je ne vais nulle part.

Jack tapota le lit à côté de lui.

— Et si on discutait ?

Abbie commença à se démaquiller.

— De quoi ? De mes qualités de bonne petite soumise ? De toutes les choses amusantes qu'on pourra faire une fois rentrés aux États-Unis ? Désolée. La réponse est non.

Pour la première fois depuis leur rencontre, Jack eut l'air de douter.

— Abbie, je ne suis pas doué pour ça.

— Pour quoi ? Les histoires d'amour ? Franchement, ça craint. Tu voulais que notre relation soit basée sur la sécurité, le bon sens et le consentement. Très bien, rien à redire. Mais tu m'as aussi promis de l'honnêteté, et, jusqu'à maintenant, je n'en ai pas vu beaucoup dans nos rapports. Alors, écoute-moi bien.

Abbie respira profondément.

— Je suis amoureuse de toi, Jack. Mais ça ne suffit pas.

Jack serra les lèvres. Il se repliait sur lui-même. Il lui glissait entre les doigts.

— Que se passe-t-il ? Trop d'honnêteté ?

Abbie essuya les restes de son mascara avec un mouchoir en papier. Puis, elle croisa le regard de Jack dans le miroir.

— Jack Winter ne me suffit pas. Je veux aussi Michael Delaney. Je ne veux pas vivre avec une moitié d'homme qui fuit son passé.

Elle retint sa respiration en attendant sa réaction. Les secondes s'égrainaient en silence, sans tendres baisers, sans réconciliation, sans mots d'amour. Abbie regardait Jack lutter contre ses démons intérieurs.

Il lui prit la main.

— Tu n'as pas idée de ce que tu me demandes. C'est trop.

Abbie ferma les yeux. Elle l'avait fait. Elle avait joué cartes sur table, lui avait dit ce qu'elle souhaitait, mais Jack ne pouvait ou ne voulait pas communiquer avec elle. Il était toujours le même homme renfermé.

— Alors, je veux que tu partes.

Abbie ne bougea pas. Elle entendit le léger cliquetis de la porte qui se refermait derrière lui. Quand elle rouvrit les yeux, elle était seule. Cette fois, c'était bel et bien terminé.

TRENTE CINQ

En faisant ses bagages, Abbie se dit qu'il n'y avait que deux saisons en Irlande : l'une pluvieuse et froide, l'autre pluvieuse et pas trop froide. Les prémices du printemps lui donnaient le mal du pays. New York et sa famille lui manquaient. Elle avait trouvé merveilleux de pouvoir écrire le roman qu'elle avait toujours eu en tête, mais Josh la suppliait de rentrer et de retravailler pour le journal. Il était temps de reprendre le cours normal de sa vie et de tourner la page.

Coincée entre ses vêtements se trouvait sa boîte de « Jack ». Abbie y avait rangé de petits souvenirs de leur histoire : une serviette en papier du glacier à Pasadena, une plume qu'elle avait conservée après leur nuit ensemble dans son appartement, une petite orchidée séchée du Honduras.

Les débris de leur relation, auxquels elle s'était raccrochée après s'être enfuie en Irlande. Ils résumaient assez bien leur histoire. Elle n'avait pas eu grand-chose à ajouter dans sa boîte ces cinq derniers mois.

La porte de la chambre s'ouvrit, et Nesbitt se faufila à l'intérieur. L'animal secoua son pelage épais. Ses confidents canins allaient lui manquer. Ils avaient été les premiers témoins des ravages causés par Jack Winter pour la deuxième fois. C'est Barbara qui avait décroché lorsqu'il avait appelé le lendemain du bal de la chasse, et elle lui avait répondu que sa nièce était rentrée chez elle. Depuis, Abbie n'avait plus entendu parler de Jack. Pas le moindre ragot susceptible de soulager son terrible manque de lui. Il n'était pas rentré à New York, ni à

Los Angeles, et, d'après son site Internet, aucun événement ne figurait à son agenda.

La saga *The African Queen* se poursuivait. L'acteur qui devait remplacer Jack – car on savait maintenant qu'il avait été initialement choisi pour le rôle de Charlie – s'était cassé le bras le premier jour du tournage. Et Maria Richards avait dû abandonner son rôle en raison d'une grossesse imprévue.

— Depuis quand tu as le droit de monter là-haut ? Descends tout de suite ! cria Barbara, alors que Nesbitt passait devant elle en courant.

Barbara tendit un journal à Abbie.

— Il y a un article qui pourrait t'intéresser là-dedans.

Machinalement, Abbie chercha la rubrique des actualités, mais Barbara lui prit le journal des mains et tourna les pages jusqu'à celle des divertissements.

— Regarde un peu, dit-elle en pointant du doigt la chronique intitulée « En ville ».

Retour sur scène triomphal pour Jack Winter

Hier soir, le tout nouveau Barry Theatre a assurément marqué des points en mettant en scène l'apparition-surprise de l'acteur hollywoodien Jack Winter dans sa première production, Guérisseur *de Brian Friel. Jamais un secret n'avait été aussi bien gardé. Le producteur Jonathan Wilde a révélé plus tard qu'il avait persuadé son vieil ami de remonter sur les planches en lui promettant une discrétion absolue. « Il a fallu être sacrément vigilants pour éviter que l'affaire ne s'ébruite, s'est confié Wilde après la première. Mais Jack traversait une période difficile, et les autres comédiens de la troupe, ainsi que tous les techniciens, tenaient à ce que cet acteur extraordinaire ait une chance de rappeler aux gens l'étendue de son talent. C'était un plaisir de travailler avec lui, et Jack a conquis tout le monde grâce à son génie et son dévouement. »*

Mieux connu pour ses films d'action hollywoodiens, Winter interprétait ici le rôle de l'ivrogne égocentrique Frank Hardy. La profondeur de sa colère et de son angoisse était presque douloureuse à regarder. Son monologue final a tenu tout le public en haleine. L'acteur, qu'on a vu à Dublin pour la dernière fois alors qu'il était encore étudiant, fait donc un retour stupéfiant. D'aucuns disaient du jeune Winter qu'il serait l'un des meilleurs acteurs de sa génération et beaucoup considéraient son succès mondial en tant qu'acteur de cinéma comme la plus grande perte pour le monde du théâtre depuis Richard Burton.
Dans cette pièce joue un Jack Winter comme ses fans ne l'ont encore jamais vu. Ceux qui ont la chance de détenir des billets pour l'une des cinq autres représentations peuvent se réjouir d'assister bientôt à une performance scénique inoubliable.

Abbie s'assit lourdement sur le bord du lit, et le journal glissa entre ses mains. Son cœur battait à lui rompre la poitrine. Hollywood ne voulait peut-être plus entendre parler de lui, mais Jack n'avait pas baissé les bras.

— Dommage que ce soit complet, dit Barbara.

— Complet ?

— Oui, cet article date de samedi dernier. La dernière représentation a lieu ce soir.

— Mais il reste forcément des places.

Barbara la regarda d'un air compatissant.

— Tu aurais peut-être dû lui dire que tu étais toujours en Irlande. Il te cherchait.

Abbie descendit avec elle au rez-de-chaussée et la suivit dans le bureau.

— Je vais appeler le guichet du théâtre.

La fille au bout du fil rit ouvertement en entendant sa question. Il ne restait pas le moindre billet, même pour une journaliste du *New York Independent*. Abbie reposa le combiné.

Quelqu'un devait bien pouvoir l'aider. Comment quitter l'Irlande sans lui dire au revoir ? Elle reprit le combiné et composa un autre numéro.

— Abbie Marshall à l'appareil. Je dois parler à l'ambassadeur.

*

Le trajet vers Dublin se passa sans incident. Abbie n'eut pas besoin de boîtes de mouchoirs cette fois. Elle se sentait simplement plus calme, plus sage. Martin la déposa à l'hôtel, et Abbie entama sa dernière journée en Irlande. Elle devait chercher un cadeau pour le mariage de Kevin et Kit. Ensuite, elle irait voir Jack une dernière fois et disparaîtrait.

Abbie ouvrit sa valise et vida son contenu sur l'édredon. Elle cherchait un paquet enveloppé de papier de soie. La robe de soie verte avait été nettoyée, et Barbara la lui avait offerte comme cadeau de départ. Abbie ouvrit la boîte de Jack, sortit la plume et la rangea dans son sac à main. Jack s'était servi d'une plume pour tracer un M sur son sein la première fois qu'ils avaient fait l'amour. Son vrai prénom. Michael. C'était idiot de l'emporter, mais Abbie considérait cette plume comme une amulette capable de la protéger. Elle appela la réception.

— Pouvez-vous m'envoyer quelqu'un pour me coiffer et me maquiller ? Ensuite, j'aurai besoin d'un taxi pour dix-neuf heures trente.

*

— Dix minutes, monsieur Winter.

Jack passa la veste de son costume gris et regarda son visage mal rasé dans le miroir.

— Salut, Frank.

Tous les soirs, il enfilait les mêmes vêtements et entrait dans la peau de Frank Hardy. Quand Jonathan lui avait proposé ce rôle, Jack avait été stupéfait et flatté. Il n'avait pas passé une semaine aussi parfaite depuis longtemps. Cinq soirs sur scène, dans sa propre ville, dans la peau d'un Irlandais en exil. Cinq soirs de critiques dithyrambiques. Un soir, Jack avait retrouvé son père en larmes après la pièce. Il l'avait serré dans ses bras, et le venin qui empoisonnait leurs relations s'était évaporé sans qu'aucun d'eux ne prononce un seul mot. La seule chose qui manquait à sa vie était Abbie.

La tante d'Abbie avait dit à Jack qu'elle était rentrée chez elle. Mais ensuite, il avait eu beau supplier Kit de lui révéler où son amie se trouvait, elle lui avait simplement répondu qu'Abbie se cachait dans un endroit éloigné de tout et qu'elle écrivait un roman. La journaliste n'avait pas essayé de le recontacter. Il avait encore tout fait foirer. Chaque fois qu'il était sur le point d'exprimer ses sentiments, de lui dire qu'il l'aimait, combien elle comptait pour lui, combien il avait besoin d'elle dans sa vie, Jack ne trouvait pas les mots.

Il passait son temps à la blesser, mais, au bout du compte, la personne qu'il blessait le plus, c'était lui-même. Jack avait eu envie d'elle dès l'instant où il l'avait vue au Honduras. À présent, il l'aimait, il avait besoin d'elle comme d'une drogue.

Abbie avait fait tomber le masque hollywoodien qu'il arborait prudemment. Elle avait coupé court à son arrogance et à ses conneries grâce à son esprit rapide et son intelligence. Elle éveillait plus le Dominant en lui que toutes les femmes qu'il avait connues. Jack voulait qu'elle revienne. Il allait la récupérer et faire ensuite tout ce qu'il faudrait pour la garder.

— Cinq minutes.

Un coup retentit de nouveau à sa porte. Jack se prit la tête entre les mains. Il était temps de redevenir Frank.

Comme tous les soirs, il ne garda aucun souvenir de sa performance. Il s'identifiait tant à son personnage qu'il oubliait tout. Mais la dernière réplique de la pièce, qui évoquait le fait de renoncer à la chance, le ramenait toujours à sa propre histoire. Il devait renoncer au vieux Jack s'il voulait avancer. Le Jack qui avait peur d'admettre qui il était vraiment. Le Jack qui vivait une double vie, mi-superstar d'Hollywood, mi-Dominant sexuel, et qui ne savait plus très bien qui il était. Le Jack qui sabotait la moindre de ses histoires d'amour parce qu'il devait toujours cacher un aspect de sa personnalité.

Il avait fini de se cacher. Il était une seule personne – un homme à la fois bon et mauvais, un acteur et un Dominant, un fils et peut-être un jour un père.

Des applaudissements retentirent à nouveau. Jack prit les mains de ses deux partenaires et s'avança dans la lumière.

Au théâtre, la chaleur, l'admiration et la reconnaissance du public étaient réelles et tangibles. La foule se leva et hurla son nom. Ses partenaires lui lâchèrent les mains, et Jack se dirigea vers le devant de la scène.

— J'aimerais dédier cette représentation à...

La foule se tut. La gorge de Jack se serra. L'acteur s'éclaircit la voix et reprit :

— J'aimerais dédier cette représentation à Abbie Marshall. La femme que j'aime, la femme qui m'a sauvé. Où qu'elle soit ce soir, j'aimerais lui rendre hommage.

Le rideau se referma une dernière fois, et Jack repartit vers sa loge. Sa chemise trempée de sueur lui collait au dos. Il était lessivé.

— C'était extraordinaire.

Devant la porte de sa loge, Jonathan lui donna une claque dans le dos.

— Tu sais, on pourrait faire une tournée avec cette pièce. Un mois à Londres et puis un petit passage à Broadway, peut-être. Évidemment, tu ne gagneras jamais autant qu'en tournant une superproduction hollywoodienne. Tu risques d'être payé au cachet, j'en ai peur.

Jack sourit. Zeke Bryan ferait une attaque s'il entendait ça. Ce cachet ne suffirait même pas à payer les manucures hebdomadaires de l'agent. Jack tendit la main à Jonathan.

— Ce serait super. Où est-ce que je signe ?

De retour dans sa loge, l'acteur laissa tomber sa veste sur le dossier d'une chaise et ouvrit les boutons de sa chemise tachée de sueur. Il s'assit à la table de maquillage et se versa une tasse de thé. Si Kevin le voyait, il rirait à s'en décrocher la mâchoire. Pas de gnôle, pas de starlettes, pas de parties de jambes en l'air dans sa loge. Juste une gentille tasse de thé.

Quelqu'un frappa à sa porte, et Jack fronça les sourcils. Il exigeait de pouvoir rester seul pendant au moins une demi-heure après la pièce. Il avait besoin de ce laps de temps pour sortir de la peau de Frank.

— Qui est-ce ? demanda-t-il d'un ton plus sec qu'il ne le souhaitait.

La costumière aux cheveux gris passa la tête par la porte.

— Quelqu'un veut te voir. Je ne laisse passer personne d'habitude, mais cette femme dit qu'elle s'appelle Abbie Marshall.

*

Ses cheveux étaient peignés vers l'arrière, sa chemise blanche, ouverte jusqu'à la taille, et le maquillage sombre qu'il n'avait pas encore enlevé accentuait le bleu laser de ses yeux.

Jack était aussi sensuel et décadent qu'un libertin. Abbie avait oublié combien il était séduisant en chair et en os.

D'une beauté si parfaite. Si enivrante. Abbie joua avec son sac à main brodé en perles pour se donner une contenance. C'était une erreur. Elle n'aurait pas dû venir.

— Bonsoir, Jack.

Elle eut un petit frisson de plaisir lorsqu'elle vit la main de Jack trembler légèrement en reposant sa tasse sur la soucoupe. Jack se leva et inclina la tête.

— Abbie.

— Je t'ai trouvé merveilleux.

Les mots sortirent de sa bouche avant qu'elle puisse les arrêter. *Super. Maintenant, tu as l'air d'une petite groupie. Pourquoi ne peux-tu pas lui parler, lui dire ce que tu ressens ?*

Jack lui adressa son sourire habituel.

— Merci. C'est Jonathan qui a eu l'idée de me donner le

rôle de Frank. Il aimerait qu'on parte en tournée, en commençant par Londres.

— C'est formidable.

Une tournée. Il ne pouvait pas partir en tournée ; elle venait seulement de le retrouver.

Abbie se figea en imaginant les hommages affectueux qu'il allait recevoir du public, sans parler de toutes ces femmes qui seraient prêtes à sauter dans son lit.

— Alors, ça marche l'écriture ?

— Oui, mais je rentre à New York demain. Josh veut que j'enquête sur une autre affaire en Amérique centrale.

— L'Amérique centrale, hein ?

Jack retira sa chemise d'un mouvement d'épaules et resta torse nu devant elle.

— L'Amérique centrale.

Distraite, Abbie s'efforçait de ne pas regarder ses tablettes de chocolat. La boucle était bouclée : elle était en admiration devant ses abdos comme ce fameux premier matin dans la jungle. *Oh ! Maîtrise-toi, Abbie. Tu l'as vu déjà vu tout nu, non ?* Abbie se força à détourner les yeux et regarda du côté du miroir, mais elle savait que Jack la dévisageait toujours.

— Peut-être qu'on devrait en parler.

Jack avança posément vers Abbie, la forçant à reculer jusqu'à ce que son dos touche la surface fraîche de la porte en bois.

— P-p-parler de quoi ? bégaya-t-elle.

Jack baissa la tête. Son souffle effleura la joue d'Abbie. Il pressa ses lèvres sur la peau de son cou et ne bougea plus. Jack ne l'embrassait pas, il ne la mordait pas. Il attendait.

Le sac à main brodé en perles tomba sur le sol, et son contenu s'éparpilla. Abbie tourna la tête et sentit une morsure brutale. Elle laissa échapper un petit cri.

— Ne fais pas ça.

La langue de Jack tourbillonna autour de la morsure.

— Quoi ?

Du bout de la langue, Jack traça le contour de son épaule jusqu'à ce qu'il atteigne la fine bretelle de sa robe. Fascinée, Abbie ne pouvait rien faire d'autre que regarder.

Jack fit tomber une bretelle, puis l'autre, et la soie légère de sa robe glissa sur le sol. Abbie n'était plus vêtue que d'un soutien-gorge sans bretelles, de chaussures à talons, de bas et d'une petite culotte.

Jack dégrafa son soutien-gorge, puis referma ses lèvres sur un téton et suça violemment le tendre petit pic. Cette agression sensuelle arracha un cri perçant à Abbie.

— Bon, où en étions-nous ? murmura Jack dans son cou.

La vibration de sa voix fit frissonner le corps d'Abbie.

— Ah oui.

Abbie sentit une nouvelle morsure, plus douloureuse que la précédente.

— L'Amérique centrale. Ce voyage me pose juste un petit problème.

Une autre caresse. Cette fois, les mains de Jack glissèrent sur sa taille, se posèrent sur ses hanches et attirèrent Abbie contre son sexe ferme.

— Je ne crois pas que tu m'aies demandé la permission de partir.

Abbie ne parvenait plus à penser correctement, comme toujours lorsque Jack la touchait. Il avait envie d'elle. Il ne voulait pas qu'elle parte.

L'esprit d'Abbie était en plein tumulte.

Non, elle n'aurait jamais dû venir ici ce soir. Il fallait qu'elle retourne à New York. Son travail l'attendait. À cette heure-ci, elle aurait dû se trouver dans son lit, à l'hôtel. Pas à moitié nue dans la loge d'un théâtre.

— Tu risques d'avoir de gros problèmes si tu te comportes ainsi.

— Vraiment ?

Abbie se dit que cette voix aiguë et chuchotante ne ressemblait plus du tout à la sienne.

— Oh oui, il y aura des conséquences.

Jack voulait la punir. Un chaud frisson traversa son corps, comme si du feu coulait dans ses veines. C'était mal et totalement décadent, mais personne d'autre ne pouvait provoquer cet effet en elle.

— Enlève ta robe et pose tes mains sur le portant.

Sans prêter attention au petit tas de soie sur le sol, Abbie traversa la pièce et posa ses deux mains sur la barre de chrome. Elle entendit un bruissement lorsque Jack retira la ceinture de cuir de son pantalon et la plia en deux.

Il la fit claquer bruyamment sur sa paume. Abbie serra les cuisses. Le désir entre ses jambes s'accentuait. Elle avait tellement envie de lui. Elle voulait que la punition se termine, afin que Jack la touche. Elle entendit un léger cliquetis lorsque la clé tourna dans la serrure, puis une main chaude prit son sein.

Le torse nu de Jack caressait son dos, et l'humidité de sa peau lui rappelait les autres fois où il l'avait prise. Et dominée. Abbie se tendit en anticipant le premier coup. Au lieu de cela, elle ne sentit que le léger contact, sur sa peau nue, d'une plume qui descendait le long de son dos comme un souffle.

— Oh ! haleta-t-elle.

— Ne te retourne pas. N'ouvre pas les yeux avant que je te le dise.

— Oui, monsieur.

Le premier coup de ceinture atterrit sur ses fesses et fut suivi de trois autres. Abbie se dit que ce n'était pas douloureux. Pas autant que ces longs mois passés sans lui.

Les autres coups furent plus difficiles à supporter. Abbie se tendit en attendant le suivant, mais sentit la caresse d'une plume. Sa peau s'enflammait peu à peu.

Elle reçut ensuite une alternance de légers coups de ceinture et de caresses de plume, et ressentit bientôt une sorte de vertige. Ses petits cris résonnaient dans la loge.

Jack enfouit une main dans ses cheveux afin de la maintenir en place, tandis qu'il plaquait un baiser fougueux sur ses lèvres. Abbie était à bout de souffle, la tête lui tournait.

— Est-ce que ça te suffit ?

— Non, espèce de salaud. Je peux supporter tout ce que tu me feras, et même plus.

L'expression amusée de Jack devint sérieuse.

— Tu n'aurais vraiment pas dû dire ça.

La ceinture de cuir atterrit sur la table de maquillage. Abbie entendit une chaise racler le sol. Elle se retourna lentement. Une intense chaleur monta entre ses cuisses. Jack était assis sur une chaise en bois au milieu de la loge. Il tapota sa cuisse.

— Installe-toi sur mon genou.

Abbie prit tout son temps pour le rejoindre. Jack dévorait son corps du regard ; c'était une vision délicieuse. Jack la voulait, elle, et seulement elle. Lorsqu'elle se trouva à un pas de lui, Abbie s'arrêta, car elle savait que sa désobéissance l'exciterait encore plus.

— Mademoiselle Marshall, vous avez déjà de gros ennuis. Ne me forcez pas à vous punir plus durement.

Abbie se pencha sur ses genoux, savourant le contact rugueux de son pantalon de laine sur ses seins. La chaise étant trop haute pour qu'elle puisse poser les mains par terre, elle agrippa la cheville de Jack afin de ne pas tomber. Du bout des doigts, Jack traça un cercle sur sa peau tendre, puis leva la main et lui donna une fessée.

Le corps d'Abbie tressaillit. Elle avait oublié cette sensation. Jack la frappa encore, quatre fois de suite.

— Aouh !

Sa main était dure.

Jack rit.

— Je t'ai manqué ?

— Pas du tout, répondit-elle.

Sa main retomba sur ses cuisses, et Abbie se tortilla. Ces claques chaudes et piquantes réveillaient ses terminaisons nerveuses endormies, et son corps était parcouru de frissons de plaisir.

— Mon Dieu ! s'écria-t-elle.

Abbie se couvrit la bouche d'une main, de peur que quelqu'un l'entende.

Les coups suivants atterrirent au hasard, sur ses fesses ou ses cuisses. Abbie se tortilla. Elle avait oublié cette sensation de brûlure, que venaient apaiser les lents cercles dessinés par la paume de Jack sur sa peau en feu.

— Ça, c'est pour ne pas m'avoir rappelé.

Clac.

— Et ça, pour m'avoir rendu fou d'inquiétude.

Clac.

— Et ça, pour ne m'avoir envoyé aucun rapport au sujet de ta lingerie pendant des mois. Tu as bien mérité cette punition, Abbie.

Elle sentit les doigts de Jack se promener sur le bord de sa petite culotte. Il la baissa brutalement. Les coups diminuèrent, se firent plus lents et plus sensuels.

Abbie s'abandonna à eux, tandis que Jack frappait maintenant la naissance de ses cuisses, faisant naître des étincelles de plaisir dans sa chair endolorie. Abbie haletait, la main toujours plaquée sur sa bouche.

Elle se tortilla à nouveau, essayant de se hisser sur la pointe des pieds afin de diriger ses coups vers le même endroit sensible.

— Ah !

Par bonheur, Jack prit cela pour un encouragement. Sa main retomba plusieurs fois, légère et rapide, et le corps d'Abbie fut submergé d'incroyables sensations.

Elle se mit à crier en se mordant la main lorsque le plaisir fut trop intense.

Un orgasme parcourut son corps jusqu'au bout de ses doigts et de ses orteils, et Abbie sombra dans le néant.

Lorsqu'elle revint à elle, Jack la tenait dans ses bras et caressait son corps tremblant. Ses fesses étaient en feu, et Abbie se sentait sonnée. Elle sourit paresseusement à Jack quand il lui caressa le visage en repoussant ses cheveux.

— Tu m'as tellement manqué, Abbie. J'ai atrocement souffert après t'avoir perdue.

Du bout du pouce, il traça le contour de sa bouche.

— Et si j'étais simplement Jack Winter, l'acteur ? Pas de jet privé. Pas de limousine à l'aéroport. Juste toi et moi ensemble. Tu pourrais t'y faire ?

Abbie retint son souffle. Il ne plaisantait pas. C'était un Jack qu'elle n'avait encore jamais rencontré : il était nerveux.

— Aide-moi à me relever et j'y réfléchirai.

Jack la libéra à contrecœur. Abbie traversa la pièce et ramassa ses vêtements sur le sol. La soie verte brillait sous les lumières de la loge. Elle enfila sa robe et regarda son reflet dans le miroir. Son visage était rouge à cause des fessées. Ses yeux pétillaient. Elle ressemblait à une femme amoureuse.

— Combien de temps ? demanda-t-il. Combien de temps vas-tu devoir réfléchir ?

C'était injuste de le torturer, mais Jack l'avait tourmentée de nombreuses fois au cours des derniers mois. Abbie se dirigea vers la porte. Jack se leva et la suivit. Elle posa les doigts sur la clé, et l'acteur posa sa main sur la sienne pour l'empêcher d'aller plus loin.

Par-dessus son épaule, Abbie plongea son regard dans les yeux bleus de Jack.

— Autant qu'il t'en faudra pour décider de m'embrasser.

Remerciements

Les Plaisirs d'hiver est dédié à tous les Dominants et soumis qui nous ont raconté leurs expériences personnelles avec une très grande honnêteté. Un grand merci surtout à D, qui a su nous éclairer et nous confier ses pensées les plus intimes.

Un grand merci à Ian O'Reilly de la BBC pour le champagne et ses renseignements inestimables sur le Honduras.

Et nos plus sincères remerciements à nos familles laissées à l'abandon, qui ne se sont que légèrement plaintes lorsque nous avons disparu pour écrire *Les Plaisirs d'hiver*. La vie reprendra très bientôt son cours normal.

Chez le même éditeur

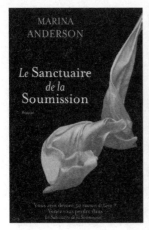  

MARINA ANDERSON

Le Sanctuaire de la Soumission

Un jour, Natalie entend parler d'un lieu où l'on peut apprendre à se découvrir, une sorte de retraite exclusive. D'abord choquée, elle accepte finalement de mettre de côté ses préjugés et de céder à la tentation. Elle y rencontre l'énigmatique Simon, un homme habitué à obtenir ce qu'il veut. Et Simon a décidé qu'il voulait Natalie...

ISBN : 978-2-8246-0243-1

Secret d'Ombres

Répondant à une petite annonce, Harriett est engagée comme assistante par une actrice mondialement célèbre. La jeune femme découvre alors que la merveilleuse star a des secrets… inavouables. Et elle est prise au piège d'un drame très privé qui la plonge dans le monde inconnu et intense de l'obsession et de la soumission...

ISBN : 978-2-8246-0285-1

La Maison des Plaisirs

Quand le beau Fabrizio voit la jeune Megan, il comprend qu'elle sera la femme idéale pour ses jeux et ses fantasmes. Peu à peu, il l'entraîne dans un monde plus sombre où le plaisir et la soumission s'entremêlent. Megan va devoir décider jusqu'où elle est prête à aller pour rester dans la maison des plaisirs de Fabrizio...

ISBN : 978-2-8246-0347-6

www.city-editions.com